AFGESCHREVEN

D0590552

VALS AKKOORD

Van Meg Gardiner zijn verschenen:

De Dirty Secrets Club * ᵉ
De Memory Man ᵉ
Vals akkoord ᵉ

* Ook in POEMA POCKET verschenen
ᵉ Ook als e-book verkrijgbaar

MEG GARDINER

VALS
AKKOORD

UITGEVERIJ LUITINGH

Uitgeverij Luitingh en Drukkerij HooibergHaasbeek vinden het belangrijk om op
milieuvriendelijke en verantwoorde wijze met natuurlijke bronnen om te gaan

© 2010 by Meg Gardiner
All rights reserved
© 2011 Luitingh ~ Sijthoff B.V., Amsterdam
Alle rechten voorbehouden
Oorspronkelijke titel: *The Liar's Lullaby*
Vertaling: Mieke Trouw-Luyckx
Omslagontwerp: T.B. Bone
Omslagfotografie: Arcangel Images / Hollandse Hoogte

ISBN 978 90 245 7699 9
ISBN E-BOOK: 978 90 245 3356 5
NUR 332

www.boekenwereld.com
www.uitgeverijluitingh.nl
www.watleesjij.nu

1

Hack Shirazi zette zich schrap in de deuropening van de helikopter en keek naar het propvolle honkbalstadion aan de andere kant van San Francisco Bay. De wind en het kabaal van de motor beukten op hem in, en de avondzon doorkliefde zijn gezichtsveld. Er was al betaald, dus hij zou zijn taak netjes uitvoeren. Maar ze waren aan de late kant, waardoor het gouden licht van de ondergaande zon recht in zijn gezicht scheen.

Hij schoof het gekromde magazijn in de kalasjnikov. 'Ik geef het teken.'

In de helikopter naast hen ging het tweede team in de deuropening staan. Over de baai vlogen ze in de richting van de stad. Honderdvijftig meter onder hen waren witte schuimkoppen op het water te zien. Op de pilotenstoel hield Andrejev de stuurknuppel stevig vast.

Het stadion van de Giants was afgeladen. De tribunes puilden uit en tussen de thuisplaat en het podium op het midden van het veld zag het zwart van de mensen. De twee Bell 212-heli's zouden over het stadion heen vliegen, keren en hun doel met de zon in de rug naderen.

Andrejev nam contact op met hun man op de grond. 'Rock-'n-roll.'

Op de tribune drukte Rez Shirazi zijn hand tegen zijn oortje. 'Begrepen.'

Om zich heen hoorde hij bijna ook alleen maar rock-'n-roll. De muziek galmde vanaf de tribunes langs de foutlijn, waarop aangeschoten boerenpummels op de maat meeschreeuwden. Het geluid kwam ook vanaf het krioelende veld, waar zonverbrande studentes de mierzoete teksten meezongen, en vanuit de skyboxen links en rechts van hem, waar investeerders aan *mojito*'s nipten en tortillachips van vijf dollar in een mangochutney-*salsa* doopten.

Shirazi schudde zijn hoofd. Nep-rock-'n-roll met een poenerig country-and-western-laagje eroverheen. Smakeloze, Amerikaanse dikdoenerij.

Door zijn oortje hoorde hij zijn broer Hack. 'Vier minuten. Stel de tijd in.'

Rez drukte op de stopwatch van zijn horloge. 'Ingesteld.'

Op het podium, naast gigantische boxen die hun zuidelijke accenten versterkten, stond een patriottisch achtergrondkoortje te neuriën terwijl een zanger met cowboylaarzen van tweeduizend dollar op klaaglijke wijze de beproevingen van de gewone man bezong. Kennelijk mocht je hem zijn werk en zijn geld afpakken, maar werd hij pas echt kwaad als je hem te min vond om hem een hand te geven.

'You can take my work, you can take my cash... but if you won't shake my hand, I'll light a fire up your...'

'*Ass*,' zei Shirazi.

In de skyboxen om hem heen wemelde het van de mensen. Ook op de balkons ervoor zaten de rijen vol, maar de skybox van Rez was leeg. Geen hapjes, beslist geen drankjes, geen rondhangende mensen. Hij liep het balkon op en controleerde hun spullen. De flessen met kooldioxide stonden op hun plaats. De tokkelbaan was stevig vastgemaakt. Het was een roestvrijstalen vliegtuigkabel, die door een gesmede oogbout was gehaald en was vastgemaakt aan de dwarsbalken die de bovenste ring van het stadion ondersteunden. Hij keek even naar de videocamera en tuurde daarna over de rand van het balkon. Het was een flink eind naar beneden.

Uit zijn portofoon klonk krakend de stem van Andrejev. 'Ik zie haar niet op de camerabeelden. Is ze er wel?'

Precies op dat moment ging de deur van de skybox open. Lawaai dreef vanuit de gang naar hem toe, en Tasia McFarland stormde naar binnen.

'Rez, ze lopen achter me aan. Stuur ze weg. Ik kan dit niet als al die mensen me lastigvallen.'

De zenuwen sloegen toe nu hij haar zag. 'Ze is er.' Een fractie van een seconde kriebelde zijn huid en bonsden zijn oren. 'O, shit.'

In zijn oor vroeg Hack scherp: 'Wat is er?'

Tasia had de klimgordel al om haar heupen vastgegespt. Dat was nog een hele toer geweest, want ze droeg een magentakleurig korset, met aan de achterkant een sleep van ruches die tot op de grond hing. Daaronder droeg ze een gescheurde spijkerbroek en turkooizen cowboylaarzen. Aan de bovenkant leek ze net Scarlett O'Hara die halverwege een striptease was gestopt, en aan de onderkant zag ze eruit alsof ze het met een hondsdolle das aan de stok had gehad.

Achter haar stroomden mensen naar binnen. Beveiligers van het stadion. Een meisje van de make-up. Iemand van de kleding. De geluidsman.

Ze draaide zich razendsnel naar hen om. 'Laat me toch met rust. Ik word helemaal gek van jullie. Ik kan niet nadenken. Donder op. Rez, stuur ze weg.'

Rez hief zijn handen op. 'Oké. Kalm aan.'

Haar heldere, jadekleurige ogen fonkelden. 'Kalm aan? Dit is een happening. Dit is een supernova. Ik sta aan de oever van de Rubicon. En deze...' Ze gebaarde naar haar gevolg. '... deze vampiers vullen mijn hoofd met ruis. Ze omringen me met zoveel kabaal dat ik niet hoor wat ik moet horen om mezelf daarginds te beschermen. Stuur ze weg.'

In zijn oor hoorde Rez de stem van de regisseur. 'Godsamme. Gaat ze door het lint?'

'Jazeker.' Rez gebaarde dat iedereen naar buiten moest. 'Jullie hebben haar gehoord. Wegwezen.'

Het meisje van de make-up wees wanhopig naar Tasia. 'Maar moet je zien hoe ze eruitziet. Het lijkt wel of ze met kleurkrijtjes heeft gespeeld.'

Rez duwde het meisje naar de deur.

De beveiligers keken nors naar hem. 'Dit is tegen de afspraak.'

'Niks aan de hand,' zei Rez. 'We hebben de stunt al tien keer gedaan.'

De geluidsman schudde zijn hoofd. 'Haar zendertje, ze...'

'Ik regel het verder wel.' Rez werkte de laatste van de groep de deur uit.

'Op jouw verantwoording, vriend,' riep de geluidsman over zijn schouder.

'Ik ben de stuntcoördinator. Het is altíjd op mijn verantwoording.' Rez duwde de deur dicht.

'Doe hem op slot,' zei Tasia.

Rez schoof de grendel erop. Tasia beende door het vertrek, waarbij ze vluchtig naar de hoeken en het plafond keek en de schaduwen bestudeerde. Haar ruches sleepten als een pauwenstaart achter haar aan.

'Vroeger dacht ik dat roem een schild vormde, maar mijn bekendheid zal me niet beschermen. Ik ben er juist een doelwit door geworden,' zei ze.

Rez keek op zijn horloge. 'Het valt niet mee om beroemd te zijn.'

'Dat is een understatement. Ik heb levenslang. Het leven is hard, en ik ben hard, en dan ga je dood. Zo dood als Dodi en prinses Diana.'

In zijn oortje hoorde hij Andrejev zeggen: 'Drie minuten. We vliegen op jullie af en beginnen aan onze ronde.'

'Begrepen,' zei Rez.

Over drie minuten zou een computerprogramma de reeks special effects in werking stellen, en op het moment dat de helikopters over het honkbalstadion vlogen, zou Tasia een spectaculaire entree maken. Maar nu ging ze verdomme over de zeik.

'En ik ben niet bang voor de camera, maar er hangt er voortdurend een boven me die me in de gaten houdt. Satellieten, het Bureau Nationale Veiligheid, paparazzi. Op tv, online, welke kant ik ook op kijk, ze staren naar me. Een hertje in de koplampen. Een ree in groot licht. Do ree mi fal dood, stelletje klootzakken.'

Ze beende langs de glazen deuren naar het balkon en staarde naar de veertigduizend mensen die het stadion vulden. De muziek dreunde tegen het glas, vervormde echo's van het vaderlandslievende refrein.

Rez volgde haar naar buiten. 'Kom, we maken je vast. Het komt vast allemaal goed. Het is gewoon een stunt.'

De bries van de baai tilde de haren in haar nek op als karamelkleurige sliertjes rook. 'Het was een stunt in de film. Maar in de film deed de ster dit niet zelf. Weet je waarom?'

Omdat zij niet getikt is. 'Omdat ze niet zo in elkaar zit als jij.'

Omdat de ster niet zo verslaafd was aan aandacht als Tasia Mc-Farland. Omdat de ster niet dapper of roekeloos genoeg was om zich aan een tokkelkabel vast te haken, de titelsong van de film te zingen en op twaalf meter hoogte boven het publiek te vliegen terwijl er vanaf het scorebord vuurwerk werd afgestoken.

Bull's-eye was de nieuwste release in een reeks actiefilms vol vuurwapens en heupwiegende vrouwen. Lange Loop. Stevig Doorladen. De stuntmannen hadden hun eigen namen voor dit soort films. Knokken en mokkels. Blondjes en bloed.

Maar de film was een groot succes, en de titelsong 'Bull's-eye' ook. Tasia McFarland stond boven aan de hitlijsten, en daar wilde ze blijven.

'Filmsterren laten hun stunts aan een ander over omdat ze de ballen verstand hebben van leven en dood,' zei ze.

Haar ogen glansden. Haar make-up zag eruit alsof ze was opgemaakt door een opgewonden zesjarige die stiekem een pikant blad had gelezen.

'Staar me niet zo aan,' zei ze. 'Ik ben nuchter. En ik heb niet gebruikt.'

Had ze misschien zelfs te weinig gebruikt? De gedachte moest op Rez' gezicht te lezen zijn, want Tasia schudde haar hoofd.

'En ik heb netjes mijn medicijnen geslikt. Ik ben gewoon gespannen. Zullen we dan maar?'

'Prima.' Rez dwong zichzelf om bemoedigend te klinken. 'Het wordt een eitje. Net als in Denver. Net als in Washington.'

'Je kunt slecht liegen.' Ondanks haar glimlach zag ze er ongelukkig uit. 'Dat bevalt me wel, Rez. Van goede leugenaars heb je meer te vrezen.'

In zijn oor klonk Andrejevs stem nu iets hoger. 'Twee minuten.'

Tasia's blik dwaalde van de lege skybox naar het deinende veld. Ze sjorde aan haar strakke spijkerbroek.

'De gordel zit niet goed.' Ze trok eraan. 'Hij moet losser.'

Er zat al een karabijnhaak aan de gordel vast. Rez stak zijn hand ernaar uit, maar ze gaf hem een tik op zijn vingers. 'Ga naar binnen en draai je om. Niet kijken.'

Hij keek haar stuurs aan, maar ze duwde hem achteruit. 'Ik kan

niet zingen als die verrekte kuisheidsgordel in mijn kruis snijdt. Wegwezen.'

Dacht ze soms dat het discreter was om haar slipje voor het oog
van een vol stadion recht te trekken? Maar hij herinnerde zich regel
één: geef de ster altijd haar zin. Met tegenzin ging hij naar binnen
en keerde hij haar de rug toe.

Achter hem werden de glazen deuren met een klap dichtgegooid.
Toen hij zich omdraaide, zag hij dat Tasia de deuren op slot deed.

'Hé.' Rez rammelde aan de klink. 'Wat krijgen we nou?'

Ze pakte een stoel en klemde die onder de klink.

'Dit is geen stunt, Rez. Hij zit me op de hielen. Dit is een kwestie van leven of dood.'

Omringd door duizenden blije mensen liet een zonverbrande, dor-
stige Jo Beckett zich op het veld op haar krappe plastic stoeltje on-
deruitzakken.

De band produceerde genoeg decibels om de sonar van de duik-
boten in de Stille Oceaan op te blazen. Het nummer, 'Banner of
Fire', dreunde extra hard op de eerste tel en diste mensen die niet
van grove hagel, monstertrucks en vrijheid hielden. De zanger,
Searle Lecroix, was een swingende figuur die zijn gitaar laag droeg
en de microfoon bijna kuste. Er hing een zwarte stetson over zijn
voorhoofd, waardoor zijn ogen nauwelijks zichtbaar waren. De gitaar in zijn handen was beschilderd met de Amerikaanse vlag en kon
waarschijnlijk alleen maar vaderlandslievende liederen spelen.

De jonge vrouw naast Jo klom op haar stoel, ramde met haar vuisten in de lucht en schreeuwde: 'Woeeee!'

Jo trok aan de zoom van haar t-shirt. 'Tina, bewaar dat maar voor
de dag des oordeels.'

Lachend sloeg Tina Jo's vingers weg. 'Snob.'

Jo hief haar ogen ten hemel. Toen ze haar zusje voor haar verjaar-
dag concertkaartjes had aangeboden, had ze gedacht dat Tina death-
metal of *Aïda* zou kiezen in plaats van Searle Lecroix en de *Bad Dogs
and Bullets*-tournee.

Ondanks haar muzieksmaak leek Tina wel een jongere versie van
Jo: lange bruine krullen, levendige ogen, een compacte, atletische li-
chaamsbouw. Maar Jo droeg een cargobroek en Doc Martens, en ze

had een legitimatiepasje van het USCF Medical Center in haar rugzak en straalde de wereldwijze houding van een jonge dertiger uit.
Tina droeg een strooien cowboyhoed, een neusring en genoeg arm-
banden om de United States Mint van zilver te kunnen voorzien. Ze
was de menselijke verschijningsvorm van cafeïne.

Jo kon onmogelijk haar gezicht in de plooi houden en glimlachte
naar haar. 'Je bent een pion in de samenzwering tussen het leger en
Nashville.'

'Jij spoort niet. Straks zeg je nog dat je niet van puppy's of het
kindje Jezus houdt.'

Jo stond op. 'Ik ga naar de snackbar. Heb je ergens zin in?'

Tina wees op Lecroix. 'Hem. Warm en met boter.'

Jo lachte. 'Ik ben zo terug.'

Ze worstelde zich langs de andere mensen naar de wandelgang en
liep naar de tribunes. Boven haar hoofd glinsterde metaal in het zonlicht. Toen ze opkeek, zag ze een stalen kabel van een skybox naar
het toneel lopen. Het leek wel een tokkelkabel. Ze ging langzamer
lopen en schatte de afstand van het balkon naar de landingsplaats op
het toneel. Het was een flinke afstand.

Een tel later hoorde ze helikopters.

Andrejev liet de Bell 212 een schuine bocht maken en maakte zich
klaar om over het stadion te vliegen. Hij werd geflankeerd door de
tweede helikopter.

'Negentig seconden,' zei hij. 'Rez, is Tasia er klaar voor?'

Er kwam geen reactie. 'Rez?'

Hij keek naar de videomonitor, waarop het balkon van de skybox
te zien was.

Zijn ogen werden groot van schrik, want de deuren van de skybox
waren met een stoel dichtgeklemd. Rez stond binnen aan de klink te
rammelen.

Op het balkon stond Tasia met haar rug naar hem toe. Ze stak
haar hand uit naar haar achterzak, die zich onder de extravagante
sleep met ruches aan haar korset bevond.

'Shit. Shit. Shit,' zei Andrejev.

Vanuit de deuropening van de heli riep Hack Shirazi: 'Wat is er
aan de hand?'

Andrejev schreeuwde in zijn portofoon: 'Rez, ze heeft een pistool.'

2

Met zijn vuisten beukte Rez op de glazen deur. 'Tasia, doe in godsnaam open. Er zit niemand achter je aan.'

In zijn oor schreeuwde Andrejev tegen hem. '... een pistool. Rez,
hou haar tegen.'

Rez legde zijn hand op zijn oortje. Tasia draaide zich om. In haar
rechterhand had ze een pistool.

'Wat krijgen we nou?' vroeg hij.

Het was een zwaar wapen. Het was verdomme een automatische
colt .45.

'Is die van rekwisieten?'

'Het is een echte,' antwoordde ze. 'Bij een spetterende finale draait
het altijd om een vuurwapen.'

'Op het witte doek, ja, maar niet in het echt. Leg dat ding weg.'

'Jij denkt nog steeds dat dit een optreden is. Noem dit dan maar
een solo met een ondersteuning van hoog kaliber.'

'Als dat ding op iemands hoofd valt, worden we aan onze haren
voor de rechter gesleept. Ik wil mijn baan liever houden.' Hij rammelde weer aan de deur. 'Je kunt geen wapen mee naar het podium
nemen.'

Ze glimlachte nijdig. 'Iedereen die bij deze stunt betrokken is heeft
een wapen.'

'Maar die zijn nep.'

'Precies.' Ze hield het pistool omhoog. 'Mijn roem kan me niet
beschermen. Alleen Samuel Colt kan dat. En mijn muziek, want de
stem is machtiger dan het zwaard. Melodie, harmonie, contrapunt,
tekst. Onthou dat voor als ze me te pakken krijgen. De waarheid zit
in mijn muziek. Als een kogel naar de eerste plaats van de hitlijst,
hiep hiep hoera.'

'Er gebeurt niets, Tasia.' Sussend hief Rez zijn handen op. 'Leg
hem alsjeblieft weg.'

'Denk je dat ik gek ben? Ik laat hem heus niet vallen.' Er blonk
een koortsachtige blik in haar ogen. 'Jezus, je denkt dus echt dat hij
geladen is.'

Even leken haar wervelende haren op krioelende slangen, maar de enige aanwezige slangen bevonden zich in haar hoofd.

Vanuit de helikopter vroeg Andrejev: 'Is het een rekwisiet? Rez?'

'Geen idee.'

Tasia's stem raakte hem scherp in zijn onderbuik, als een mes. 'Nee, je hebt geen idee. Je hebt geen benul van wat zich daarbuiten afspeelt. Wat er op de loer ligt. Ik heb het over geweld. Ik heb het over propaganda van de daad. Ik heb het over een revolutie – je weet wel, we willen allemaal de wereld verbeteren.'

In zijn oor hoorde Rez de regisseur. 'Wat is er aan de hand? Sodeju, Shirazi, waar is ze mee bezig?'

'Tasia, leg dat wapen neer.'

Ze schudde haar hoofd. 'Als ik dat doe, krijgt hij me te pakken. Dan is het jachtseizoen geopend. Autobommen in steden. Doodseskaders die vrouwen en kinderen neermaaien.' Ze hield het pistool omhoog en draaide het in haar hand, alsof ze controleerde of alle onderdelen erop zaten. 'Eerst dacht ik dat ze zoiets niet zouden wagen. Maar ik was naïef. Ik was een kind. Ik was verdomme een kind dat argeloos rondliep. Rond, rond, steeds weer opnieuw.'

'Waar heb je het over?'

'Martelaarschap.'

Rez voelde zijn knieën knikken.

'Het gaat niet altijd om religie. Soms is het goddeloos en soms zitten er engelen achter in plaats van de duivel. En dit wapen komt van de bron, de alfa en de omega.'

Ze greep haar karabijnhaak en maakte hem vast aan de lus die aan de tokkelkabel hing.

'Waarschuw de beveiliging,' zei Rez in zijn portofoon. 'Stuur ze door de skyboxen links en rechts van ons en pak haar.'

Tasia draaide zich abrupt om en staarde hem aan. 'Ik heb het tegen hem gezegd. Hem gewaarschuwd. Hij heeft me dus gehoord. Maar nu hoort hij me nog een keer, een heel stuk harder.'

Jezus. 'Kom op, T...'

Ze zwaaide lukraak met het wapen in zijn richting. Hij dook ineen. Ze draaide zich weer naar de menigte.

'De geheime dienst zou het allang hebben onderzocht.'

O shit.

'Maar zij beschermen me niet. Au contraire. Ik ben losbandig, loslippig en losgeslagen. Ik sta alleen en ze houden me in het vizier. Ik heb dus niets anders dan mijn muziek en mijn colt.'

Op het toneel ging de band over op het intro van 'Bull's-eye'. Precies op dat moment gingen de flessen kooldioxide aan het balkon open. Wolken witte rook kringelden om Tasia heen.

Shirazi staarde naar de loop van de colt. Er was geen enkele manier om erachter te komen of het wapen geladen was.

'Tasia, als er een probleem is, moet je naar binnen komen en het verder aan de beveiliging overlaten. Je kunt niet met een pistool opkomen. Je jaagt het publiek de stuipen op het lijf.'

'Welnee.' Weer zo'n onheilspellende glimlach. 'Let maar op.'

De regisseur schreeuwde in zijn oor. 'Grijp haar.'

'Ik doe mijn best. Heb je de beveiliging gebeld?' Rez rammelde voor de laatste keer aan de glazen deur. Hij rende door de skybox, maakte de deur open en tuurde de gang in. Daar waren veel mensen aanwezig. Vlak bij de deur hing een beveiliger rond.

Rez trok met een armzwaai zijn aandacht. 'Tasia heeft zich op het balkon opgesloten en begint te flippen. Ren door de skybox hiernaast en pak haar.'

Achter hem riep ze: 'Rez, idioot die je bent. Straks komt hij nog binnen.'

De beveiliger haastte zich naar de aangrenzende skybox en bonsde op de deur. Rez rende terug naar de glazen deuren. Tasia's gezicht was wazig in de wolken witte rook, maar ze zag er manisch en radeloos uit.

'Dit mag ik niet laten gebeuren.' Ze zette de microfoon van haar koptelefoon aan en gebaarde naar de mensen op de balkons van de aangrenzende boxen. 'Hallo allemaal. Zin in een feestje?'

Verbaasd keken de mensen op. Ze gebaarde dat iedereen naar haar toe mocht komen, alsof ze een straatfeestje hield. Aarzelend bleven de toeschouwers op hun plaats.

'Kom op!'

'Wat krijgen we nu weer?' vroeg de regisseur.

Er stond iemand op, op de voet gevolgd door een ander. Ze klommen over de lage wandjes die de balkons van elkaar scheidden, en daarna kwamen ze allemaal. Ze stroomden over de afscheidingen en verdrongen zich om haar heen.

'Verdomme,' schreeuwde Rez in zijn portofoon. 'Ze omringt zich met mensen, zodat de beveiligers niet bij haar kunnen komen.'

Er gingen nog meer flessen kooldioxide open. Tientallen, honderden fans dromden om Tasia heen voordat ze in de witte rook verdwenen.

Op dat moment begreep Shirazi wat ze van plan was. 'Tasia, nee.'

Hij pakte een stoel en sloeg ermee tegen de glazen deuren, die niet kapotgingen. De ruiten waren van extra dik veiligheidsglas, waardoor de klap nauwelijks een barst achterliet.

Het eerste vuurwerk werd afgestoken. Tasia draaide haar gezicht naar het podium en hief de colt op.

3

Midden op het podium zong Searle Lecroix met zijn gitaar in zijn handen de laatste, hoge noot van het couplet. De toeschouwers werden zo meegesleept door zijn optreden dat ze hun armen naar hem uitstrekten, als tarwehalmen die door een prairiewind dezelfde kant op werden geblazen. Hij grijnsde en trok de cowboyhoed nog lager over zijn voorhoofd.

Op de tribune achter de thuisplaat kringelden slierten witte rook om Tasia heen. Lecroix gaf de eerste tel aan. Dat was haar teken om in te zetten.

'Give me a shot of whisky with a chaser of tears...'

De zilveren tonen van haar sopraan zweefden door de lucht. Het publiek juichte. Lecroix kreeg er een kick van.

Hij pakte de modulatie naar G-groot. Tasia's stem werd krachtiger.

'Give me a shot of courage, blow away all my fears...'

Haar magentakleurige korset was tussen de rookslierten door steeds even te zien. Om haar heen stroomde het publiek op het balkon toe. Wat had dat te betekenen? En ze had iets in haar hand. Het glinsterde in het licht.

Een pistool.

Hij raakte uit de maat. De bassist keek even opzij.

Met een overdreven gebaar, als een revolverheld die de snelheid oefent waarmee hij zijn wapen kan trekken, hief ze het pistool op. Ze richtte het op het toneel en deed of ze de trekker overhaalde. Op de steigers rond het podium werd de tweede reeks vuurwerk afgestoken. Tasia's hand schoot met een ruk omhoog, alsof het wapen terugsloeg. Het vuurwerk spatte knetterend uiteen en overgoot het publiek met rood licht.

Het leek wel of Tasia het vuurwerk had ontstoken. Ze bracht het pistool naar haar lippen en blies op de loop.

Wauw. Ze wilde de spanning bij het publiek opvoeren. Ze vond het leuk om te doen alsof ze wilde schieten – welja, maak de mannen maar gek.

Er werd nog meer vuurwerk ontstoken, groen en wit. Weer hief Tasia het pistool op, en ze deed alsof ze vuurde en blies op de loop.

'Fire away, hit me straight in the heart...'

Het hart van Lecroix ging als een razende tekeer. Boven het stadion kwamen twee helikopters in zicht. De derde serie vuurwerk werd afgestoken, rood, wit en blauw. Tasia's stem steeg er als een raket boven uit.

'Baby, give me a shot.'

Ze hief het wapen weer op. Haar verschijning werd wazig door de rook.

Een geluid als een kanonschot bulderde door het stadion.

Onder de Bell 212 kwam het stadion in zicht. Door zijn portofoon hoorde Andrejev Rez schreeuwen.

'Het wapen is geen rekwisiet en...'

In zijn koptelefoon hoorde Andrejev een oorverdovende knal.

'Jezus.' Met tuitende oren gaf hij instructies aan de piloot van de andere helikopter. 'Wegwezen.'

Opende die verrekte Tasia McFarland nu het vuur op hem? De tweede helikopter boog af naar rechts. Andrejev ging schuin hangen en volgde zijn voorbeeld.

'Te dichtbij!' schreeuwde Hack.

Zijn bocht was te ruim geweest. Hij rukte aan de stuurknuppel, maar het was al te laat. Zijn staartrotor raakte de staartsteun van de tweede heli.

Het lawaai was abrupt, luid, overal. De helikopter schudde door elkaar alsof hij een klap van een sloopbal had gekregen. De staartrotor scheurde af.

Hack schreeuwde: 'Andrejev...'

De heli begon meteen rond te draaien en verloor hoogte. Andrejev worstelde met de bediening. 'Hou je vast.'

De motoren brulden. Het uitzicht flitste aan Andrejev voorbij. De Bay Bridge, de binnenstad, de zonsondergang, het scorebord. O god, als we het scorebord maar niet raken, als we daar maar overheen kunnen vliegen en in de baai storten en ons niet in het publiek boren...

'Hou je vast, Hack.'

Door de ruit zag hij de baai steeds dichterbij komen.

Op het podium hoorde Lecroix metaal scheuren. Hij keek omhoog. In de lucht boven het stadion vlogen brokstukken van een van de stunthelikopters. Het publiek hield geschrokken de adem in. De heli tolde met een gierende motor rond. Het toestel maakte een scherpe kanteling en verdween achter het scorebord in de richting van de baai.

De beveiligers gebaarden naar de band. 'Liggen! Kijk uit!'

Een stuk van een rotorblad sloeg als een bijl in het podium.

De drummer sprong op, schopte zijn drumtoestel omver en liet zich met zijn handen op zijn hoofd op het podium vallen. Lecroix gooide zijn gitaar neer en sprong tussen het publiek.

Een staartstuk van de heli stortte als een meteoor op de voorste rijen neer. Gillend sloeg het publiek op de vlucht. Lecroix probeerde tegen de stroom in te lopen en bij de tribunes te komen, waar de rookmachines nog altijd witte nevel uitbraakten.

Het was alsof hij bliksem in zijn aderen voelde. Hij wist waar die eerste, verschrikkelijke knal vandaan was gekomen. En hij wist ook waarom die oorverdovender en oneindig veel luider was geweest dan het vuurwerk of de gitaarsolo.

Het pistool was vlak naast de microfoon van Tasia's headset afgegaan.

Met een klap kwam er een tandwielkast op het veld terecht. Het vluchtende publiek raakte volledig in paniek. Lecroix moest moeite doen om overeind te blijven. En uit de rook kwam Tasia aan de tokkelkabel naar het podium glijden. Ze hing aan de klimgordel rond haar heupen en draaide als een lasso langzaam rondjes. Haar hoofd hing naar achteren en ze had haar armen gespreid, alsof ze zich aan de hemel aanbood. Haar haren zaten vol bloed, dat als dikke tranen op de vluchtende mensen drupte. Lecroix probeerde te schreeuwen, maar er kwam geen geluid uit zijn keel.

Van de snackbar rende Jo in de richting van het geschreeuw en het gejammer. Ze hoorde metaal door metaal snijden. Toen ze de hoek om kwam, zag ze een chaos.

Mensen renden weg van het podium. Uit de lucht dwarrelden brokstukken als felgekleurde metallic confetti naar beneden. Achter het rechtsveld steeg rook op uit de baai.

'O jezus.'

Er was een helikopter neergestort. Haar maag dreigde zich om te draaien. Ze liet haar popcorn vallen en rende naar het veld.

'Tina,' zei ze.

Een brokstuk sloeg achter op het podium tegen de paal waaraan de tokkelkabel vastzat. Met een luide tjink sloeg de stalen kabel los. Als een zware zweep viel hij tussen het publiek.

'Mijn god.'

Er hing een vrouw aan de tokkelkabel. Jo zag haar hulpeloos tussen de mensen vallen.

De toeschouwers stroomden naar haar toe. Ze duwden, struikelden, vielen, tuimelden over elkaar heen. Jo probeerde zich een weg door de menigte te banen. Opeens hoorde ze iemand haar naam roepen, alsof het een hoge zangnoot was.

'Jo, hier.'

Tina rende naar haar toe. Jo worstelde zich tussen de aanzwellende stroom mensen door en greep haar beet.

'De helikopters zijn met elkaar in botsing gekomen,' zei Tina.

Jo drukte Tina tegen een pilaar en keek met prikkende ogen om zich heen. De massa paniekerige mensen vluchtte naar de tribune achter het rechtsveld. Mensen klommen over de hekken en vielen in de dug-out.

Een official van het stadion pakte de microfoon en smeekte het publiek kalm te blijven. Het gegil veranderde in gejammer en een griezelige stilte boven in het stadion.

'Wat was dat nu?' vroeg Tina.

'De rampzaligste stunt uit de entertainmentgeschiedenis,' antwoordde Jo.

Ze wist niet hoever ze ernaast zat.

4

Een blauwe, met sterren bezaaide avondschemering versluierde de hemel toen Jo en Tina het stadion uit kwamen en Willie Mays Plaza opliepen, maar onder de stadionlampen baadde het honkbalveld in het licht. Aan weerszijden van de straat stonden politieauto's. In de baai verlichtten zoeklichten op een reddingsboot het ruwe water waarin de heli was neergestort. Third Street werd verlicht door spotlights van de televisie. De avond was oogverblindender dan de glimlach van een filmsterretje op de rode loper.

Jo sloeg een arm om Tina's schouder. Uitgeput en verdoofd liepen ze naar haar auto.

Verderop leunde Amy Tang tegen een burgerauto van de politie van San Francisco.

De jonge politie-inspecteur hield een telefoon tegen haar oor en had een sigaret tussen haar duim en wijsvinger. Vóór haar stond een geüniformeerde agent die instructies kreeg. Haar sombere, antracietkleurige pakje paste bij haar haren en haar bril, en zo te zien ook bij haar stemming. Met haar een meter vijftig viel ze bijna in het niet naast de Ford Crown Victoria. Ze zag eruit als een kribbig motorkap-ornamentje.

Jo liep naar haar toe. Tang keek op, en er gleed een verbaasde blik over haar gezicht. Ze beëindigde het telefoongesprek en stuurde de agent weg.

'Was jij bij het concert?' vroeg Tang.

'Tina stond op het veld.'

Tangs mond werd een dunne streep. Ze keek op haar horloge. De rampzalige stunt was inmiddels twee uur geleden.

'De brandweer en het ambulancepersoneel konden het werk bijna niet aan. We zijn gebleven,' zei Jo.

Tang knikte langzaam. 'Het is maar goed dat jullie zo van countryrock houden.'

Tina zette haar strooien cowboyhoed af. Haar krullen hingen slap langs haar hoofd. 'Ja, elk stadion zou voor noodgevallen een *barista* en een psych paraat moeten hebben.'

'Om lekkere koffie te zetten en naar de problemen van anderen te luisteren. Want dat hebben jullie waarschijnlijk gedaan. Goed werk,' zei Tang.

Jo en Tina hadden geholpen om spullen te dragen en huilende concertgangers te troosten, maar daar wilde Jo het niet over hebben.

'Gefeliciteerd met je overplaatsing naar de afdeling moordzaken, Amy. Wat doe je hier?'

Tangs stekelhaar ging in de bries omhoog staan. Ze gaf geen antwoord.

Jo kwam dichterbij. 'Op het veld ligt een zeil met een lichaam eronder. Vanavond kregen we bijna een remake van het beruchte ongeluk op de filmset van *The Twilight Zone* te zien, met mijn zus in de hoofdrol als vrouw die door een neerstortende heli wordt verpletterd. Wat is er gebeurd?'

'Ik ben hier vanwege Tasia McFarland.' Tang kreeg een peinzende blik op haar gezicht. 'En ik wilde je al gaan vertellen wat er is gebeurd. Ik geloof dat ik graag je professionele oordeel over de zaak wil.'

Er liep een koude rilling over Jo's rug. 'Is haar dood verdacht?'

'Vijftig punten voor de dodenpsych.'

Jo werd als forensisch psychiater regelmatig door de politie van San Francisco geraadpleegd. Bij verdachte sterfgevallen – gevallen waarbij de autoriteiten niet wisten of iemand door natuurlijke oorzaken, een ongeluk, zelfmoord of moord om het leven was gekomen – voerde ze psychologische autopsies uit.

Ze analyseerde de levens van de slachtoffers om erachter te komen waardoor ze waren gestorven. Ze was de zielenknijper van de overledenen.

Maar doorgaans deed de politie pas een beroep op Jo's expertise wanneer een sterfgeval na een lang onderzoek nog even raadselachtig bleef. Als de politie de dood van Tasia McFarland – het beruchte, opvallende boegbeeld van de Americana – nu al verdacht vond, werd dit een lastige zaak. Daarnaast was het ook nog eens een zaak die ongelooflijk veel media-aandacht zou trekken. In een flits zag Jo haar carrière als een lucifer ontbranden.

En ze zag haar vermoeide, lieve zus naast zich staan, die bofte dat ze nog leefde.

Ze gaf Tina de sleutels van haar auto. 'Ik zie je straks wel.'

Tina gaf haar een kus op haar wang en fluisterde: 'Ik voel me prima. Ik heb de beelden geen tweede keer op mijn netvlies gezien. Maak je maar geen zorgen.'

Jo knipperde met haar ogen. Tina gaf haar een kneepje in haar hand en vertrok.

Tang gooide haar sigaret weg. 'Kom mee.'

Samen liepen ze terug naar het honkbalstadion. 'De piloot van de eerste helikopter wordt vermist. We gaan ervan uit dat hij dood is,' vertelde Tang. 'De stuntman achter in de heli heeft het ongeluk ternauwernood overleefd.'

Jo veegde met haar vingers over haar voorhoofd. Haar gezicht prikte. Tang keek even opzij en aarzelde.

'Het spijt me, Beckett. Dit komt waarschijnlijk akelig dichtbij.'

'Die score staat al op het bord. Daar kan ik niets meer aan veranderen.'

Haar echtgenoot was omgekomen bij een ongeluk met een traumahelikopter. Maar ze kon gesprekken over vliegtuigongelukken niet vermijden, net zomin als ze de klok drie jaar kon terugdraaien en Daniels dood op die fatale dag kon voorkomen.

'Vertel maar verder,' zei ze. Maar tijdens het lopen stuurde ze een sms'je naar Gabriel Quintana. *Ben ongedeerd. Ben nu bij Tang, bel je nog.*

'De tweede heli slaagde erin om een crashlanding op McCovey Point te maken. Daarbij zijn geen doden gevallen,' meldde Tang.

Ze liepen door een tunnel en kwamen uit bij de onderste rijen van de tribunes. Het was een prachtig stadion, dat uitkeek over San Francisco en de baai. Geen enkel honkbalteam in de Major League had zo'n mooi uitzicht. Jo en haar ouders spraken hier elke zomer minstens één keer af om een wedstrijd van de Giants bij te wonen. Nu waren forensische teams, fotografen en de lijkschouwer er aan het werk. Het gele zeil, fel als een waarschuwingssignaal, viel meteen op.

'Ik heb haar zien vallen,' zei Jo. 'Er vloog een brokstuk tegen de steunpilaar waaraan de tokkelkabel was bevestigd. De kabel schoot los en ze viel als...' Er gleed een lint van misselijkheid door haar heen. 'Ze viel.'

'Ze is niet omgekomen door de val,' zei Tang. 'Ze had een kogelwond in haar hoofd.'

Jo keek opzij, en haar mond zakte een stukje open. 'Heeft iemand haar neergeschoten? Heeft ze zelfmoord gepleegd? Wat vinden jullie ingewikkeld aan haar dood?'

Tang liep door het gangpad naar het veld. 'Afgezien van het feit dat haar halve keel was weggerukt toen ze naar beneden gleed?'

'Afgezien daarvan, ja.'

'En dat er minstens vijfenzeventig concertgangers door rondvliegende brokstukken zijn geraakt of onder de voet zijn gelopen?'

'Ook, ja.'

'En het feit dat de tweeënveertigjarige Fawn Tasia McFarland, geboren en getogen in San Francisco, de ex-vrouw van de president van de Verenigde Staten was?'

Jo stond stil. 'Dan weet ik inderdaad wel genoeg.'

5

Tang draaide zich naar Jo. 'Het kan natuurlijk een ongeluk zijn geweest. Of zelfmoord.'

'Kan het ook moord zijn geweest?' vroeg Jo. 'Zou het kunnen dat iemand daarnet de ex van de president heeft doodgeschoten?'

Tang knikte.

Er ging een elektrisch schokje van opwinding door Jo heen. 'Wil je dat ik een psychologische autopsie uitvoer op mevrouw McFarland?'

'Het wordt dringen bij dit onderzoek. De politie, de vervoersveiligheidsraad, het OM – je kunt achteraan aansluiten. Ik wil dat je je radar aanzet en de warboel ontrafelt. Wil je dat doen?'

Jo dacht aan de redenen waarom een inspecteur met een bliksemcarrière de hulp van een forensisch psychiater kon inroepen: zich indekken, de tegenpartij voor blijven, een zondebok aanwijzen om de klappen op te vangen. Maar Amy Tang was altijd eerlijk tegen haar geweest.

De politie belde Jo als ze wel konden vaststellen waaraan iemand was gestorven – een val, een overdosis, een aanrijding door een bus – maar niet wisten waaróm. Jo deed onderzoek naar de gemoedstoestand van een slachtoffer en ging zijn laatste uren na om te bepalen of hij op het dak was gestruikeld of zelf was gesprongen, per ongeluk of met opzet een overdosis barbituraten had geslikt, de bus niet had zien aankomen of een duw had gekregen.

Sommige politiemensen vonden het niet prettig om met Jo samen te werken, omdat ze haar zagen als een tovenares die botjes las om het lot van een slachtoffer te bepalen. Anderen, zoals Tang, zagen haar als een speurende teamgenoot die erachter kon komen welke emotionele en psychologische factoren tot iemands dood hadden geleid. Samenwerken met Tang was alsof je een granaat vasthield die op scherp stond en cactusstekels had. Maar Tang wilde de goede mensen beschermen en de slechteriken achter de tralies zetten. Ze speelde geen spelletjes.

'Mijn zus had in gehakt kunnen veranderen door een helikopterwiek. Ik zal je helpen,' zei Jo. 'Maar ik heb weinig zin om zelf door de gehaktmolen te worden gehaald.'

'Ik wil jouw kijk op de zaak, horen wat jouw standpunt is. Dit wordt een rol achter de schermen, geen optreden in de spotlights.'

'Weet je dat je met je wang trekt als je liegt?'

Tang snoof geïrriteerd. 'Oké. Deze zaak bevat genoeg beroemdheden, politiek en bloed om de aandacht van de hele wereld te trekken. Maar je wordt adviseur. Ik vraag je niet om het onderzoek te leiden.'

'Dan is het goed. Wat kun je me over de zaak vertellen?'

'Tasia McFarland lijkt te zijn doodgebloed door een kogel, kaliber .45, die haar halsslagader onder de kaaklijn heeft afgesneden.'

'Heeft zij de trekker overgehaald?'

'Dat weet ik niet.'

'Het is heel wat dat je dat durft toe te geven.'

'Zeker.' Tangs schouders verstrakten, alsof iemand een knop had omgedraaid. 'We moeten bij dit onderzoek iedereen op afstand houden. Je hebt de media buiten zien staan. Amerikaanse maatschappijen, de BBC, Al Jazeera, Russia Today en – ik zweer het – een cameraploeg van het Tuinkabouterkanaal. En ze lusten ons allemaal rauw.'

'Mag ik nogmaals verwijzen naar het beeld van de gehaktmolen?'

'Het wordt een doodenge achtbaanrit, maar daarmee spaar je in elk geval een kaartje voor Disneyland uit.' Tang staarde naar het veld. 'Fawn Tasia McFarland is voor het oog van eenenveertigduizend getuigen gestorven. Camera's hebben het moment van drie kanten vastgelegd. En we hebben niet één beeld waarop we het schot kunnen zien.'

De bries wervelde door het stadion en blies Jo's krullen voor haar gezicht. 'Wie beweert dat Tasia is vermoord?'

Tang knikte naar het glanzende gele zeil. 'Tasia zelf.'

'Tasia heeft een boodschap achtergelaten,' vertelde Tang.

'Maar geen zelfmoordbriefje. Wat stond erin?' vroeg Jo.

'Dat vertel ik je zo, maar ik zal je eerst uitleggen wat hieraan vooraf is gegaan.' Tang knikte grimmig naar het gele zeil op het honkbalveld. 'Het was de bedoeling dat ze aan die tokkelkabel naar beneden zou komen terwijl ze dat lied uit die actiefilm zong. Het betere James Bond-werk. Stoer, wapperende manen, vaderlandsliefde en seksuele toespelingen. Ze bleek een echt wapen bij zich te hebben. Een colt .45.'

Jo trok een wenkbrauw op. 'Klassiek wapen. En geen kinderachtige keuze.'

'Ze viel graag op.'

'Had ze vaker een wapen bij zich?'

Tang schudde haar hoofd. 'Nee. Ik heb met haar agent en haar manager gesproken, en ook met de tourmanager en de concertpromotor. Niemand had haar ooit met vuurwapens gezien. Maar je kon niet echt op haar bouwen – dat leg ik je ook nog uit.'

Hoog boven de tribunes wapperde de Amerikaanse vlag in de wind. De kleuren waren helder in het licht van de stadionlampen. Jo veegde haar haren uit haar ogen.

'Ballistiek?'

'Levert waarschijnlijk niet veel op. Het schot is dwars door haar heen gegaan. We hebben de kogel en de huls niet kunnen vinden. We halen er metaaldetectors bij, maar ik heb weinig hoop.'

Het veld was volledig omgeploegd. Alle sporen op het terrein waren hopeloos vervuild.

'Hoeveel patronen zaten er in het pistool?'

'Dat is ook een probleem. Na het fatale schot viel het wapen in het publiek, en een stelletje idioten ging met elkaar op de vuist om het te pakken te krijgen.'

Het kostte Jo moeite om niet in lachen uit te barsten. Het verhaal klonk belachelijk, maar het verbaasde haar niet.

'Ze graaiden ernaar als bruidsmeisjes die om een bruidsboeket vechten. Een man ging er uiteindelijk mee vandoor, maar hij kwam terug op zijn plan om het op internet te verkopen. Hij heeft het ingeleverd. Ongeladen – hij zegt dat hij het zo in handen heeft gekregen.'

'Weet je zeker dat het haar wapen is?' vroeg Jo.

'Er zit DNA op. Sporen die zonder twijfel van het slachtoffer afkomstig blijken te zijn.'

Tang hoefde niet te zeggen dat het om bloed, bot en hersenweefsel ging. Dat vertelde haar gezicht al.

'Tasia zei tegen de stuntcoördinator dat het wapen niet geladen was,' zei ze. 'Maar hij wist niet of ze dat echt dacht. Het kon ook zijn dat ze loog of hem voor de gek hield. En in de colt is plaats voor zeven-plus-een.'

Zeven patronen in het magazijn en een in de patroonkamer. 'Denk je dat ze het magazijn heeft bekeken en de patroonkamer heeft overgeslagen? Dat ze werkelijk dacht dat het wapen niet geladen was?'

'Zou kunnen. Het pistool is twintig jaar oud. De patroon die haar heeft gedood zat er misschien al een paar decennia in. Maar zolang we de kogel en de huls niet hebben, weten we niets zeker.'

'Denk je dat het een ongeluk was?' vroeg Jo.

'Denk jij dat het géén ongeluk was?'

Jo verwoordde het zo duidelijk als ze kon. 'Als iemand verwondingen oploopt nadat hij een vuurwapen tegen zijn hoofd heeft gehouden, is het aannemelijk dat hij zelfmoord heeft gepleegd.'

Tang bromde. Kennelijk ging een zucht haar net iets te ver.

Maar Jo was op de hoogte van de statistieken. Als er in Amerika iemand stierf door een kogel was er in ruim de helft van de gevallen sprake van zelfmoord. Het aantal moorden lag net iets lager. In slechts een klein percentage van de gevallen ging het om een ongeluk.

'Als een slachtoffer een of meer depressies heeft gehad, wordt het nog aannemelijker dat hij zelfmoord heeft gepleegd,' zei ze. 'Was dat bij Tasia het geval?'

'Ja.'

'Maar denk jij dat het een uit de hand gelopen grap was? Domheid?'

'Zulke dingen gebeuren. Brandon Lee is tijdens de opnames van *The Crow* gestorven.'

'Dat was een ongeluk. Dat is onomstotelijk vastgesteld. Fatale fout op een filmset. Niemand had gezien dat er in de loop van het pistool een kogel vastzat. Toen het wapen met losse flodders werd geladen en werd afgevuurd, schoot de vastzittende kogel los. Lee werd in de borst geraakt.'

'Op een televisieset in Hollywood heeft een acteur zichzelf met een losse flodder doodgeschoten.'

'Jon-Erik Hexum. Van dat geval staat ook vast dat het een ongeluk was. Hexum wist niet dat afgevuurde losse flodders genoeg kracht kunnen hebben om iemand te doden. Hij zette een stuntpistool tegen zijn slaap, kennelijk als geintje, en haalde de trekker over.' Jo stopte haar handen in haar zakken. 'Anderzijds zijn er ook mensen geweest die op tv zelfmoord hebben gepleegd. Een verslaggeefster in Florida nam plaats voor de camera's van het journaal en grapte dat ze de kijkers levensechte beelden van bloed en uiteenspattende hersens wilde laten zien. Vervolgens zette ze een revolver tegen haar hoofd en haalde ze de trekker over.'

Tang tuitte haar lippen. 'Vraag een forensisch psychiater nooit naar wetenswaardigheden over sterfgevallen.'

'Doet u mij maar een vraag uit de categorie Dodelijke Podiumongelukken, voor tweeduizend dollar.'

Tang keek alsof er een kastanjebolster onder haar kleren zat. 'We trekken na of Tasia onlangs munitie heeft gekocht.'

'Wat zit je dwars?'

'Extreem rechts maakt zich waarschijnlijk alweer op om moord en brand te schreeuwen. Ik moet de geruchten de kop indrukken dat hier duistere krachten aan het werk zijn.'

Mijn superieuren willen de zaak afsluiten, was haar ondertoon.

'Moord, bedoel je,' zei Jo.

'We moeten weten of Tasia is vermoord. En ik moet ook weten of haar dood een lont heeft aangestoken.'

Jo's haar waaide voor haar gezicht. 'Vertel eens wat meer over de boodschap die ze heeft achtergelaten.'

'Het is een opname met twee nummers die ze gisteravond heeft geschreven. En een onsamenhangende verklaring waarin ze zegt: "Geef dit door aan de media als ik word vermoord."'

'Heeft ze dat woord gebruikt?'

'Luister zelf maar.'

Tang haalde een mp3-speler uit haar zak. 'De nummers heten "After Me", en "The Liar's Lullaby". "Als ik er niet meer ben" en "Wiegelied van de Leugenaar", dus. Ze heeft ze achtergelaten voor haar vriend.'

Ze pakten allebei een oortje en Tang drukte op de afspeelknop. Jo hoorde een piano, ijl en melancholiek, en Tasia McFarlands trillende sopraanstem.

'*After me, what'll you do?*' Wat doe jij als ik er niet meer ben?

De melodie was somber, Tasia's stem zuiver, maar gebarsten. Ze sloeg hard een akkoord in mineur aan en liet het geluid wegsterven. Daarna nam ze het woord.

'Ik ben in gevaar. Iemand wil me het zwijgen opleggen. Als dat gebeurt, zal ik niet de laatste zijn.'

Haar weergalmende spreekstem klonk krachtig en gejaagd. 'Searle, mijn liefste, mijn schat, Mister Blue Eyes met je fluwelen tong, luister goed. Hou je oren, je hart en je ogen goed open. Want het kan zijn dat ik het niet red.'

Jo keek even naar Tang. 'Lecroix?'

Tang knikte.

'Alles is uit de hand gelopen,' zei Tasia. 'Meer kan ik je niet vertellen. Als ik dat wel doe, ben ik er geweest. Maar als ik sterf, is het aftellen begonnen.'

Jo voelde een koude rilling over haar nek lopen. Haar blik dwaalde af naar het zeil op het veld.

'De tijd begint te dringen, met de snelheid van een trein die op het punt staat te ontsporen. Mijn dood zal het bewijs zijn.' Tasia zoog haar longen vol lucht, als een zwemmer die boven water komt, en daarna zwoegde ze verder. 'Ik was in de war, maar dat ben ik nu niet meer. Ik dacht dat ik weg kon komen zonder gevolgd te worden. Maar ze hebben het op me voorzien. Robert McFarland maakt dat onvermijdelijk.' Ze zweeg even. 'Geef dit door aan de media als ik word vermoord.'

Ze sloeg zwaar een akkoord op de piano aan en begon te zingen.

You say you love our land, you liar
Who dreams its end in blood and fire
Said you wanted me to be your choir
Help you build the funeral pyre.

Je zegt dat je van ons land houdt, leugenaar, je droomt dat het in bloed en vuur ten onder zal gaan. Je vroeg me jouw stem te zijn, je te helpen de lijkstapel te bouwen... De rilling kroop verder over Jo's schouders.

But Robby T is not the One
All that's needed is the gun
Load the weapon, call his name
Unlock the door, he dies in shame.

Maar die ene persoon is niet Robby T., het enige wat je nodig hebt, is het pistool. Laad het wapen, roep zijn naam. Open de deur, hij sterft in schande... De melodie veranderde en ging over in het refrein.

Look and see the way it ends
Who's the liar, where's the game
Love and death, it's all the same
Liar's words all end in pain.

Kijk nu eens naar het einde. Wie is de leugenaar? Waar draait het om? Liefde en dood, er is geen verschil. De woorden van een leugenaar eindigen altijd in pijn. Tang zette de opname af. 'Er is nog een couplet, maar je begrijpt de strekking wel.'

'Ik heb nog nooit zo'n huiveringwekkend nummer gehoord.'

Ze stonden hoger dan het veld, doodstil in het felle licht en de wind.

'"Ze hebben het op me voorzien",' zei Jo.

'Meer niet, helaas. En nee, ik heb geen idee of het gewoon een paranoïde tirade was.'

'Had ze psychische problemen?'

'Ze was manisch-depressief, maar daar gaat het me niet om.'

'Een bipolaire stoornis? Dat is nogal wat. Dat is...'

Tang hief haar hand op. 'Daar gaat het me nu niet om.'

Jo dacht er even over na. 'Als ze zich echt bedreigd voelde en dat wapen had meegenomen om zich te beschermen, spreekt dat een suïcidale neiging tegen.'

'Volgens de stuntman zei ze: "Hij zit me op de hielen. Het is een kwestie van leven of dood." Misschien voerde ze een toneelstukje op. Misschien had ze last van waanideeën. Maar het kan ook zijn dat de dreiging reëel was.'

'Bedoel je dat iemand haar werkelijk wilde vermoorden? Waarom? Omdat ze met Robert McFarland getrouwd is geweest?'

Tang draaide zich naar haar toe. 'Wil je de psychologische autopsie uitvoeren? Kan ik op je rekenen?'

'Jazeker.'

'Mooi. Ik wil dat jij uitzoekt waarom Tasia McFarland een pistool bij zich had dat volgens de Californische vuurwapenregistratie op naam van onze president staat.'

6

'*You can take my cash, but if you won't shake my hand, I'll light a fire up your ass.*'

De muziek dreunde door de geparkeerde transportwagen. Ivory zette het nummer harder. 'Mijn idee, Searle.'

Volgens Ivory zong de man over het zwaarste leven dat er was, dat van de blanke Amerikaan. Je werkte je dood, terwijl de regering je loon inpikte en een ondankbare wereld om aalmoezen bedelde of je probeerde op te blazen.

Ze staarde naar het honkbalstadion aan de overkant van de straat. 'Het is tijd om iemand een raket in z'n reet te schieten.'

Achter het stuur kauwde Keyes op een tandenstoker. 'Maak je toch niet zo druk.'

'De vriendin van Searle Lecroix is als een hond neergeschoten. Ze hebben twee heli's laten neerstorten – dat móéten ze wel hebben gedaan om de schutter te laten ontsnappen. Je zou er goed aan doen om je ook eens ergens druk om te maken. Wat zeg ik, er zouden stoomwolken uit je oren moeten komen.'

'Alsof jij weet hoe je een raket afvuurt,' zei hij.

'Dat ga jij me leren.'

Bij die opmerking keek hij eindelijk opzij.

'De dood van Tasia was geen ongeluk. Geloof me, hier zat de regering achter. De regering heeft ook de Twin Towers laten instorten, Keyes. Ze zitten er echt niet mee om McFarlands eerste vrouw te vermoorden.'

Keyes keek weer voor zich uit. Met een koele blik bekeek hij het politie- en mediaspektakel voor het stadion. Ivory wist dat de meeste mensen bij die blik dachten dat hij zich verveelde. In werkelijkheid speurde hij naar dreigingen, makkelijke doelwitten, zwakke plekken in het politiekordon. Na jaren ervaring was het een automatisme geworden.

'Het gaat er niet om wat de regering doet. Het gaat erom wat wij aan de regering doen.' Hij zette de muziek van Lecroix af. 'En het antwoord vinden we niet bij bekende zangers.'

Hij pakte zijn telefoon en maakte verbinding met internet. Zijn bleke, pokdalige gezicht zag er krachtig uit. Hij was geen heethoofd; zijn woede deed eerder denken aan die van een reptiel. Zijn toorn was koud, onzichtbaar voor andere mensen en had de neiging meedogenloos tot uitbarsting te komen. Het gaf Ivory vertrouwen om in het gezelschap van die woede te zijn. Ze bevond zich in de voorhoede met een man die de tanden en klauwen van de tegenaanval zou vormen.

Toen ze zich naar hem toe boog, zag ze dat hij naar de homepage van Tree of Liberty was gegaan. Op het scherm stond een boodschap aan de volgelingen.

Zelfs in haar beste staat is een regering een noodzakelijk kwaad; in haar slechtste staat is het kwaad ondraaglijk.
– Thomas Paine

'Wanneer is dit geplaatst?' vroeg ze.

'Tien minuten geleden.'

Tree of Liberty, Boom van de Vrijheid, was het cyberdomein van de mensen die zich Ware Amerikanen voelden. Het was de internetvoorpost voor mensen zoals Keyes en Ivory, die de nachtmerrie van een tirannieke regering als een donkere wolk zagen naderen. Tom Paine was hun roepende in de woestijn.

Net als al zijn andere verhandelingen begon zijn nieuwe stuk met een citaat van de oorspronkelijke Thomas Paine, de achttiende-eeuwse Amerikaanse revolutionair. Daarna stak hij van wal.

Dit is dus het begin.

Vandaag hebben de Vijand en zijn legioenen voor het oog van een heel stadion Fawn Tasia McFarland omgebracht. En de reden dat ze haar op zo'n brutale manier hebben vermoord, is dat ze wisten dat ze met hun toneelstukje weg konden komen.

De circusapen van de voornaamste media proberen Tasia's dood nu al zo'n draai te geven dat Robert McFarland er baat bij heeft. *Het was een ongeluk. Een rampzalige stunt. Boehoe.* Gelul. Het Witte Huis heeft haar vermoord omdat ze te veel wist.

De verrader die de macht in het Oval Office heeft
gegrepen, is een lafbek met een gladde tong, maar hij kan
geen einde maken aan de geruchten. Want ondanks zijn
leugens kan hij niet om de waarheid heen: hij is op
Cuba geboren. Zijn opleiding is betaald door Castro.
Ondanks de cover-up die het Pentagon heeft bedacht om
de waarheid te verdoezelen, was hij degene die de aanzet
gaf tot de luchtaanval die zeven mensen in zijn peloton
het leven heeft gekost. Dat deed hij omdat ze een boekje
open wilden doen over zijn seksuele afwijkingen en
verraad.

Tasia wist als geen ander dat Robert McFarland een leugenaar
was. Ze is met hem getrouwd geweest. En ze was een patriot.
Lees haar interviews maar. Ze schrok er niet voor terug om
de machthebbers de waarheid te vertellen.

Nu hebben de machthebbers haar het zwijgen opgelegd.
Voordat tirannen aan een strafexpeditie beginnen,
vermoorden ze hun gevaarlijkste vijanden: de mensen die hen
kunnen ontmaskeren of tegenhouden. De moord op Tasia is
als een afgevuurde lichtkogel. Het is een signaal dat
McFarlands troepen hun positie innemen. De tijd begint te
dringen.

Robert Titus McFarland moet worden tegengehouden. Wie
zal dat doen? Het domme volk, dat is ingedut door junkfood
en reality-tv? Natuurlijk niet. Als de regering
interneringskampen opent, zal dat volk gewillig naar binnen
sjokken, als vee.

McFarland moet worden tegengehouden door patriotten. En
het wordt tijd om de handen uit de mouwen te steken, want
hij heeft het op ons voorzien. Maar we zullen de naderende
strijd trots aangaan.

Zijn naam is Legioen, mensen. Kom voor jezelf op. Ruk zijn
masker van zijn gezicht.

Kom in opstand.

Keyes en Ivory staarden naar het scherm. Niemand wist wie Tom
Paine was. Tree of Liberty huppelde over het internet en verander-

de telkens van hostsite om opsporing door de FBI te voorkomen. Paine was een geest.

'Godsamme, wat een goed stuk,' zei Keyes.

Ivory haalde adem. Ze had kippenvel op haar armen. 'We staan op ground zero. We moeten hem foto's sturen.'

Niemand had Paine ooit ontmoet, maar Keyes en Ivory hadden aangeboden verkenningswerk voor hem te doen. Keyes stapte uit de auto en stak over naar het honkbalstadion. Ivory zette een honkbalpetje op en liep achter hem aan.

Op het petje stond BLUE EAGLE SECURITY. Eigenlijk hoorde ze aan het werk te zijn, dus ze bedekte haar haren, die ze sneeuwwit had geverfd. Ze bedekte haar tatoeages met lange mouwen. En op kantoor hield ze haar ideeën voor zich. Ze werkte in de San Fran-freakshow, waar de grootste idioten in hun blote kont mochten paraderen en leuzen over tolerantie mochten scanderen, maar waar een arische vrouw haar tatoeages van de Walkure-zusterschap verborgen moest houden en zich moest verontschuldigen voor de misdaad dat ze als blanke geboren was.

Bij het honkbalstadion was het een drukte van belang. Busjes van nieuwszenders, verslaggevers met microfoons. Politieauto's met felle zwaailichten vormden een rij van wel honderd meter lang. Er waren zoveel gezagdragers dat ze er de rillingen van kreeg.

Keyes tikte op zijn horloge. 'Maximaal zestig seconden.'

Ze draaiden een late dienst, een van Blue Eagle Security's avondklusjes in de stad. De boordcomputer van de auto legde automatisch hun route vast en had al geregistreerd dat ze een omweg langs het honkbalstadion hadden genomen. Als ze daar nu te lang bleven hangen, raakten ze hun baan kwijt.

'Wat kan jou dat schelen?' vroeg Ivory. 'Als de tegenaanval begint, doet dit baantje er niet meer toe.'

'Als de tegenaanval begint, wil ik toegang tot deze auto en alles wat erin zit. Dus tot er geschoten wordt, blijf ik in dienst van het bedrijf.'

Het Blue Eagle-uniform spande over zijn schuin aflopende schouders. Jaren in het leger, dacht Ivory. Tien jaar voor de regering gewerkt in een particulier militair bedrijf, met een jaarsalaris van driehonderdduizend dollar. En waar had het toe geleid? Ontslag. Tot een baantje achter het stuur van een geldtransport en een goedkoop rot-shirt. De regering had van een krijgsman een boodschappenjongen gemaakt.

In de verte werden dranghekken neergezet. Daarachter dromden mensen samen die kaarsen aanstaken, bloemen neerlegden en huil-den. Een televisieploeg interviewde een Mexicaanse vrouw en haar dochtertje. De vrouw veegde haar ogen af. 'Tasia is hier opgegroeid. Het is alsof we een familielid hebben verloren. Hoe kon zo'n onge-luk nou toch gebeuren?'

'De leugen begint post te vatten,' zei Ivory zachtjes.

Het gezicht van Keyes verstrakte. 'Binnenkort heeft ze écht reden om te janken.'

Ze liepen door. Ivory kreeg de kriebels van zoveel politie om haar heen. Ze had een strafblad. Ze was betrapt tijdens een patrouille langs de grens. Illegalen overspoelden Amerika als ongedierte, maar als je ze opjaagde en ze hun drugs afpakte, werd je een crimineel genoemd.

Keyes maakte foto's met zijn telefoon. 'Ik zei toch dat Frisco cen-traal staat in de regeringsplannen?'

Ivory knikte. Hij had haar inderdaad verteld dat San Francisco tij-dens de strafexpeditie van de regering een strijdtoneel zou worden.

'Tasia is hier vermoord. Dat is het bewijs.'

Hij stuurde zijn foto's door naar Tree of Liberty. Vlakbij legde het kleine Mexicaanse meisje een bosje witte anjers bij de dranghekken.

'Moge God zich over hen ontfermen,' zei Ivory.

'Ontfermen? Over dat ongedierte?'

Keyes bekeek haar met een blik waaruit walging leek te spreken. Het Ware Amerika, het rijk van vrijheid en macht waarin ze – in hun hart – leefden, was een keihard land.

'Je hoeft me niet te beledigen. Ik bedoelde dat God zich maar be-ter over hen kan ontfermen, omdat wíj het niet zullen doen.'

Hij zou moeten weten hoe toegewijd ze was. Ze riskeerde alles voor het Ware Amerika. Deze baan, haar hele leven in San Francis-co, alles was alleen maar een dekmantel. En als de politie daarach-ter kwam, zat ze diep in de problemen.

Keyes legde een hand op haar schouder. 'De lanceerbuis voor de raket rust hierop. Ik zal het je leren.'

Opgetogen stak ze haar kin in de lucht. Om hen heen verzamelden zich nog steeds nieuwsgierige pottenkijkers en huilende mensen. Uit het stadion kwamen politiemensen en een paar laatste concertgangers. Sommigen droegen bebloede kleding. Een van hen, een sjokkende reus in gevechtskleding, vormde een silhouet in het witte licht van de televisiecamera's en had – jezus nog aan toe – een pol van het honkbalveld meegenomen als souvenir.

Ivory draaide zich om en trok Keyes mee naar de auto. 'Freakalarm. De aardwormen komen naar buiten.'

Keyes ging meteen mee. Als je voor de kost in een gepantserde geldtransportauto reed, kon je maar beter niet te laat bij de bank zijn.

7

'Is de colt .45 van Robert McFarland?' Jo's hart begon sneller te slaan. 'Het lijkt me een goed idee als ik de beelden van het schot bekijk.'

'Mij ook, maar verwacht niet dat je er iets uit kunt opmaken,' zei Tang.

Ze nam Jo mee naar een regiekamer die zich in de bovenste ring van het stadion bevond en over het veld uitkeek. Een muur was bedekt met televisiemonitors. Het vertrek stond vol politiemensen en officials van het stadion. Beneden, onder de felle stadionlampen, onderzochten forensische specialisten in witte pakken het terrein. De lijkschouwer maakte zich op om Tasia's lichaam over te brengen naar het lijkenhuis. Er was een brancard binnengebracht en het gele zeil was weggehaald. Tegen het omgeploegde gras stak Tasia's kleding fel af – scherpe stroken magenta en zwart. Ze zag er klein, broos, geknakt uit.

Tang vroeg een van de technici de beelden af te spelen. Jo zette zich schrap.

Ze had al eerder mensen zien sterven – als arts, als speurder en als echtgenote. Het was verschrikkelijk intiem om getuige te zijn van het radicale moment van de dood. Met haar koptische achtergrond, die met wat Japans boeddhisme was overgoten en door haar Ierse scholing een dikke katholieke vernislaag had gekregen, was Jo van mening dat de dood niet het definitieve einde was. Maar toen de video startte, wist ze dat ze erdoor aangegrepen zou worden, en ze trok haar emotionele harnas aan.

De opnames begonnen met Searle Lecroix en de band, die de intro van 'Bull's-eye' speelden. Daarna draaide de camera naar het balkon van de skybox, waar Tasia zichtbaar werd.

Haar outfit was een wildwestversie van de Madonna/hoer-tweedeling, alsof een rodeokampioen het beruchte bordeel Mustang Ranch had overgenomen. Ze zag eruit als een *cowgirl* die door Victoria's Secret was aangekleed. De gordel om haar middel was aan de tokkelkabel vastgemaakt. In de wetenschap dat de kabel zou losschieten, kreeg Jo, zelf klimster, al een akelige knoop in haar maag.

Onder de dreunende muziek hoorde Jo gedempt geschreeuw. Tasia droeg een headset. Jo kon haar niet verstaan, maar hoorde haar toon hoger worden. Haar stem klonk verontwaardigd of bang. In de skybox rammelde de stuntman aan de deuren.

Tasia draaide zich om en wenkte het publiek. Het pistool glinsterde in het zonlicht. Terwijl er mensen het balkon op stroomden en om haar heen dromden, gingen de rookmachines aan. Ze begon te zingen en richtte het pistool op het podium.

'Jezus, ze blaast op de loop,' zei Jo.

Ontzet keek ze naar de opnames. De muziek zweefde door het stadion. Het publiek zwermde om Tasia heen. De witte mist uit de rookmachines vertroebelde het beeld.

De knal van het schot was scherp en schokkend.

Tasia kwam uit de wervelende rook tevoorschijn en hing slap in haar klimgordel toen ze langs de tokkelkabel naar beneden gleed. De kogelwond was duidelijk zichtbaar, een bloederige roos die op haar nek en hoofd tot bloei kwam.

De camera draaide. Er ontstond paniek, er vielen brokstukken van een helikopter naar beneden, steigers rond het podium stortten in, mensen gilden.

Te midden van de chaos zoemde de camera vervolgens in op het veld. Voor het podium lag Tasia's geknakte lichaam op het gras. Searle Lecroix knielde bij haar neer. Door de microfoon van haar headset was zijn stem boven het enorme kabaal uit te horen.

'In godsnaam, help haar,' schreeuwde hij.

Jo ademde uit. 'Zet de film af.'

In de kamer leek het naar rook, zout water en de ellendige, olie-achtige walm van een vliegtuigongeluk te ruiken. Ze staarde naar het scherm.

Het was niet te zien wie het schot had gelost.

'Misschien heeft iemand het pistool van haar afgepakt, of haar hand beetgepakt en de trekker overgehaald. Maar drie seconden voor het schot had Tasia het wapen in haar bezit,' zei ze.

Ze dacht na over het gevaarlijke, seksueel getinte spelletje dat Tasia met de colt .45 had gespeeld. Het blazen op de loop was een opzichtig gebaar, bedoeld om alle aandacht te trekken. Het was niet eens echt speels – het leek eerder een gimmick. Suïcidale mensen haalden in de seconden voor hun zelfgekozen dood doorgaans geen geintjes uit.

'Kan ik de stuntcoördinator spreken?' vroeg ze.

'Loop maar mee. Hij heet Rez Shirazi. Vijftien jaar speelfilmervaring.'

Tang ging haar voor naar een van de skyboxen. Onderweg vatte ze samen wat Shirazi al aan de politie had verteld.

'Hij probeerde Tasia zover te krijgen dat ze het wapen neerlegde, want het was de bedoeling dat alleen haar uitdagende, gebotoxte lijf naar beneden zou komen. Ze weigerde, maar ze richtte het wapen niet dreigend op hem, het publiek of zichzelf. Ze was niet boos. Ze was uitgeput en doodsbang.'

Tang klopte op de deur en liep de skybox binnen, die was gevuld met politiemensen en officials van het stadion. Een televisie was afgestemd op een nieuwszender. Shirazi ijsbeerde met een telefoon tegen zijn oor door het vertrek. Toen Tang Jo aan hem voorstelde, beëindigde hij het gesprek en gaf hij haar een hand.

'Ik praat al twee uur met inspecteurs en advocaten,' zei hij. 'Lees alstublieft mijn schriftelijke verklaring, of vraag me anders iets nieuws.'

Hij had warme ogen in een stoer gezicht en hij wipte tijdens het praten op zijn tenen, als een weltergewicht. Jo bedacht dat hij op aftitelingen waarschijnlijk vastzat aan omschrijvingen als 'schurk' of 'gestoorde bommenlegger'.

'Ik probeer Tasia's geestestoestand te beoordelen. Kunt u me iets vertellen over haar stemming van vanavond?' vroeg ze.

'Ze was gespannen.'

'Kunt u iets preciezer zijn? Was ze euforisch en opgewonden? Had ze drugs gebruikt?'

'Nee, ze had geen drugs gebruikt. Tenminste, ze zei dat ze clean was. En ze was niet blij. Ik heb haar wel eens verrukt gezien, dan ging geen zee haar te hoog, en dan had ze me toch een glimlach... Maar vanavond was ze geagiteerd.' Hij draaide rondjes met zijn handen, zoekend naar de juiste omschrijving. 'Toen ze eenmaal begon te praten, kreeg ik er geen woord meer tussen. Haar brein leek wel een popcornmachine.'

Hij schudde zijn hoofd. 'Ik hoorde dat ze een bipolaire stoornis had. Vanavond leek ze zowel manisch als depressief. Ze had veel energie, maar ze was ook erg somber. Ze zei dingen als: "Het leven is hard en dan ga je dood. Zo dood als Dodi en prinses Diana." En ze maakte muzikale... nou ja, noem het maar grappen, maar het waren geen leuke grappen. "Do ree mi fal dood, stelletje klootzakken."'

'Heeft ze de dood vaker genoemd?'

'Ze zei dat het vanavond om een kwestie van leven of dood ging. Ze had het over martelaarschap. Autobommen, doodseskaders, een heilige oorlog.' Hij hield zijn hoofd schuin. 'Daarna begon ze over de geheime dienst. En ze zei: "Hij is er."'

'Denkt u dat ze het over de president had?'

'Zou kunnen. Maar ik dacht dat het vanavond om een concert draaide, dus wat weet ik ervan?'

'Is u vanavond verder nog iets aan haar opgevallen?'

'Ja. Alles was overdreven. Toen ze binnenkwam, stond haar korset verder open dan anders. Haar spijkerbroek hing nog lager op haar heupen, en haar make-up was ronduit extreem.' Zijn blik was vermoeid. 'Ze gedroeg zich alsof ze het middelpunt van het heelal was. Dat doen alle artiesten, maar vanavond geloofde ze werkelijk dat het allemaal om haar draaide. Het leek wel of ze een... missie had.'

'En zo had u haar de laatste tijd dus niet gezien?'

Shirazi wreef zich over zijn borst, alsof die pijn deed. 'Nee. Aan het begin van de landelijke tournee, een paar maanden geleden, was ze heel opgewekt. Vrolijk. Daarna raakte ze in een mineurstemming.

Ze werd humeurig, in zichzelf gekeerd – het was een opvallende verandering. Maar de afgelopen weken leek alles in kracht toe te nemen. Haar energie en haar... ongenoegen.'

'Gespannen, maar diep ongelukkig.'

'Precies.'

Zijn telefoon ging. Hij nam op en zei: 'Ik ben onderweg.' Meteen daarna verbrak hij de verbinding. 'Mijn broer zat in de helikopter die in de baai is gestort. Ze hebben hem net geopereerd. Ik moet naar het ziekenhuis.'

'Goed,' zei Tang. 'Kunt u ons nog iets vertellen voordat u gaat?'

'Ik had het vreselijke gevoel dat ze met het pistool wilde stoeien alsof het een speeltje was. Dat is vragen om ongelukken. En ik wou dat ik u kon vertellen wat er is gebeurd. Toen het me niet lukte om de glazen deuren kapot te slaan, ben ik naar de skybox ernaast gerend om te kijken of ik op haar balkon kon komen. Maar toen hoorde ik het schot.' Zijn stem stierf weg. 'Ik was te laat.'

Tang gaf hem haar kaartje en zei dat ze nog contact met hem zou opnemen. Hij liep het vertrek uit.

'Eerste oordeel?' vroeg Tang.

'Afgezien van het feit dat Shirazi zich schuldig voelt over haar dood?' vroeg Jo. 'Ga na of Tasia drugs had gebruikt. Als ze geen cocaïne of amfetaminen had gebruikt, had ze een of andere manische aanval.'

'Je klinkt niet erg overtuigd.'

'Manische aanvallen worden gekarakteriseerd door euforie, en Tasia klinkt niet bepaald euforisch. Maar andere dingen kloppen wél,' zei Jo. 'Manische mensen blijven maar praten. Hun stem gaat gestrest klinken. En ze zijn opzichtig. Ze dragen felgekleurde kleren en ladingen ongepaste make-up. Ze zien er op een of andere manier vreemd uit.'

Tang knikte. '"Alsof ze met kleurkrijtjes had gespeeld" zei het meisje van de make-up.'

Jo dacht weer aan het spelletje dat Tasia met de colt .45 had gespeeld. 'Ze krijgen ook last van hyperseksualiteit. En ze kunnen een soort grootheidswaanzin ontwikkelen.'

'En denken dat ze het doelwit van een moordcomplot zijn?'

'Als manisch-depressieve mensen paranoïde worden, denken ze

dat ze door enorme machten worden bedreigd. Niet alleen door de buren en hun schoonmoeder en hun psych.'

'Maar ook door de president van de Verenigde Staten?'

'Dat is nu net het probleem,' antwoordde Jo.

Achter hen klonk het gesprek van de aanwezigen boven het geluid van de televisie uit. Jo dacht diep na over wat ze had gezien en gehoord.

'Drie mogelijkheden. Eén: het pistool vertoonde mankementen. Het ging gewoon af,' zei ze.

'Lijkt me niet waarschijnlijk, maar we zullen het uit elkaar halen om het na te kijken.'

'Twee: Tasia McFarland heeft het pistool tegen haar hoofd gezet en de trekker overgehaald.'

'Daar ben je nu minder van overtuigd dan tien minuten geleden.'

'Drie...'

Op de televisie zei een nieuwslezer: 'We schakelen over naar het Witte Huis, waar president McFarland op het punt staat om commentaar te geven op het overlijden van zijn ex-vrouw.'

8

Net als de politieagenten en de officials van het stadion gingen Jo en Tang om de televisie heen staan. Op het scherm stond de mollige, timide woordvoerder van het Witte Huis op een podium. De perskamer was een woud van opgestoken handen, allemaal opgeheven om vragen te stellen over de dood van Robert McFarlands eerste vrouw, de mooie, tragische, misschien wel gestoorde Fawn Tasia.

Een journalist vroeg: 'Wist de president dat ze de colt .45 bezat?'

'De president zal niet ingaan op zaken die onder het onderzoek naar mevrouw McFarlands dood kunnen vallen. Hij wil uiteraard niets zeggen wat het onderzoek in gevaar kan brengen.'

'Maar heeft hij het wapen met opzet bij haar achtergelaten toen ze uit elkaar gingen?'

De woordvoerder zette zijn bril recht. Zijn voorhoofd glom. 'De president zal zo een verklaring afleggen. Als ik nu...'

'Bij Tasia McFarland was een bipolaire stoornis vastgesteld. Wist de president van die diagnose toen hij haar zo'n zwaar halfautomatisch pistool liet houden?'

'Wauw,' zei Jo.

Er klonk geroezemoes in de perskamer. De woordvoerder zei: 'Dames en heren, de president.'

De camera's werden gedraaid. Robert Titus McFarland beende ernstig en kordaat naar het podium.

Hij had de ascetische bouw en gewichtloze tred van een crosscountryloper. Zijn haar, zwart als een soutane, was in een ouderwets, veel te kort kapsel geschoren. Het was een erfenis uit zijn jaren in het leger. Zijn slapen begonnen te grijzen.

McFarland pakte de randen van het spreekgestoelte beet. Hij zag er afgetobd uit. Hij miste de innemende charme van Bill Clinton, het elan van Kennedy en Reagans ontwapenende vermogen om luchthartig over te komen. Hij bezat een onverzettelijke waardigheid en een laconieke stijl, die door experts 'westelijk' werden genoemd en aan zijn wortels in Montana werden toegeschreven.

Hij tuurde in de lampen. 'Het nieuws dat ons vanavond vanuit San Francisco heeft bereikt, was een grote schok. Het doet mij enorm veel verdriet.'

Hij legde de nadruk op het laatste woord en liet het over de aanwezigen drijven tot het de journalisten in hun stoelen drukte en al het lawaai in het vertrek smoorde.

'Mijn gedachten gaan uit naar de familie van de omgekomen piloot en naar alle gewonden.'

McFarland was een statistische uitbijter: een liberaal uit een arbeidersmilieu, een militair die pacifist was geworden. Hij was opgegroeid in een grote stacaravan op een veeranch even buiten Billings, als zoon van de voorman en diens Salvadoraanse vrouw. Hij werd crosscountrykampioen van Montana, kreeg een plaats op West Point en diende als officier in broeihaarden over de hele wereld. Iedereen wist dat hij vervolgens ontslag had genomen uit protest tegen een eigen-vuurincident waarvan lagere officieren de schuld kregen terwijl hun superieuren vrijuit gingen. Hij keerde terug naar Montana, schreef zich in voor een studie rechten, werd milieujurist en ging de politiek in. Zijn ster rees snel. Na vijf jaar in de Senaat werd hij tot president gekozen.

Hij had de naam een snelle denker en een veeleisend politicus te zijn, een man die alle ontwikkelingen bijhield alsof hij een soort oleaat in zijn hoofd had. Hij stond er ook om bekend dat hij een goede verstandhouding met zijn ondergeschikten en rivalen onderhield. Met andere woorden, hij was een leider.

Op weg naar de top was hij een poosje met Fawn Tasia Hicks getrouwd geweest. Twintig jaar lang was hij bewust elk gesprek over haar uit de weg gegaan. Inmiddels was hij al zeventien jaar getrouwd met de huidige first lady, een buitenmens bij wie hij helemaal tot rust was gekomen. Ze hadden tweelingzoons en een golden retriever en hielden voskleurige *quarter horses* op hun landgoed in de buurt van Missoula. Politiek gezien was Tasia nooit een blok aan zijn been geweest. Ze had nooit voor dreigende wolken aan de horizon gezorgd, maar was slechts een curiositeit in zijn leven geweest.

Daar was nu verandering in gekomen. Terwijl Jo naar hem keek, dacht ze: laat maar eens zien op wie ik nu eigenlijk heb gestemd.

McFarland liet zijn blik door de perskamer dwalen. 'Tasia's dood is een tragedie. Sandy en ik leven met haar familie mee en scharen ons bij haar vrienden en alle mensen in het land die vanavond rouwen om dit...' Hij ging langzamer praten en zijn stem werd lager. '... verlies.'

Hij keek naar beneden en verplaatste zijn gewicht van zijn ene voet op de andere. Met zijn handen om de rand van de lessenaar schudde hij zijn hoofd. Daarna leek hij een knop om te zetten.

'Op zulke momenten heb je niets aan een voorbereide speech.' Hij keek op. 'Dit nieuws is een klap in het gezicht. Tasia was te jong om te sterven.'

Achter hem, nog net in beeld, stonden medewerkers van de president en de chef-staf van het Witte Huis. McFarland keek even naar hen. Hij leek moed te putten uit hun aanwezigheid en rechtte zijn rug.

'Tasia was een natuurkracht. Simpel gezegd ben ik nog nooit zo'n persoonlijkheid tegengekomen als zij. Als ze wilde, kon ze met één blik bergen verzetten. Ze was een beroemde, zeer getalenteerde zangeres, maar wat haar bijzonder maakte, was haar ruimhartige karakter. Haar hart was zo groot als de hemel.'

Hij zweeg even. 'Toen ik hoorde dat ze was omgekomen door een pistool dat ik heb gekocht, was ik daar kapot van. Ik heb er geen andere woorden voor.'

Er ging geroezemoes door de perskamer. McFarland nam de tijd om over zijn volgende opmerking na te denken.

'Ik was vanavond niet van plan geweest vragen te beantwoorden, maar toen ik binnenkwam, hoorde ik iemand vragen of ik wist dat Tasia manisch-depressief was toen ik haar het pistool liet houden.'

Op de achtergrond zag iedereen de chef-staf van het Witte Huis verstijven. K.T. Lewicki had een eihoofd als een Engelse bulterriër en zag eruit alsof hij McFarland wilde tackelen. De president zag het niet, of lette er bewust niet op.

'Het antwoord is nee,' zei hij. 'Tasia en ik zijn twee jaar getrouwd geweest. Ze was drieëntwintig toen we uit elkaar gingen. Voor zover ik weet, is de diagnose bipolaire stoornis gesteld toen ze begin dertig was.'

Hij liet zijn blik door de zaal dwalen en maakte oogcontact met de aanwezigen. 'Ik kocht het pistool voordat ik naar een ander land werd uitgezonden. Zij bleef in haar eentje thuis achter. Ik wilde dat ze een betrouwbaar middel had om zich te kunnen verdedigen.' Zijn toon werd scherper. 'En om uw vraag voor te zijn: het is niet eens bij me opgekomen om het mee te nemen toen we gingen scheiden. Dat pistool had haar...'

Zijn gezicht vertrok.

'... moeten beschermen.' Een fel licht leek over zijn gezicht te glijden. 'Gedenk haar in uw gebeden. Dank u.'

Hij draaide zich om en liep het podium af. Hij beende weg alsof de kamer in brand stond. Een verslaggever vroeg: 'Meneer de president, had u haar onlangs nog gesproken?'

McFarland hief tijdens het lopen zijn hand op. 'Nee.'

Een andere journalist riep: 'Weet u waarom ze uw pistool mee naar het concert had genomen? Meneer de president, heeft ze het ooit over zelfmoord gehad?'

McFarland schudde zijn hoofd en liep de deur uit.

In de skybox liepen de mensen weg van de televisie. Achter Jo zei een man: 'Hij heeft last van zijn geweten.'

Tang draaide zich om. 'Meneer Lecroix.'

Searle Lecroix stond met zijn handen in de zakken van zijn spij-kerbroek achter in het vertrek. Onder de rand van zijn zwarte stet-son door staarde hij naar de televisie. 'Die man is gewoon een van de vele mensen die haar hebben laten stikken. Maar hij lijkt het ten-minste te weten.'

Zijn doorrookte, lijzige stem klonk hees. Zijn gezicht was doods-bleek. Tasia's schatje, haar Mister Blue Eyes met de fluwelen tong, zag eruit alsof alle energie uit hem was gemept.

Tang liep naar hem toe. 'Ik wist niet dat u hier nog was.'

'Ik kon niet weggaan zolang Tasia daar lag,' zei hij. 'Ik kon haar niet op het veld achterlaten bij mensen die haar bestudeerden. Ik kon het gewoon niet. Ze verdient het om iemand in de buurt te hebben die om haar geeft.' Het timbre van zijn stem zakte. 'Wat is er met haar gebeurd?'

'Dat weten we nog niet,' antwoordde Tang, die Jo wenkte. 'Dit is dokter Beckett.'

Tang legde uit wat Jo deed en vroeg Lecroix om Jo's vragen te be-antwoorden.

'Wilt u vanuit een psychologisch oogpunt over Tasia praten? Nu meteen?'

Jo schudde haar hoofd. 'Morgen of overmorgen.'

Hij stemde in en gaf haar het nummer van zijn mobiele telefoon. 'Gaat u uitzoeken wie hiervoor verantwoordelijk was?'

'Misschien kunt u ons daarbij helpen.'

Hij knikte. 'Ze brengen haar naar het mortuarium. Ik moet weg.' Hij tikte met zijn vinger tegen de rand van zijn hoed. 'Inspecteur. Dokter.'

Ze zagen hem met hangende schouders door de gang weglopen. Na een paar tellen zei Jo: 'Ik wilde je net gaan vertellen over de der-de mogelijkheid.'

'Ik luister.'

'Tasia wilde iemand anders neerschieten, maar een onbekende per-soon tussen al die fans kromde zijn vinger om de trekker en schoot haar neer.'

'Denk je nu dat iemand haar te grazen wilde nemen?'

'Denk jij dat nu niet meer?' vroeg Jo.

'Ik weet het niet. Ik bedoel, je hebt haar gehoord. *"Liar's words all end in pain."* De woorden van een leugenaar eindigen altijd in pijn.'

9

Tang zette Jo af bij haar huis op Russian Hill en gaf haar een dikke, bruine envelop.

'De opnames van het concert, foto's van de plaats waar het gebeurd is, getuigenverklaringen van de stuntman en van de toneelknechten. En Tasia's "voor het geval ik vermoord word"-opname.'

Jo zweeg even. 'Het is veelzeggend dat ze het pistool van haar ex-echtgenoot heeft gebruikt.'

'Zeg dat wel, Sigmund.' Tang wees op de envelop. 'Zoek uit wat ze ermee wilde zeggen.'

De auto reed ronkend weg.

Het was een koele avond. De rails van de kabeltram gonsden van de nagalmende overbrenging en de kabels onder de weg. Jo liep de trap naar haar voordeur op.

Haar huisje stond tegenover een park en werd omringd door chiquere, feller gekleurde huizen die in blokkendoostinten waren geschilderd. Haar huis was een mooi victoriaans gebouw met een roestkleurige dakrand. De voortuin was een piepklein grasveldje dat werd omzoomd door gardenia's en witte seringen. Binnen klonken haar Doc Martens zwaar op de hardhouten vloer. Ze hoorde een echo toen ze haar sleutels op het tafeltje in de gang liet vallen.

Zelf zou Jo het huis nooit hebben uitgekozen. Ze zou moeite hebben gehad om het te bekostigen, maar haar man had het van zijn grootouders geërfd. Hij en Jo hadden het huis verbouwd. Ze hadden muren weggehaald, de vloeren geschuurd en lichtkoepels aangebracht.

Na Daniels dood was zijn afwezigheid in het huis een marteling geweest. In het begin had Jo de ramen soms kapot willen slaan en willen schreeuwen: 'Kom terug!' Daniels ouders wilden het huis dolgraag van haar kopen, maar ze voelde zich er thuis en moest er inmiddels niet meer aan denken om weg te gaan.

Ze liep naar de keuken en zette koffie. De magnolia in de achtertuin zat vol bloemen die in het maanlicht glansden als witte vuisten. Uit een naburig huis dreef muziek naar haar toe, een Latijns-Amerikaans deuntje met swingende trompetten. Ze was uitgeput, alsof ze de hele avond vastgebonden op een raketslee had gelegen.

Er klonk een scherpe klop op de voordeur.

Toen ze opendeed, zag ze Gabe Quintana met zijn handen in de zakken van zijn spijkerbroek op de veranda staan. Zodra hij haar zag, kreeg hij een behoedzame blik in zijn ogen.

'Misschien had ik eerst moeten bellen,' zei hij.

'Het concert eindigde met de dood van de ster en een stuntpiloot, onder de voet gelopen fans en mijn belofte om mee te werken aan een zaak die één groot mijnenveld is.'

'Zal ik een andere keer terugkomen?'

Hij had kortgeknipt, zwart haar en ogen waarin iets smeulde. Ja hoor, dacht Jo. Alsof jij gelooft dat ik de deur ooit voor jouw neus zou dichtdoen.

'Er komt een dag dat ik ja zeg. Gewoon om jouw zelfvertrouwen onder de duim te houden,' zei ze.

Zijn glimlach was nonchalant. 'Dat doe je niet.'

Er stonden lachlijntjes in zijn gebronsde huid. Met een uitdagende blik leunde hij tegen de deurpost.

Jo greep hem bij de kraag van zijn Bay-to-Breakers T-shirt en trok hem naar binnen. Daarna schopte ze de deur dicht en duwde ze hem tegen de muur.

'Pas op, jij. Ik weet precies welke knoppen ik bij jou moet indrukken en ik kan je zó...' Ze knipte met haar vingers. '... op je knieën dwingen.'

'Is dat een belofte?'

Ze drukte hem nog steeds tegen de muur. 'Ik heb je vierentwintig uur niet gezien, en het is jouw schuld dat een etmaal heel lang kan lijken.'

Hij sloeg zijn armen om haar middel. 'Welke knoppen je bij mij moet indrukken... Ja, het is wel duidelijk dat mijn controlepaneel hier op springen staat.'

Hij kuste haar.

Soms leek hij even kalm als een rimpelloos wateroppervlak. Soms was hij zo gesloten dat hij bijna onzichtbaar werd. Ze wist dat die buitenkant heel anders was dan de turbulentie binnenin, dat zijn intensiteit en vastberadenheid verborgen waren. Hij was een illusionist, een meester in emotionele vingervlugheid.

Zijn koelbloedigheid kwam hem uitstekend te pas bij zijn werk als p.j., opsporings- en reddingsexpert van de Air National Guard. Hij kwam minzaam en geruststellend over, maar als hij werd uitgedaagd of bedreigd, veranderde zijn houding en ving Jo een glimp op van de militair die hij was geweest.

En die hij binnenkort weer zou worden.

Eén dag verstreken, nog zevenentachtig te gaan. Gabe was opgeroepen voor actieve dienst. Aan het einde van de zomer zouden hij en anderen van de 129th Rescue Wing voor vier maanden worden uitgezonden naar Djibouti. Daar zouden ze opsporings- en reddingswerk verrichten voor de Combined Joint Task Force - Horn of Africa van het Amerikaanse leger. Eind januari zou hij terugkomen. Daarna zou hij nog acht maanden in actieve dienst blijven, maar hij dacht dat hij het merendeel van die tijd op het hoofdkwartier van de Wing zou kunnen doorbrengen, Moffett Field in Mountain View.

Het leven van opgeroepen reservisten kwam altijd op zijn kop te staan, en bij Gabe was dat niet anders. Hij was niet alleen *parajumper*, maar was dankzij de veteranenregeling van de overheid ook laatstejaarsstudent aan de University of San Francisco. De uitzending trok een streep door zijn studieschema. Maar zijn hoogste prioriteit was zijn tienjarige dochter Sophie, voor wie hij in zijn eentje zorgde. Zijn ex-vriendin woonde in de stad, maar ze kon nauwelijks voor zichzelf zorgen en zag Sophie slechts twee keer per maand. Het had Gabe veel tijd en moeite gekost om zijn voogdijregeling zo te veranderen dat Sophie tijdens zijn uitzending bij zijn zus en haar man kon wonen. Sophie vond het niet fijn dat hij wegging, maar ze wist dat het zijn werk was. Ze had zoiets al eerder meegemaakt.

Jo niet, maar nu ze hem dicht tegen zich aan hield, zette ze die gedachte van zich af. Ze probeerde een einde te maken aan het tikken in haar hoofd.

Hij veegde haar krullen uit haar gezicht. 'Gaat het?'

'Toen ik Tina zag, was alles goed.'

Zijn blik was ernstig. 'Het ging op het nippertje goed, maar ik weet dat het gevaar veel te dichtbij is gekomen.'

Ze onderdrukte de neiging om aan de gevaren van zijn uitzending naar de Hoorn van Afrika te denken. En ze wist dat ze heviger verliefd op hem was dan ze ooit voor mogelijk had gehouden.

'Waarom is je nieuwe zaak een mijnenveld?' vroeg hij.

'Ik ga een psychologische autopsie uitvoeren op Tasia McFarland. Het ziet ernaar uit dat ik een roerige tijd tegemoet ga.'

Hij zette grote ogen op. 'Vind je het spannend?'

Daar moest ze even over nadenken. 'Ja.'

'Ben je klaar voor de roofdieren die vanuit het hoge gras op je af komen?'

'Vast niet.'

'Je bent wel een thrillseeker, hè?'

Een opmerkzaam type, die Gabe Quintana. Ze legde haar handen op zijn schouders. 'Klopt. Hoe lang kun je blijven?'

Glimlachend trok hij haar tegen zich aàn. Het volgende moment ging zijn mobiele telefoon.

Jo leunde achterover en hij nam op.

'Dave Rabin. Zeg het eens,' zei hij, en binnen vijf seconden wist ze dat hij totaal andere spannende dingen aan zijn hoofd had.

'Geef me een uur, dan ben ik er.' Hij klapte zijn telefoon dicht. 'Achthonderd kilometer uit de kust ligt een koopvaardijschip dat brand in de machinekamer meldt. Ze zijn op drift geraakt en de achtersteven bevindt zich onder water. Veel slachtoffers.'

Met tegenzin liet Jo hem los. Gabe leek te gonzen van energie. Hij legde een hand op haar heup en gaf haar nog een kus.

'Breng ze in veiligheid,' zei ze. 'En pas goed op jezelf.'

Hij rende de trap af naar zijn auto. Leunend tegen de deurpost keek ze hem na, nog niet bereid om de deur te sluiten, terug te keren naar Tasia McFarland en de harde zekerheden van de dood. Ze keek hem na tot ze hem niet meer kon zien.

10

Noel Michael Petty bonkte bezweet en hijgend de trap van het hotel op en droeg het voorwerp voorzichtig mee in het camouflagejasje. De hal was bedompt, maar leeg. Petty haastte zich naar de hotelkamer, gooide de deur dicht en leunde er ademloos tegen aan. *Niemand is me gevolgd. Niemand heeft me zelfs maar opgemerkt. Niet in het honkbalstadion, en ook niet op weg naar de Tenderloin.*

Tja, als je als een engel ergens boven zweeft, word je onzichtbaar. *Vlug, de ketting op de deur. Maak ruimte op de tafel. Schuif de schaar en de krantenknipsels aan de kant. Laat de artikelen uit de sensatiebladen en de foto's uit de glossy tijdschriften op de grond dwarrelen. Kom op adem.*

Plechtig en voorzichtig vouwde Petty het camouflagejasje open om het voorwerp eruit te halen. Het was een stukje van het honkbalveld, een pol gras en aarde ter grootte van een cd. Petty legde het op tafel en streek over het gras alsof het zacht babyhaar was.

Ik heb gezegevierd.

Petty stapte achteruit, zette de groene legermuts af en knipte de televisie aan. De gebeurtenissen van vanavond waren historisch. Het was van levensbelang om er geen moment, geen prachtige seconde van te missen.

Kijk – het nieuws. Vertrouwde, spannende beelden verschenen op het scherm. Zwarte rook, al dat plakkerige bloed, Tasia's dikke haar dat als een gouden komeetstaart om haar hoofd waaierde. Gillende mensen die van haar lichaam wegvluchtten. Tasia had het publiek de stuipen op het lijf gejaagd door op die manier te sterven. Stomme trut.

Searle Lecroix baande zich een weg door de menigte. Petty trok een lelijk gezicht.

Te laat, Searle. Ze is dood. Bij geen enkele man kan ze nog liefde uit zijn botten zuigen. We zijn vrij.

Vrij... Petty keek even naar het voorwerp. Het was een aandenken aan een verlossing, net als een stuk van de Berlijnse Muur.

Lecroix elleboogde zich een weg langs de gretige toeschouwers op het veld, onnozele onbekenden die een stukje van Tasia McFarland wilden hebben, die wilden kunnen zeggen dat ze erbij waren geweest. Maar het ging hun alleen maar om roem en sentiment. Ze zouden het nooit begrijpen. Tasia's dood was geen ongeluk. Het was een overwinning.

Op het scherm liet Lecroix zich naast Tasia's lichaam op zijn knieën vallen. Petty kromp ineen.

'Searle, sufferd die je bent.'

De dood van een stomme trut zou hem niet zo mogen aangrijpen. Het was pijnlijk om te zien. Het deed af aan de overwinning.

Als je de roddels moest geloven, had Tasia Searle Lecroix haar bed in gelokt. Maar hij kon haar nooit hebben gekend. Het was onmogelijk dat hij zich aan haar had gegeven en iets terug had gekregen. Dat kon gewoon niet bij die labiele, aandachtsgeile halvegare die de president had geneukt om haar doel te bereiken.

Lecroix greep Tasia's hand beet en smeekte: 'Help haar.'

Gekwetst wendde Petty het hoofd af, maar Tasia's gezicht verdween niet uit beeld. Vanaf de muren staarde ze de kamer in. Honderden foto's, haar mooie gezicht, haar vuile blik, het duistere licht van haar ziel, starend, alwetend.

Petty staarde terug. 'Maar je wist niet wat er ging gebeuren. Je weigerde te luisteren.'

Tasia had haar neus opgetrokken voor NMP. Daarna had ze NMP genegeerd. Ze had het lef gehad om NMP te berispen en te minachten.

Ondanks het hevige verdriet vormden Petty's lippen een glimlachje.

Hou op. Je bent geen dikke fan met knikkende knieën. Je bent een deugdzame bewaker en beschermer van de waarheid en de Rechtvaardigen. Petty krabde onder een oksel.

De hotelkamer rook muf en bedompt, als een goedkoop toneelkostuum. Maar dit obscure hotelletje in Tenderloin was ook een soort toneel – een dekmantel. Hier zou niemand een zwevende engel zoeken.

Het nieuws schakelde over naar een persconferentie in het Witte Huis. Robert McFarland prees Tasia. Hij was lyrisch over haar talent.

De kick van de overwinning begon af te zwakken. Petty schudde het camouflagejasje uit en ging met een plof op het bed zitten. Een ruimhartig karakter... maakte McFarland soms een grapje? De president van de Verenigde Staten verheerlijkte St.-Tasia, de Heilige Trut.

Slet, dievegge, leugenares.

Haar hart was zo groot als de hemel. Met een kreun denderde Petty naar de tafel om het aandenken naar de televisie te gooien.

Dit was krankzinnig. Het was een... betovering. Dat kreng had zelfs de leider van de vrije wereld behekst.

Petty's werk was allemaal voor niets geweest. De rattenkoning der politici, een man met een supergladde tong, een hypnotiseur, verspreidde de leugen. De mensen zouden hem geloven. 'Haar hart was zo groot als de hemel' – het zou door iedereen worden overgenomen. Ze zouden erdoor van mening veranderen, Tasia-fans worden. Het zinnetje zou onder de huid kruipen van mensen die beschermd moesten worden. Tasia, de hartendief, zou wéér wat stelen, net zoals ze van NMP had gestolen, alleen deed ze het deze keer vanuit haar graf.

Haar dood had de strijd niet beëindigd, maar juist feller gemaakt.

Petty hoorde een stem, gefluister, een belofte. *Niet doorvertellen. Jij bent voor eeuwig mijn grote liefde. Sst.*

Diepe ademhaling. Het werd tijd om Noel Michael Petty af te werpen. Tijd voor de camouflage die zorgde dat de Beschermer veilig en anoniem bleef. Die camouflage werkte ook op internet, waar niemand weet dat je lelijk en onbeduidend bent. Nu moest Petty de gedaante offline aannemen. Dag en nacht, zonder fouten te maken.

Petty liep naar de badkamer en ging voor de smoezelige spiegel staan. *Vanaf dit moment heet je geen Noel meer. Je bent geen zweterige fan die de tournee door het hele land volgt. Je bent de grote man. NMP.*

Tasia had het einde niet zien aankomen. Searle Lecroix ook niet, al had hij vanaf het podium naar haar staan staren. Als je de beelden op het journaal bekeek, zag hij het nog steeds niet. Tasia hield hem nog steeds in haar greep. En nu hypnotiseerde de president de mensen in het land om hen hetzelfde te laten geloven. Iemand moest er een einde aan maken.

Iemand moest Tasia voor eens en altijd ontmaskeren. Een einde maken aan de verering. Bewijzen zoeken, een scène maken en de leugenaars voorgoed het zwijgen opleggen.

Je bent NMP, *de aartsengel, de ruige rotzak. Je bent het zwaard van de waarheid.*

Je bent de grote man.

11

Toen Jo de volgende ochtend wakker werd, stond de radio al aan.

'... onderzoek naar de dood van Tasia McFarland. Een bron bij de politie vertelde ons dat er een psychiater is ingehuurd om Tasia's geestelijke toestand te beoordelen.'

Ze ging rechtop zitten.

'Volgens onze bron gaat de politie ervan uit dat Tasia zelfmoord heeft gepleegd en wil men een psychologisch oordeel om die theorie te onderschrijven.'

Ze stak haar hand uit naar de telefoon, maar toen viel haar blik op de wekker. Tien voor halfzeven. Te vroeg om inspecteur Tang een donderpreek te geven over lekken op de afdeling.

Ze hoorde de misthoorn. Ze schopte de dekens van zich af, trok een kimono aan, liep slaperig naar het raam en maakte de luiken open. Mist schaatste over de baai en klemde zich vast aan de Golden Gate Bridge, maar heuvelopwaarts prikte de zon door de wolken heen. In het vroege ochtendlicht leek de magnolia in de achtertuin te glanzen.

Het nieuws ging verder. Geen woord over een brandend koopvaardijschip dat achthonderd kilometer uit de kust met de achtersteven in het water lag. Geen woord over de 129th Rescue Wing. Ongelukken op zee konden reddingswerkers in rampzalige situaties verstrikt doen raken, en ze luisterde gespannen of ze de woorden Air National Guard hoorde. Niets.

Ze graaide haar klimspullen bij elkaar en reed naar Mission Cliffs. Ze vond iemand die haar wilde zekeren en bracht drie kwartier door op de klimwand. Daar werd ze rustig van. Als ze vijftien meter boven de vloer hing, met niets anders dan de afgrond tussen haar lichaam en een gebroken nek, werd haar hoofd altijd heerlijk leeg.

Om acht uur zat ze achter haar bureau. Ze had eindelijk Daniels mountainbike en oude exemplaren van het tijdschrift *Outside* weggedaan en de voorkamer in een werkkamer veranderd. Er stonden goudkleurige orchideeën op de boekenkast en aan de muur hing haar favoriete cartoon uit de *New Yorker*. Daarop schreeuwt een verdrinkende man: 'Lassie! Zoek hulp!' Vervolgens gaat Lassie naar een psychiater.

Doorgaans begon ze aan een psychologische autopsie door het politierapport en de medische en psychiatrische dossiers van het slachtoffer te lezen. Die waren nu nog niet beschikbaar. Om antwoord te kunnen geven op de vraag of iemand door natuurlijke oorzaken, een ongeluk, zelfmoord of moord was gestorven, moest ze niet alleen diens lichamelijke en psychologische geschiedenis beoordelen, maar ook diens achtergrond en relaties. Jo ondervroeg familie, vrienden en collega's van het slachtoffer. Daarbij zocht ze naar waarschuwingssignalen die op zelfmoord wezen of bewijsmateriaal dat iemand het slachtoffer kwaad had willen doen. Ze maakte een tijdbalk van gebeurtenissen tot aan de dag van het sterfgeval.

Omdat ze geen dossiers had, las ze artikelen over Tasia's psychiatrische verleden. Dat was treurig en wreed. En Tasia had niet geaarzeld om erover te praten.

Tasia had op haar tweeëndertigste te horen gekregen dat ze een bipolaire stoornis had, maar tijdens de jaren daarvoor was ze al heen en weer geslingerd tussen manische en depressieve periodes. Voor het oog van het publiek hadden zich explosieve hoogtepunten en afgrijselijke dieptepunten afgespeeld: driftbuien, auto-ongelukken, periodes waarin ze erg veel drugs had gebruikt, creatieve uitbarstingen. Ondertussen was ze van een zingende tienersensatie in een verlopen fuifnummer veranderd, om vervolgens uit te groeien tot de koningin van de comeback. Kortom, seks, drugs en rock-'n-roll, zoals de analyse van *Rolling Stone*, *Mother Jones* en *People Magazine* luidde.

Maar de diagnose bipolaire stoornis wenste je je ergste vijand niet toe. Het DSM-IV, het Amerikaanse, maar ook in veel andere landen gebruikte diagnostische en statistische handboek van psychiatrische stoornissen, omschreef een bipolaire stoornis type I als het optreden van een of meer 'manische episodes of gemengde episodes', al kenden patiënten ook vaak zware depressieve episodes.

Tijdens een manische periode hadden mensen geen behoefte aan slaap en waren ze niet moe – een week lang, een maand, twee maanden. Ze hadden het gevoel dat ze de hele wereld aankonden. Soms leerden ze nieuwe talen of gingen ze een nieuw instrument bespelen. Hun opmerkelijke energie en gevoel van macht ontstonden spontaan, zonder trigger van buitenaf. Er was geen sprake van gebeurtenissen die voor een euforische stemming zorgden, zoals de afronding van een studie of het winnen van een Oscar.

Jo dacht na over Tasia, die haar innerlijke motor had opgeblazen op de avond dat ze in een vol stadion in haar woonplaats een grote hit had gezongen.

Manische mensen konden erg gezellig en onderhoudend zijn. Sterker nog, psychiaters in opleiding kregen te horen dat ze met de diagnose manie rekening moesten houden als een bepaalde patiënt bijzonder onderhoudend was. Maar al waren manische mensen soms erg leuk, ze konden ook heel vermoeiend zijn.

En als patiënten dan afzakten naar een depressie, stortten ze in. Ze werden overspoeld door schuldgevoelens en het idee dat alles uitzichtloos was. Zelfmoord kwam vaak voor.

Het allerergst waren de gemengde episodes, waarin de stemmingsstoornissen van patiënten zowel aan de criteria voor manische als voor zware depressieve episodes voldeden. Gemengde episodes waren moeilijk te diagnosticeren. Jo dacht dat bij die patiënten de kans op zelfmoord het grootst was.

Ze herinnerde zich de manier waarop stuntman Rez Shirazi Tasia had omschreven: hyper, maar diep ongelukkig.

Ze haalde een kop koffie. Ze moest weten welke medicijnen Tasia had geslikt en wat de uitslagen van het toxicologisch onderzoek waren. Met de juiste medicijnen konden mensen met een bipolaire stoornis zeer deskundig en creatief zijn. Ze werden natuurkundigen, computerwetenschappers, kunstenaars. Een aantal beroemde klassieke componisten was manisch-depressief geweest.

Maar vaak slikten mensen hun medicijnen niet meer omdat ze het heerlijk vonden om manisch te zijn. Ze genoten van de creatieve explosie die de manie met zich meebracht.

'Kunst en waanzin' was een cliché, maar Jo had tijdens haar studie geneeskunde een serie colleges over het brein en muziek gevolgd.

Er bestonden sterke aanwijzingen dat Schumann aan een bipolaire stoornis had geleden. Gershwin had misschien ADHD gehad. En de geestestoestand van een componist beïnvloedde zijn composities. Ze herinnerde zich dat manisch-depressieve componisten dol waren op repetitieven en soms werden geobsedeerd door bepaalde geluiden of tempi.

Jo luisterde nogmaals naar 'The Liar's Lullaby'. Haar muzikale gehoor was niet scherp genoeg om aanwijzingen of betekenissen uit de melodie te halen, maar de tekst was al tamelijk verontrustend. 'Je zegt dat je van ons land houdt, leugenaar, je hoopt dat het in bloed en vuur ten onder zal gaan.' Het derde couplet was minder griezelig, maar wel verdrietig.

I fell into your embrace
Felt tears streaming down my face
Fought the fight, ran the race
Faltered, finally fell from grace.

Ik liet me in je armen vallen en voelde de tranen over mijn wangen rollen. Het gevecht was achter de rug, de race was gelopen, ik wankelde en raakte uiteindelijk uit de gratie... Jo tikte met haar vingers op het bureau en vroeg zich af of het couplet naar Tasia's huwelijk verwees.

Er waren maar weinig foto's waar Tasia en Robert McFarland samen op stonden, maar op internet had ze een oud tijdschriftartikel met duidelijke foto's gevonden. Tasia had McFarland ontmoet toen ze voor de troepen optrad, en op een paar foto's stond ze tussen de soldaten. McFarland viel onmiddellijk in het oog. Hij zag er jong, knap en zelfverzekerd uit. Een van de kiekjes was heel vrolijk en toonde McFarland en een officier met een eihoofd die Tasia op hun schouders hadden gehesen. Jo herkende de tweede man als K.T. Lewicki, inmiddels de chef-staf van het Witte Huis. Op een andere foto, die vlak na hun huwelijk was genomen, straalden de echtelieden energie uit, die ze kennelijk van elkaars nabijheid kregen. Tasia zag eruit als een uitdagende cheerleader, klaar om het leger in haar eentje naar de overwinning te stuwen. McFarland keek alsof hij zichzelf de grootste bofkont op aarde vond: zelfverzekerd, smoorverliefd en trots op zijn getalenteerde jonge vrouw. Hij leek totaal niet jaloers op haar succes te zijn, en ze lachten alsof het leven mooi was en al zijn geheimen aan hen had onthuld.

Om negen uur belde Amy Tang. 'Vanochtend wordt er sectie op Tasia verricht. Je krijgt de medische en psychiatrische dossiers misschien vanmiddag al, maar het kan dagen duren voordat we de uitslagen van het toxicologisch onderzoek en het bloedonderzoek hebben. Om tien uur heeft haar naaste familie tijd voor je – haar zus, Vienna Hicks.'

Jo schreef het telefoonnummer van Hicks op. 'Wist je dat politiebronnen over me praten met de pers?'

'Ik had je al gewaarschuwd voor de sensatiezucht rond deze zaak. Maar ik zal nog eens zeggen dat ze hun mond moeten houden.'

Jo keek weer naar de foto van Tasia en Robert McFarland waarop ze jong en verliefd waren. Ze wist niet wat er allemaal met Tasia was gebeurd tussen die foto en een songtekst als 'maar die ene persoon is niet Robby T., het enige wat je nodig hebt, is het pistool'. Ze vroeg zich af of Tasia's zus het haar kon vertellen.

12

Tegen tienen reed Jo naar het centrum van de stad. De straten van het zakendistrict waren afgeladen met auto's en bestelbusjes. Voetgangers haastten zich over de trottoirs. De ramen van de wolkenkrabbers reflecteerden de zon, en de wind blies tussen de gebouwen door. Jo liep een koffiebar binnen, waar het geluid van kletterend bestek klonk. Het personeel droeg gezichtspiercings en baretten met protestbuttons. Vienna Hicks zat aan een tafeltje bij het raam en zwaaide naar haar.

Jo baande zich een weg door de drukke bar. Hicks stond op en gaf haar een hand. 'Dokter Beckett. Ik ben Vienna.'

Vienna Hicks was een meter tachtig en woog negentig kilo. Haar asblauwe pak was onberispelijk en haar rode haar leek wel een uitslaande brand.

'Fijn dat ik u kan spreken,' zei Jo.

'Ik was voor mijn werk in de stad. Ik assisteer een van de advocaten van Waymire & Fong. Zij handelen Tasia's nalatenschap af en zullen iedereen aanpakken die het testament probeert aan te vechten.'

Ze ging met een dreun weer op haar stoel zitten. Haar lichaam leek te groot voor het piepkleine tafeltje, en ze had de krachtige blik van een grizzlybeer. Ze bekeek Jo van top tot teen en leek niet onder de indruk te zijn.

'Een psychiater. Eigenlijk had me dat niet moeten verbazen. Ze zijn een beetje door hun ideeën heen, hè?' zei ze.

'Wie? De politie?'

'Ze weten niet welk etiket ze op Tasia's dood moeten plakken.'

'De politie wil graag een verklaring. Ik ben ingeschakeld om hen daarbij te helpen.'

Vienna tikte met haar gemanicuurde nagels op de tafel en was overduidelijk sceptisch. 'Ik vind het hier benauwend. Laten we een eindje gaan wandelen.'

Ze stond op en liep naar de deur, waarbij ze de menigte rond de bar als een oceaanschip uit elkaar duwde. Jo haastte zich achter haar aan. Buiten gooide Vienna een karmozijnrode sjaal om haar hals, en ze liep over het trottoir in de richting van het Embarcadero Center. De sjaal wapperde in de wind als de banier van een kruisvaarder.

'Wilt u een etiket? De media hebben Tasia al zoveel etiketten opgeplakt dat ze wel een wandelend stickerboek leek.' Ze zette een oversized zonnebril op, die de kracht van haar blik nauwelijks afzwakte.

'Tienersterretje. Mouseketeer van de Mickey Mouse Club. Snoepje van de week,' zei ze. 'Loser, kandidaat in een realityshow, drugsverslaafde.'

Ze liep naar de kade. 'Ex-beroemdheid. Publiciteitshoer. Weggegooid presidentieel speeltje.' Ze keek even naar Jo. 'Manisch-depressieve patiënt.'

'Is die diagnose officieel gesteld?'

'Door een bevoegde psychiater. Bipolaire stoornis type i, snelle cyclus.'

Vienna's roomblanke huid leek bijna licht te geven in de zon. Haar rode haar wapperde in de wind.

'Wilt u weten of ze zelfmoord heeft gepleegd? Zou heel goed kunnen. Haar depressieve episodes waren zwarter dan de nacht.'

'Wanneer vertoonde ze voor het eerst tekenen van de ziekte?' vroeg Jo.

'In haar tienertijd. Toen ze begin twintig was, was er duidelijk iets met haar aan de hand. Dat was tijdens haar huwelijk.'

'Speelde de aandoening een rol bij haar scheiding?'

Vienna's kaak verstrakte. 'Dat moet u aan hem vragen.'

Ze bedoelde de man die tijdens de laatste verkiezingen zevenenzestig miljoen stemmen had gekregen, de man die op elk nieuwsblad in de winkels stond en dag en nacht om de tien minuten op tv was. Het moest een eitje zijn om met hem een afspraak te maken.

'U praat dus niet met Robert McFarland,' zei Jo.

'Ik noem zijn naam niet eens. En ik geef nooit mijn mening over hem. Dat deed Tasia al genoeg als ze haar medicijnen niet slikte.'

Jo knikte. In de verte zag ze de klokkentoren van de veerbootterminal, de baai en Alcatraz.

'U hebt mijn oordeel over Rob trouwens helemaal niet nodig,' zei Vienna. 'U kunt al genoeg meningen over hem vinden. Lees het profiel in *Vanity Fair* maar, het artikel waarin Tasia wordt afgeschilderd als een zingende sekspoes met coke in haar neus en dollartekens in haar ogen.'

Jo zei niets. Als Vienna wilde praten, was zij bereid te luisteren.

'Ik neem aan dat u alle getikte filmpjes met Tasia's grootste samenzweringshits hebt gezien?'

'Ik heb er een paar onder ogen gehad.'

'Fox News?'

'Ik heb haar horen praten over het tweede amendement van de grondwet. Aanvalsgeweren voor iedereen. Het Departement Binnenlandse Veiligheid dat kalmerende middelen in het drinkwater stopt,' zei Jo. 'En ik heb op YouTube de tirade tegen de centrale bank gezien.'

Vienna trok een zuinig mondje. 'Die bijtende kritiek was ziekelijke paranoia, en ja, dat was zowel gênant als angstaanjagend. Maar als ik het toch even voor haar mag opnemen: ze gebruikte toen geen medicijnen. De afgelopen jaren was de behandeling veel beter en werd haar medicijngebruik goed gemonitord. De politieke tirades hielden op.'

Op een hoek stonden ze stil. Palmbomen weerden zich dapper tegen de bries en sneden met hun geveerde bladeren door de lucht. Er reed een oranje met gele tram voorbij, een van de elektrische kabeltrams uit het midden van de twintigste eeuw die recentelijk weer door de stad in gebruik waren genomen. Toen hij stilstond, verwachtte Jo half Humphrey Bogart te zien uitstappen, met zijn hoed zwierig schuin op zijn hoofd.

'Het viel vast niet mee om de zus van Tasia te zijn...'

'Hebt u acht jaar geneeskunde moeten studeren om tot dat inzicht te komen? Dan hebt u vast niet op de beste universiteiten gezeten.'

'... maar ik neem aan dat u boos op haar was én haar wilde beschermen.'

Vienna's ogen gingen schuil achter haar donkere glazen, die het formaat van een stofbril hadden, maar er straalde hitte van haar af. Het verkeerslicht sprong op groen. Vienna beende naar de andere kant van de straat, in de richting van de kade.

'En ik denk dat u zich hulpeloos voelde,' zei Jo. 'Alsof krijsende geesten haar van u afpakten terwijl u machteloos toekeek.'

Vienna liep nog een paar tellen door, maar toen draaide ze zich om. Ze zette haar zonnebril af en ademde langzaam uit. Het was duidelijk dat ze zichzelf maar met moeite kon beheersen.

'Mensen deden zich als aasgieren aan haar te goed, en zij gaf hun daarvoor alle gelegenheid,' zei Vienna. 'Optreden was een passie van haar – ze was zeer getalenteerd, ze had een enorme behoefte aan publiek, ze... ze raakte in paniek bij de gedachte dat ze alle aandacht kwijt zou kunnen raken. Het was alsof ze zichzelf aan de grond spietste en hen uitnodigde om stukken vlees van haar lijf te scheuren.'

'Mijn welgemeende condoleances,' zei Jo.

'Dank u. Zeg dat het een ongeluk was. Alstublieft.'

'Daarom wil ik juist met u praten.'

De wind blies Vienna's sjaal omhoog. 'Dat weet ik.'

'Wist u dat ze een wapen had?'

'Ik heb me er altijd zorgen over gemaakt.'

Jo kon wel raden hoe Vienna zich voelde: op een bepaalde, perverse manier was dit voldongen feit een opluchting. De angst waarmee ze jarenlang had geleefd, de angst dat haar zus iets ergs zou overkomen, was bewaarheid, en daardoor kwam er een einde aan de vreselijke druk en angst. Dat deed niets af aan Vienna's verdriet. Maar de schurende, nooit aflatende bezorgdheid was nu verdwenen.

'Heeft ze ooit gedreigd zich door het hoofd te schieten?'

'Niet met zoveel woorden. "Wat schiet ik daarmee op?" zei ze dan. "Wie zou me missen? Zouden de mensen me als Kurt Cobain behandelen als ik zijn laatste couplet speelde?"'

'Dat lijkt me vreselijk voor u. Heeft ze wel eens een zelfmoordpoging gedaan?'

Vienna's mond ging een stukje open, alsof er woorden op haar lippen lagen. Bittere woorden. Daarna vermande ze zich. 'Misschien kan hij u daar antwoord op geven. Hij zou u in elk geval haar medische dossier uit het legerhospitaal kunnen geven.'

Geweldig. Een familievete met een man die vierentwintig uur per dag door de geheime dienst werd afgeschermd.

'Heeft ze pogingen gedaan waarover u me iets kunt vertellen?' vroeg Jo.

'Een halfslachtige poging, twaalf jaar geleden. Een aantal glazen Southern Comfort en een stuk of tien tabletten ibuprofen.'

Vienna keek even naar de baai, waar een windsurfer over de witte schuimkoppen scheerde. Zijn limoengroene zeil leek wel een haaienvin.

'Ze zei ook dat ze zichzelf in een regen van vonken de dood tegemoet zag gaan,' zei Vienna. 'Wist u dat ze bezig was aan een autobiografie?'

'Nee. Heeft ze aantekeningen achtergelaten? Een ruwe versie?'

'Briefjes, foto's, heel veel onsamenhangende bandopnames. Ze schreef het boek niet zelf.'

'Ghostwriter?'

'Een zekere Ace Chennault.'

Jo haalde een aantekenboekje tevoorschijn en schreef de naam op. 'Weet u waar ik hem kan bereiken?'

'U spreekt hem nog wel. Hij is muziekjournalist, hij heeft de laatste maanden met haar rondgereisd om materiaal te verzamelen.' Ze glimlachte even, waarbij haar tanden zichtbaar werden. 'Behalve familie had ze ook een hofhouding.'

'Wanneer hebt u uw zus voor het laatst gesproken?'

'Gisterochtend. Ze belde om te vragen of ik de kaartjes had gekregen die ze had gestuurd.'

Jo hield op met schrijven. 'Sorry, ik had moeten weten dat u bij het concert aanwezig was.'

'Klopt.'

De afgebeten lettergreep leek volledig uit pijn te bestaan.

'Hoe klonk ze?'

'Vol energie. Een beetje...' Ze liet haar hand horizontaal in de lucht hangen en bewoog hem heen en weer. *Comme ci, comme ça.* '... verontrust. Ze bruiste als peroxide.'

'Klonk ze allang zo?'

'Een paar weken. Maar als ze manisch was, kon haar stemming binnen een paar dagen omslaan naar depressiviteit.'

Een snelle cyclus duidde op een verslechterende geestestoestand. Het betekende dat de bipolaire stoornis niet onder controle was. De snelle cyclus kon het gevolg zijn van het jarenlange voortschrijden van de ziekte, maar ook van slechte medicatie, zelfmedicatie of het besluit van de patiënt om geen medicijnen meer te slikken.

'Heeft ze wel eens gemengde episodes gehad?' vroeg Jo.

Vienna fronste haar wenkbrauwen. 'Nee.'

'Hoe was ze als ze hypomaan was?'

'Als een Saturnusraket. Vol gas, rechtstreeks de hemel in. Onvoorstelbaar creatief. De hele nacht bezig om songs te schrijven en op te nemen. Grappig en gezellig.'

'En als ze in een echte manische episode belandde?'

'Een Challenger. Gelanceerd, ongeduldig op weg naar de ruimte, ke-beng.'

'Deed ze dan gevaarlijke dingen?'

'Ze dook in bed met iedere man die ze kon krijgen. Ze snoof cocaïne, zwakte het effect daarvan af met wodka-shakes vol opiaten en probeerde af te koelen door met honderdzeventig kilometer per uur en gedoofde koplampen over de Pacific Coast Highway te scheuren. U hebt haar politiefoto vast wel online gezien,' antwoordde Vienna. 'Ik heb haar borgtocht betaald.'

Ze staarde naar de witte schuimkoppen op de baai. 'U zult begrijpen dat ik even mijn hart moet luchten, maar de laatste jaren deed Tasia haar best om haar leven op orde te krijgen. Ze was gestopt met de drugs en de zuippartijen. Ze had niet meer met iedereen seks en stortte niet meer in de diepe, zwarte gaten die ze vroeger had gekend. Ze had niet meer van die buien waarin ze een week niet sliep en *Der Ring des Nibelungen* herschreef als een epos over stockcarraces. Haar toestand was stabiel.'

'Zag u haar vaak?'

'Nee. Ze had een huis in de buurt van Twin Peaks, maar ze was op tournee.'

'Heeft ze het onlangs over zelfmoordplannen gehad?' informeerde Jo.

'Nee.'

'Leek ze zich op een bepaalde manier voor te bereiden? Gaf ze bijvoorbeeld bezittingen weg? Had ze een testament laten maken?'

'Dat laatste heeft ze tien jaar geleden gedaan. Het antwoord op de andere vragen is nee.'

'Had ze vijanden?'

Vienna draaide langzaam haar hoofd en onderwierp Jo aan de meedogenloze grizzlybeerblik. 'De politie heeft me haar "ik word vermoord"-bandje laten horen. Dat was... schokkend. Maar ik heb geen aanwijzingen dat iemand haar heeft gedood. U wel? In dat geval wil ik het namelijk weten. Nu meteen, dokter.' De ogen bleven haar strak aankijken. 'De waarheid, alstublieft.'

Jo begreep dat het méér was dan een verzoek. Vienna had er behoefte aan om de waarheid te horen. Zonder de waarheid zou ze onder twijfels en schuldgevoelens gebukt gaan en als een gewond dier verder leven, bloedend en geplaagd door pijn.

Jo hoopte dat ze de waarheid voor haar kon achterhalen. Dat was de drijfveer achter haar werk.

'Ik weet nog niet wat er is gebeurd, maar ik doe mijn best om achter de waarheid te komen. Weet u of iemand uw zus kwaad wilde doen?'

Vienna vocht tegen haar emoties. 'Ik neem aan dat u het niet over die onzinnige samenzweringstheorieën hebt. Ik heb al gehoord dat ze een kogel opving die eigenlijk voor Searle Lecroix was bestemd, en ook dat de stuntman haar heeft doodgeschoten. Hij heet Shirazi, een islamitische naam, dus het zou een jihadistisch complot zijn om de countrymuziek te vernietigen. Ik heb ook gehoord dat iemand haar psychotrope middelen heeft toegediend, waardoor ze zelfmoord heeft gepleegd.'

Dat laatste klinkt als een interessante mogelijkheid, dacht Jo.

'Ze maakte links en rechts nieuwe vijanden. Ze was een diva. Negentig procent van die vijanden waren collega-artiesten of familieleden die ze tegen zich in het harnas had gejaagd. Maar zou iemand echt zo'n hekel aan haar hebben dat hij stiekem kogels in een pistool stopte dat volgens haar ongeladen was? Dat lijkt me onzin. Hoeveel mensen hadden toegang tot dat pistool? Niet veel.'

Vienna keek naar de windsurfers op het water, wier zeilen iriserend waren in het opspattende zoute water en de zonneschijn. 'De lijkschouwer is bijna klaar met de autopsie. Dan geven ze haar lichaam vrij, en ik moet de gedenkdienst gaan voorbereiden. Ik moet mijn zus gaan begraven. Begrijpt u?'

'Ik begrijp het heel goed.'

Ze keek naar Jo. 'Heeft iemand haar vermoord? Ik heb geen flauw idee.'

13

Deze tijden stellen de mensheid zwaar op de proef.
– Thomas Paine

De cursor knipperde op het scherm. Zijn vingertoppen tintelden. Hij typte de woorden die hem transformeerden.

Noem me Paine.

Zijn gedachten waren als stroomstoten. Als hij hardop sprak, vond iedereen hem klungelig. Een onhandige blanke man met een zwembandje – menselijke mayonaise. Maar als hij voor het lichtgevende computerscherm ging zitten en tot in de hoofden daarachter doordrong, werd hij welbespraakt en overtuigend. Er stroomde kracht door zijn vingers.

De jakhals in het Oval Office speelt spelletjes met ons.
Legioen vertelt ons leugens. Hij denkt dat we hem niet
doorzien.

Achter de daken glansde de binnenstad van San Francisco in de ochtendzon. De Transamerica-piramide was een schitterend wit gebouw, het water in de baai was bedrieglijk rustig. Het uitzicht leek wel een ansichtkaart, maar het verborg de verloederde werkelijkheid. Hoeren, junks, homo's. En overal illegalen, die wel uit de regenpijpen en barsten in de trottoirs leken te komen. Het buitenland was een kolkende massa die Amerika met zijn melaatsheid en luiheid aantastte.

De stad was een fantastische arena. Wat een heerlijke ironie dat het laatste spel hier werd gespeeld.

Kijk naar de videobeelden van het concert van gisteravond.
Niet naar de opnames die door de officiële cameramensen zijn
gemaakt, want daaraan is al geknoeid om het verhaal te
vertellen dat de regering de kuddedieren wil wijsmaken. Kijk
naar de beelden die door de concertgangers zijn gemaakt.
Authentieke, onbewerkte opnames van Tasia's dood. Ze tonen
de schokkende waarheid.

Hij veegde zijn handen af aan zijn spijkerbroek. Hij had ingelogd via een anonymizer, software die zijn ip-adres verborg en het onmogelijk maakte om zijn activiteiten op internet na te gaan. Tenminste, dat was hem verteld.

Op de discussiefora van Tree of Liberty liep het storm. Duizenden berichten. Strijdkreten. Plechtige beloftes van mensen die hun leven voor de goede zaak wilden geven. De hartstocht was ongelooflijk. Zijn mensen, Amerikanen die op internet luid hun ongenoegen lieten horen, waren gek op Paine. Ze hadden hem nodig. Ze investeerden in hem. Zijn aandelen in munitiefabrieken zouden omhoogschieten op een manier die nog nooit eerder was vertoond. En sommige berichten waren afkomstig van rebellen die het niet bij woorden lieten. Tom Paine had daadwerkelijk vrijwilligers in het land.

Maar het waren zenuwslopende dagen. Tasia was dood en de tijd begon enorm te dringen. Als hij een regelrechte aanval wilde voorkomen, moest hij nu iets ondernemen. Hij voelde de angst als een droge hitte in zijn nek.

Ondanks de verhalen die sommige heetgebakerde leden van onze gemeenschap geloven, is de waarheid dat de dader Tasia niet vanuit de stunthelikopter heeft geëxecuteerd.
Ik weet wat sommigen van jullie denken: maar kijk nu eens naar de achternamen van de stuntmannen. Shirazi. Andrejev. Inderdaad, Shirazi is een islamitische achternaam. Andrejev is een Rus. Deze mannen behoren tot vijandige volken, maar de feiten staan onomstotelijk vast: ze hebben Tasia niet doodgeschoten. De hoek van het pistoolschot klopt niet.

In de gang liepen mensen lachend en pratend langs zijn deur. Paine haalde zijn handen van het toetsenbord. Zijn hart ging als een razende tekeer.

Hij was van vele markten thuis, maar als hij schreef was hij een meester in overredingskracht – op emotioneel gebied en op politiek gebied. Hij had er een hekel aan als mensen hem niet serieus namen. Zijn daden waren geen rotgeintjes, hij wist anderen werkelijk bang te maken. Hij was de steen tussen de tandwielen, de suiker in de benzinetank. Hij bracht dingen tot stilstand, of zette ze juist in werking. Politici hielden zich bezig met woorden, maar Paine zette propaganda om in daden.

Hij pakte een luciferboekje en draaide het tussen zijn vingers. Hij moest het vuur opporren.

Analyseer de beelden. Ze zijn onscherp en bewogen, maar kijk goed. Haar moordenaar vuurde vanaf de steigers rond het podium een schot af uit een krachtig geweer.
De regering zal de moord op Tasia als excuus aangrijpen om onze vuurwapens in beslag te nemen. Ga er maar van uit dat het tweede amendement binnen een week wordt opgeschort. Daarna zal de National Guard controleposten neerzetten. We

worden aangehouden, gearresteerd en geïnterneerd. Wees voorbereid, mensen.

Ja, dat klonk goed. Hij begon nu warm te lopen. Zijn bloed verwarmde zijn handen.

Het politieonderzoek naar Tasia's dood is een schijnvertoning. De politie van San Francisco komt ook nooit op de proppen met de kogel die Tasia heeft gedood, want die zou onweerlegbaar bewijzen dat ze door een militair scherpschuttersgeweer is gedood, niet door een colt .45. En nu probeert de overheid ons weer op het verkeerde been te zetten. Omdat ze alle protesten na de moord op Tasia niet kunnen smoren, proberen ze ons te verstikken met psychologisch geleuter. Ze hebben een psychiater ingehuurd om Tasia's dood te analyseren. Dit is geen grap.

De moord op Tasia was brutaal geweest, ontzettend brutaal. Ze was een brand die was geblust. Maar er zouden nog ergere dingen gebeuren; hij werd rechtstreeks bedreigd, tenzij hij onmiddellijk in actie kwam. De hielenlikkers van de regering – de legioenen van Legioen – zouden als demonen op hem neerdalen. Robert McFarland kon voor de televisiecamera's staan janken, maar dat zouden zijn mensen beslist niet doen. Zij wilden de klus afmaken. Zij zouden achter Tom Paine aan gaan.

Dat deden de autoriteiten altijd. Hij moest als eerste toeslaan.

We krijgen 'inzicht' in Tasia's 'gekwelde' geest. Deze psychiater zal ons met een droevig, meelevend gezicht aankijken en Tasia's moeder en de Amerikaanse maatschappij de schuld van haar 'tragische zelfmoord' geven. Daar kun je op wachten – ze komt uit San Francisco. Ze is een pluimstrijker van de regering, een nuttige idioot. Zo zetten tirannen hun laarzen op ons gezicht. Niet altijd met een middernachtelijke klop op de deur, maar soms ook met de troostende leugens van een beunhaas.

Er kroop een ijzige kou over zijn armen. Hij zou de oproep laten uitgaan. Keyes, de ex-huurling die nu voor Blue Eagle Security reed, zou erop reageren, samen met die extreem rechtse meid met wie hij samenwerkte, Ivory.

Tasia heeft ons gewaarschuwd. Ze kwam gewapend met het pistool van de jakhals naar het concert. Ze stak het omhoog. Haar boodschap had niet luider kunnen klinken: Ware Amerikanen laten zich niet als makke schapen aan de kant zetten.
Neem het voortouw, volg de leider of ga aan de kant, schreef Thomas Paine al.
Wie doet er mee?

Ja, Keyes en Ivory zouden onmiddellijk te paard springen om hem te helpen. De vraag was hoeveel mensen ze konden meeslepen als ze de afgrond in galoppeerden.

Na afloop van haar gesprek met Vienna Hicks liep Jo door de drukke straten terug naar haar auto. Dassen van zakenlieden kronkelden als slangen in de wind. Boven de wolkenkrabbers dreven de wolken met hoge snelheid langs de blauwe hemel. Toen ze haar telefoon aanzette, begon hij meteen te piepen omdat Tang een aantal berichten had achtergelaten.

Maar het enige bericht waar ze behoefte aan had, een bericht van Gabe dat hij weer veilig aan land was, zat er niet tussen. Haar adem stokte. Haar emoties bleven aan een doorn hangen, de angst glinsterde in een hoekje van haar brein.

Ze zette het gevoel van zich af. Hij zou bellen. Zij niet. Zij zou wachten, want dat was de stilzwijgende afspraak. In plaats daarvan belde ze Tang, die klonk alsof ze op schuurpapier had lopen kauwen.

'Ik hoop dat je goed nieuws hebt, Beckett. Ik moet vooruitgang boeken.'

'De zus van Tasia sluit niet uit dat ze zelfmoord heeft gepleegd.'

'Daar heb ik niets aan. Ik wil concrete resultaten.'

'Je klinkt alsof je op een scherpe steen zit.'

'Heb je het nieuws gezien? "Nog steeds onduidelijkheid over de

69

bizarre dood van Tasia McFarland, en met het uur wordt er meer gespeculeerd dat de politie incompetent is, bij de samenzwering betrokken is," blablabla, blijf herhalen tot je misselijk bent. De scherpe steen ligt op míj.'

Jo stond op een hoek stil voor een rood verkeerslicht. Taxi's en bestelbusjes verdrongen elkaar met vijf kilometer per uur op de weg. Er werd getoeterd.

'Ik wil Tasia's medische en psychiatrische dossiers hebben. Allemaal, ook de dossiers uit de tijd van haar huwelijk met Robert McFarland,' zei ze.

'Legerdossiers, welja. Dossiers lospeuteren bij het leger is net zo makkelijk als tanden trekken bij een kip.'

'Denk je dat ze de zaak zullen traineren?' Het verkeerslicht sprong op groen en Jo stak de straat over, waarbij ze de tegemoetkomende voetgangers ontweek. 'Door wie word je onder druk gezet, Amy?'

'Zal ik ze op alfabetische volgorde noemen, of op volgorde van politieke macht? Het Witte Huis wil deze zaak zo snel mogelijk afhandelen. K.T. Lewicki heeft de burgemeester gebeld om te zeggen dat de regering ons onderzoek steunt. Met andere woorden, de chefstaf van de president wil dat we de gaskraan dichtdraaien en het vuur onder deze zaak doven. Geef me iets bruikbaars, want anders worden we gemangeld.'

'Heeft de zoektocht naar de kogel nog steeds niets opgeleverd?' vroeg Jo.

'Ik denk niet dat we de kogel vinden. De kans dat de tandenfee hem onder je kussen legt is nog groter.'

'De commissie-Warren vond na de moord op JFK zomaar opeens een kogel op een brancard in Dallas.'

'Beckett.' Tangs volgende woorden werden met scherpe stembuigingen in het Mandarijnenchinees naar haar toe geblaft. 'Kom alsjeblieft niet met al dat samenzweringsgezeik aankakken.'

'Politieke paranoia is net zo Amerikaans als appeltaart en overgewicht. Het hele volk voedt zich ermee.'

'Mijn superieuren willen dat ik de zaak aan het eind van de week afrond. Geef me iets bruikbaars, Jo. Ik moet morgen wat vooruitgang hebben geboekt om mijn superieuren zoet te houden.'

'Ik doe mijn best.'

'Ben je al in Tasia's huis geweest?'

'Ga ik nu naartoe.'

'Maak alsjeblieft voort.'

NMP – *je bent niet Noel Michael Petty, je bent* NMP, *de ruige rotzak, het zwaard van de waarheid* – staarde langs de heuvel naar beneden. Hij was onzichtbaar in het dichte struikgewas, zwevend als een engel.

Beneden zag hij een man in het huis. Een man in een glanzende blauwe blazer, die zijn auto op de oprit had geparkeerd en op een drafje naar de voordeur was gelopen terwijl hij de sleutels in zijn hand sorteerde.

De urenlange surveillance begon vruchten af te werpen. Urenlang had NMP zwijgend boven het huis gezweefd, wachtend op de kans om het huis te betreden zonder in te breken, want inbraak betekende politie, of achtergelaten forensisch bewijsmateriaal, en – *niet doorvertellen, mijn liefste, beloof het me* – NMP was niet op zijn achterhoofd gevallen. En nu was eindelijk de vastgoedmanager verschenen.

Bij Tasia's huis. Zo dadelijk zou de strijd losbarsten.

De Blauwe Blazer, een magere, vlugge man, haastte zich naar binnen en zette een piepend alarm af. Hij deed een raam open om frisse lucht binnen te laten. Hij liep naar de glazen schuifdeur die op de patio uitkwam en zette hem op een kier, tot genoegen van NMP. Daarna verdween hij.

NMP wachtte. In dat huis lagen bewijzen en de waarheid, en NMP ging alles halen, want de waarheid maakt vrij.

Een minuutje later sloeg de voordeur met een klap dicht. Het Blauwe Colbert stapte weer in zijn auto en ging zitten bellen.

NMP sloop snel naar beneden en rende door de achtertuin. Noel Michael Petty zou misschien sjokken of struikelen en vallen, maar NMP niet. Hij glipte door de schuifdeur naar binnen.

Daar bleef hij duizelig staan.

Het huis zag eruit als Tasia. Het rook naar Tasia. Langzaam draaide hij zijn logge lijf om alles op te nemen. In de woonkamer stond een vleugel met bladmuziek erop. Hij balde zijn vuisten en drukte ze tegen zijn mond.

Niet gillen. Niet naar adem happen. Hij zag de foto's aan de muren. Wat een foto's! Allemaal beroemde mensen, allemaal in de rij om met Tasia op de foto te mogen.

Hij sloop langs de muur en bestudeerde elke foto tot in detail. Hij herkende veel gezichten van tv en uit tijdschriften. Foto's op rode lopers. Toekenningen van prijzen. Tasia die het volkslied zong tijdens de Indianapolis 500, waarbij de wind haar haren als een lijkwade voor haar gezicht blies – een omineuze foto. Nu hij die beroemde foto's eindelijk met eigen ogen zag, was het alsof hij thuiskwam.

Ik ken je namelijk, Tasia. Ik ben vanaf het begin al zo dicht bij je in de buurt geweest.

Door deze gang, dit huis, werd alles realiteit. Alle uren, alle dagen, het jaar dat NMP had besteed aan het vertrouwd raken met Tasia's achtergrond. Hij had informatie verzameld over haar jeugd, haar schooltijd, haar eerste stappen in de showbusiness – en alles was hier te zien. De weekenden die NMP in de bibliotheek had gezeten, hele nachten waarin hij online haar leven had gevolgd via artikelen, links, foto's, video's, muziekdownloads, aan haar gewijde chatroomdiscussies, misselijke opmerkingen door mensen die niets van haar wisten... Hij was in haar aderen gekropen, van haar kloppende hart tot aan haar vingertoppen. Zo goed kende Petty haar.

Petty.

Noem jezelf toch niet steeds bij je achternaam. Je bent NMP. *Voor de buitenwereld ben je drie letters, meer niet. Geen legitimatiebewijs, geen rijbewijs of portefeuille, geen enkele manier om je identiteit vast te stellen. Je bent* NMP, *de ruige rotzak van de Tenderloin.*

NMP sloeg met een vuist tegen de zijkant van zijn hoofd om zichzelf eraan te herinneren dat hij voorzichtig moest zijn.

Vervolgens moest hij een opgewonden giecheltje onderdrukken. Hij bevond zich in Tasia's huis. Het was alsof je een nog onbekende graftombe van een vorst uit de oudheid doorzocht. En o hemeltje – in de woonkamer zag hij foto's die niet op internet te vinden waren. Privéfoto's, fotoalbums van Tasia met vrienden en familie. Foto's van de *Bad Dogs and Bullets*-tournee.

NMP's gezicht betrok. Wie waren die mensen? De hofhouding. De mensen die het podium opbouwden. Groupies, managers, slaafse volgelingen, vrienden van de band, stuntmannen. Waarom hadden zij backstagepasjes gekregen? Niemand volgde de tournee zo fervent als

NMP. Waar was zíjn backstagepasje?

Niet eerlijk. Het was verdomme niet eerlijk.

Eindelijk zag hij hoe ze werkelijk in elkaar zat. Hij zag haar verdorven ziel.

NMP sloop naar de keuken, waar hij tekenen zag dat Searle hier was geweest. De lege doos van Kentucky Fried Chicken in de vuilnisbak. Searle Lecroix hield van extra krokant, dat had in het tijdschrift *US Weekly* gestaan. Naar boven, op zijn tenen, de grote ruige rotzak sloop als Papa Beer naar Goudlokje, tot hij voor haar slaapkamerdeur stond, haar fantasieland, het hart van haar bestaan...

Haar kleren lagen over het bed, het nachtkastje, de stoel, op de grond – alsof ze een of andere losbandige striptease had uitgevoerd. Er leunde een gitaar tegen de stoel. Er stonden laarzen bij het bed.

Petty hapte naar adem en slaakte een ongewilde, luide kreun van pijn.

Buiten sloeg een autoportier dicht. Petty strompelde naar het raam en tuurde door de jaloezieën naar buiten. Er kwam iemand aan. Petty vluchtte de slaapkamer uit.

14

Tasia McFarland was niet alleen zangeres geweest. Sinds haar jeugd had ze ook liedjes geschreven. De deuntjes leken in haar hoofd rond te tollen, waar ze steeds luider en dwingender werden tot ze haar 's nachts wekten en eisten dat ze achter de piano ging zitten om ze te spelen. De noten leken als vonken van haar handen te springen, en ze speelde tot haar vingers er pijn van deden. Aan het einde van de middelbare school had ze tweehonderd nummers en een volledig georkestreerde rockcantate geschreven.

Jo reed door de kronkelige straten van Twin Peaks, de wijk waarin Tasia en Vienna Hicks waren opgegroeid. Overal om zich heen zag ze delen van de stad, huizen en appartementen die op bergrichels waren gestapeld of als dobbelstenen in valleien waren gepropt. De wijk was beroemd om de mooie uitzichten. De baai glinsterde.

De Golden Gate Bridge verbond de stad met de woeste, noordelijker gelegen landtong Marin County. Aan de westelijke rand van de stad krulde de koude, dikke mist zich tegen het strand.

Naarmate ze hoger op de heuvel kwam, die belachelijk steil werd, werden de straten steeds landelijker. In de ravijnen groeiden bosjes eucalyptusbomen, die de diepten met hun schaduw vulden. Kort gemaaide grasvelden grensden aan de kronkelende weg. Nette huizen werden omringd door keurig onderhouden tuinen en ruisende, verzorgde naaldbomen. Ze volgde de weg langs Sutro Tower. De radiomast steeg driehonderd meter boven de heuveltop uit. Hoe agressief de mist ook werd, de drie gigantische tanden van Sutro Tower staken er altijd bovenuit. De mast was net een sciencefictionmonster, wachtend op een signaal om wakker te worden en huis te houden in de lagergelegen stad. Als negenjarig meisje had Jo dat tenminste altijd gedacht.

Tasia's huis was een villa in Italiaanse stijl, die tegen de heuvel was gebouwd en over het zakendistrict en de baai uitkeek. Toen Jo uit de Tacoma stapte, striemde een bijtende wind haar wangen. De oprit was zo steil dat ze bijna klimijzers nodig had.

Op de straat achter haar sloeg een autoportier dicht. 'Wacht eens even.'

Toen Jo zich omdraaide, zag ze dat er een man kwam aanlopen. 'Bent u de beheerder?'

De man liep over de oprit omhoog en schudde zijn hoofd. Hij was halverwege de dertig en was duidelijk te zwaar. Hij was gekleed in een spijkerbroek en een T-shirt van *Bad Dogs and Bullets*, en hij had een onschuldig gezicht en jongensachtig blond haar. Zijn handen staken in zijn zakken, maar de nonchalante façade kon de rode vlekken in zijn nek niet verbergen.

'Bent u de psychiater over wie ik heb gehoord?'

'Ik ben dokter Beckett. En u?'

Hij kwam naast haar staan. 'Ace Chennault.'

'De schrijver van Tasia's autobiografie.'

'De auteur is verdwenen, maar de geest blijft achter.'

Hij probeerde een grapje te maken, maar het klonk geforceerd. Een fractie te laat stak hij zijn hand naar haar uit.

Jo gaf hem een hand. 'Ik wil graag met u praten. Ik ben bezig...'

'... met een psychologische autopsie. Ik weet het. Lopende vuur-tjes en zo.'

'Ja, ik merk het.'

'Misschien kunnen we elkaar helpen.'

Zijn heldere blauwe ogen en mollige wangen hadden hem vast interviews opgeleverd met vriendelijke grootmoeders, of met rockzangers die behoefte hadden aan aandacht van een oudere broer. Zijn stem had een jolige ondertoon, maar Jo zag een aangeleerde tactiek achter de verdrietige clownsogen. Een journalist had haar eens verteld dat hij en zijn collega's onmiddellijk een goede klik moesten hebben met de mensen die ze interviewden. Voor de beste, sappigste citaten moesten ze de illusie van intimiteit creëren, de mensen het idee geven dat ze een uur of een dag hun beste vriend waren.

En Ace Chennault was een journalist die zojuist zijn allerbeste bron was kwijtgeraakt – en zijn bron van inkomsten.

'Kunnen we later op de dag misschien afspreken?' vroeg Jo.

'Ik dacht dat we misschien zaken konden doen. U wilt graag in mijn aantekeningen neuzen en de monologue intérieur beluisteren die Tasia heeft opgenomen.' Hij glimlachte nogmaals. 'Ik ben bereid alles met u te delen. Maar wees fair en geef me ook iets terug.'

'Zoals?'

'Uw unieke inzicht in haar brein.'

In Jo's hoofd begon een waarschuwingslampje te knipperen. 'Als mijn rapport openbaar wordt gemaakt, mag u het inzien.'

'Dat is niet waar ik op had gehoopt.'

'Dat verbaast me niet. Maar ik werk voor de politie van San Francisco. Zij zijn de enigen die recht op mijn werk hebben.'

De glimlach werd breder. 'Wat dacht u van poppetje gezien, mondje dicht?'

Jo zette háár aangeleerde gelaatsuitdrukking op: een neutrale blik. 'Dat gaat niet.'

Achter haar ging de voordeur open. Een man in een blauwe blazer stak zijn hand naar haar uit. 'Dokter Beckett? Ik ben de beheerder.'

Jo liep de hal van het huis binnen. Chennault kwam achter haar aan.

'Pardon?' zei ze.

Hij haalde zijn schouders op, om aan te geven dat ze zich niet druk hoefde te maken over zijn aanwezigheid. 'Ik ben hier al eerder geweest. Ik heb een keer of vijf in het gastenverblijf gelogeerd.'

'Ik geloof u graag, maar op dit moment ben ík degene die van de politie naar binnen mag. Het spijt me, meneer Chennault.'

Hij hief zijn handen op. 'Dan ga ik niet tegen de pikorde in. U bent de baas. De beheerder en ik wachten wel terwijl u rondkijkt.'

Jo liet hem een brede, neutrale glimlach zien. 'Wat vindt u ervan als we hierna ergens koffie gaan drinken?'

Met zijn handen nog in de lucht liep hij achteruit. Bij de deur vouwde hij zijn handen en maakte hij een buiging, als een Thai die een wai-gebaar maakte.

Ze zag hem de trap af gaan en naar zijn auto lopen. 'Hebt u hem hier eerder gezien?' vroeg ze aan de beheerder.

'Nee, maar ik kom hier ook niet vaak.'

'Ik ga een ronde maken door het huis. Het kan even duren.'

'Ik wacht in de auto. Ik moet nog mensen bellen.'

Jo pakte haar digitale camera en liep verder door het compacte huis, dat smaakvol was ingericht. In de keuken trof ze eten aan: biologische rucola, een leeg emmertje van Kentucky Fried Chicken in de vuilnisbak. Op het aanrecht zag ze vitaminen, voedingssupplementen met kruiden en een fles Stolichnaya.

Ze liep de woonkamer in. De grote, glazen ramen keken uit over een kleine achtertuin, die steil tegen de heuvel op liep en aan de achterkant overging in lampenpoetserstruiken en rododendrons.

De politie had het huis al doorzocht en had kennelijk niets gevonden wat op een misdaad wees. Daarom zocht Jo nu naar de contouren van Tasia's emotionele landschap. En ze zocht naar sporen van Tasia's laatste dag.

Twee grote boekenkasten waren slordig volgepropt met paranormale romannetjes, oude exemplaren van *Entertainment Weekly* en een Listener's Choice Award voor countrymuziek.

Tussen de smeüïge boeken over broeierige liefdes tussen meisjes en weerwolven lag een exemplaar van Gerald Posners *Case Closed*. Verbaasd pakte Jo het op. Het boek werd als een gezaghebbend werk gezien in het onderzoek naar de moord op JFK. Onderzoeksjournalist Gerald Posner rekende erin af met de samenzweringstheorieën die na de moord de ronde deden.

Waarom was Tasia geïnteresseerd in JFK? Of in een moord op een president?

Ze pakte een foto van de boekenplank.

De vleugel was bedekt met slordige stapels muziekpapier. Jo wist zeker dat de politie ze had doorzocht om te kijken of Tasia een zelfmoordbrief had achtergelaten. Ze hadden niets gevonden. Het muziekpapier stond vol met Tasia's composities. Achter de vioolsleutel waren allemaal muzieknoten gekrabbeld. De teksten waren haastig op papier gezet, alsof Tasia de grootste moeite had gehad om de muziek bij te houden die uit haar hoofd stroomde.

Op de klep stond 'The Liar's Lullaby'. Tasia had een compleet arrangement voor de piano geschreven. Bovenaan had ze 'Allegro' gekrabbeld. 'Contrapunt/canon'. De balk achter de bassleutel stond propvol akkoorden.

Jo pakte het stuk dat op het toetsenbord lag. Haar blik viel op een paar regels die ze eerder had gehoord. 'Je vroeg me jouw stem te zijn, je te helpen de lijkstapel te bouwen.' Het was een stuk in mineur, eentonig, repetitief, treurig. Het klonk bijna dwangmatig. Te oordelen naar het opgestapelde bewijsmateriaal op de Steinway was Tasia wanhopig en geobsedeerd geweest.

Jo fotografeerde elk muziekblad zorgvuldig. Daarna liep ze naar boven. In Tasia's slaapkamer was het een chaos. Het bed was niet opgemaakt. Overal lagen kleren op de grond.

Zelf droeg Jo altijd praktische kleding: getailleerde bloesjes en goed passende broeken waarin ze er professioneel uitzag, maar in gevaarlijke situaties ook op de vlucht kon slaan. Geen kokerrokjes, geen sjaals om haar hals. Ze wilde alleen kleding waarmee ze uit een raam kon springen als een schizofrene gangsta stemmen hoorde die hem opdroegen de bitch aan zijn mes te rijgen, of als een psychopathische gevangene opeens zin kreeg haar te wurgen. In het weekend droeg ze cargobroeken, bij het klimmen joggingbroeken en korte broeken, en in de rechtszaal een zwart pak. Als ze er echt modieus uit wilde zien, trok ze haar Doc Martens met paisleymotief aan.

Ze kon er niet bij dat Tasia McFarland, of wie dan ook, dure designerkleren – kleren waarmee je een complete universitaire studie kon bekostigen – op de grond gooide alsof het vaatdoeken waren waarmee gemorste koffie werd opgedweild. Was Tasia gewend geraakt aan de privileges van haar roem? Of was ze zo depressief geweest dat ze het niet eens kon opbrengen om een jurk van – Jo keek naar een label – Dolce & Gabbana van de slaapkamervloer te rapen?

Ze maakte nog meer foto's en draaide zich naar het bed, dat aan beide kanten was opengeslagen. Op beide kussens was duidelijk een hoofdafdruk te zien. Er stond een paar mannenlaarzen naast het bed. Versleten, gekoesterde rode cowboylaarzen.

Onder een stapel ragdunne vrouwenbloesjes op een fauteuil vond ze een mannenoverhemd dat nog naar aftershave rook. Ze keek in de kraag. Er zat een wasserijlabel in met de initialen sl. Tegen de stoel leunde een akoestische gitaar.

Het leek erop dat Searle Lecroix Tasia vlak voor haar noodlottige gang naar het concert een serenade had gebracht.

Ze liep door naar de badkamer, waar de wind door het openstaande raam naar binnen blies. Op de wastafel stonden een stuk of vijf potjes medicijnen op recept.

Tasia's farmaceutische hoorn des overvloeds was even bontgekleurd als confetti. Antidepressiva. Kalmerende middelen. Pijnstillers met codeïne. Slaappillen. Dieetpillen, ook wel bekend als amfetaminen. Prozac.

Lithium. Volgens het etiket had ze het potje twee maanden geleden gekregen, maar het zat nog vol.

Ze was gestopt met medicijnen slikken.

Jo zette de potjes naast elkaar en maakte er foto's van, waarbij ze zorgde dat de etiketten en de namen van de artsen die de middelen hadden voorgeschreven duidelijk leesbaar waren. Al deze potjes zouden door de lijkschouwer worden gecontroleerd en met het oog op de sectie naast de resultaten van Tasia's toxicologische onderzoeken worden gelegd, maar Jo wilde de inhoud zelf ook verifiëren.

De wind floot door het openstaande raam. Ze hoorde een auto langs het huis rijden. Mannenstemmen dreven op de wind naar binnen.

Achter zich hoorde ze de vloer kraken. Ze draaide zich om.

De slaapkamer zag er nog precies hetzelfde uit. De vloer kraakte nogmaals, in de gang erachter.

Chennault.

Verdomme, die nieuwsgierige rotzak was weer naar binnen geslopen. Met grote passen liep ze van de badkamer naar de slaapkamerdeur. 'Neem me niet kwalijk.'

Weer gekraak. Ze liep de gang in. Er was niemand op de overloop.

'Meneer Chennault?'

Ze hield zichzelf voor dat ze zich niets had verbeeld. Buiten hoorde ze weer mannenstemmen. Ze liep naar een raam op de overloop, dat over de straat uitkeek. De haartjes op haar armen prikten.

Chennault stond naast zijn auto met de beheerder te praten.

Langzaam draaide ze zich om. Achter haar, vlak bij een gangkast, stond een gestalte in camouflagekleding en met een bivakmuts op.

Ongeveer een meter tachtig, ruim honderd kilo, zwaar ademend. Jo's blik dwaalde af naar zijn handen. Tuinhandschoenen.

Ze rende naar de trap.

Ze sprintte weg – twee stappen, drie, en ze hoorde dat hij achter haar aan kwam. Zijn voetstappen dreunden op de vloerbedekking. Rennen, dacht ze. Met twee treden tegelijk holde ze van de trap af.

Een hand greep haar haren beet. Haar hoofd knakte naar achteren.

Ze zwaaide met haar elleboog en raakte een dikke laag vet. Ze hoorde zijn moeizame ademhaling en voelde zijn vlezige aanwezigheid. Zijn hand verdraaide haar haren. Ze verloor haar evenwicht, miste een tree en viel.

Ze stak haar armen voor zich uit en kwam hard op de trap terecht, waarbij haar knieën eerst haar maag en vervolgens haar gezicht raakten. De gemaskerde man kreunde en viel met haar naar beneden. Samen gleden ze de trap af en bonkten ze op de hardhouten vloer.

Hij belandde boven op haar. Zijn gewicht en zijn geur waren verpletterend. Ze probeerde zich onder hem uit te worstelen en stak haar nagels uit. Rond zijn kraag was zijn vlees zacht en rood. Ze klauwde naar zijn nek.

Hij kwam onhandig overeind en rende wankelend de woonkamer in, waarbij hij tegen de muur stootte. Hij gooide de grote glazen schuifdeur naar de patio open.

Jo krabbelde overeind en liep struikelend naar de voordeur. Toen ze omkeek, zag ze de indringer door de achtertuin vluchten.

Ze gooide de voordeur open. 'Help.'

Chennault en de beheerder keken geschrokken op en haastten zich naar haar toe.

Jo vond haar telefoon en toetste met trillende vingers het alarmnummer in. Ze wees naar de achterkant van het huis. 'Een man met een bivakmuts. Hij is naar buiten gevlucht en tussen de bomen verdwenen.'

De beheerder staarde met open mond naar haar en naar de openstaande patiodeur, alsof hij er niets van begreep. Ook Chennault had een paar tellen nodig, maar toen legde hij zijn hand op Jo's schouder.

'Bent u ongedeerd?' vroeg hij.

Ze hield de telefoon tegen haar oor. Haar ribben deden vreselijk zeer. Op haar gezicht zaten schaafplekken van het vloerkleed. Ze kon niet slikken omdat haar keel kurkdroog was.

'Ja.'

Door de patiodeur zag ze iets bewegen. De lampenpoetserstruiken stonden in bloei, en de rode bloemen zwaaiden heen en weer toen de man met de bivakmuts er langsrende. Chennault zag het ook. Hij aarzelde slechts een seconde voordat hij door de patiodeur naar buiten stoof.

'Alarmdienst. Wat kan ik voor u doen?'

'Ik ben zojuist aangevallen door een indringer.'

Jo rende achter Chennault aan, die de achtertuin al was overgestoken en naar de bomen rende. Op de steile heuvel ritselden de rododendrons alsof er een zwarte beer doorheen stampte.

Ze gaf de telefonist het adres door. 'Ik heb met een andere burger de achtervolging ingezet.'

Een deel van haar vroeg zich af waar ze in vredesnaam mee bezig was. Een ander deel droeg haar op om alert te zijn op een tweede indringer, en vroeg zich óók af waar ze in vredesnaam mee bezig was.

'Blijf aan de lijn, dokter Beckett,' zei de telefonist. 'Er is een auto onderweg.'

'Ik peins er niet over om op te hangen,' zei Jo.

Ze holde naar de bomen.

1 5

Met haar telefoon tegen haar oor rende Jo de heuvel achter Tasia's huis op. Haar hart roffelde in haar borstkas. Takken vol rode lampenpoetserbloemen zwaaiden langs haar gezicht. De heuvel rook naar vochtige aarde en de muskusachtige geur van de kleding van de aanvaller. Boven haar zwiepten de struiken woest heen en weer op de plaatsen waar de aanvaller erdoorheen denderde.

'Hij rent honderd meter voor me uit en is op weg naar het hoogste punt van Twin Peaks,' zei ze tegen de telefonist. 'De andere burger zit hem op de hielen.'

De heuvel was dichtbegroeid met rododendrons. Het zonlicht sneed tussen de bladeren door en leek onnatuurlijk fel. Verdomme nog aan toe. Hoe was die man binnengekomen?

Voor haar baande Ace Chennault zich een weg tussen de struiken. Zijn tred zag er niet charmant uit, maar was wel effectief. De afstand tussen hem en de aanvaller werd zienderogen kleiner.

'Chennault,' schreeuwde ze, 'kijk uit. Misschien is hij gewapend.'

Ze duwde de telefoon weer tegen haar oor. 'We rennen in de richting van Sutro Tower. Hoe lang duurt het voordat de politieauto hierheen komt?'

'Ze zijn onderweg,' antwoordde de telefonist.

De vochtige grond zakte weg onder haar voeten. Ze viel naar voren en haar hand kwam hard op de helling terecht. De aanvaller verdween uit het zicht, gevolgd door Chennault. Ze hoorde hun ledematen door de bosjes maaien. Ze hief haar arm voor haar gezicht om zich tegen de takken te beschermen en rende zwoegend achter hen aan.

Het terrein werd minder steil en ze kwam op een stoffig veld. In de verte lagen groepjes eucalyptusbomen, en daarachter zag ze een afrastering. Achter het gaas stak de reusachtige Sutro Tower driehonderd meter omhoog, hinderlijk rood en wit in de zonneschijn.

De aanvaller rende weg langs de afrastering. In een gestaag tempo en met een verrassende lichtvoetigheid rende hij zijn vrijheid tegemoet. Chennault sprintte uitgeput achter hem aan.

'Hij rent in westelijke richting. Als hij Sutro Tower voorbij is...'

Ze probeerde zich een beeld te vormen van het terrein achter de antenne. Open plekken, nog meer eucalyptus, diepe ravijnen. '... zou hij ons kunnen afschudden.'

Ze rende verder en begon steeds harder te hijgen. Aan de andere kant van de heuveltop dook de aanvaller een bosje eucalyptusbomen in, waarna hij over de rand uit het zicht verdween. Vijf tellen later verdween ook Chennault uit beeld.

Jo passeerde Sutro Tower. 'Ze bevinden zich in dichte begroeiing en ze dalen de heuvel af.'

Op het hoogste punt van de heuvel minderde ze vaart. De grond dook steil weg tussen eucalyptusbomen en dicht struikgewas. De met kruipers begroeide grond was drasland vol uitgesleten greppels. Een omgevallen boom van minstens dertig meter lang lag als een brug over het ravijn heen.

Chennault rende een kleine tachtig meter voor haar uit en denderde de heuvel af alsof hij niet meer kon stoppen. Ze kon de aanvaller niet meer zien. Chennault liet geknakte takken en vertrapte bladeren achter zich, maar verder zag ze geen enkel spoor. Een zwart, waarschuwend koord leek zich om haar borstkas te wikkelen.

Ze tuurde het terrein af. Ze had één stelregel: luister naar het gefluister in de wind. Luister naar het stemmetje dat je maant om uit te kijken.

Ze zette haar handen als een toeter aan haar mond. 'Chennault, pas op.'

Hij ploegde verder, alsof hij ervan overtuigd was dat hij de aanvaller nog steeds op de hielen zat, maar het kon ook zijn dat hij niet meer kon stoppen. Hij legde een hand tegen een boom om vaart te minderen.

Achter hem kwam de aanvaller uit een bosje omhoog. In zijn hand had hij een steen ter grootte van een softbal. Hij zwaaide zijn arm boven zijn hoofd en ramde met de steen tegen Chennaults hoofd.

Chennault wankelde, botste tegen een andere boom aan en viel als een omgestoten lamp het ravijn in.

De wind rukte aan Jo's haren en blies ze voor haar gezicht. Ontzet klemde ze de telefoon in haar hand. 'Hij heeft zijn achtervolger aangevallen. Zorg dat de politie komt. Vlug.'

'Ze komen eraan, dokter.'

De aanvaller staarde naar de leegte waarin Chennault was verdwenen. Zijn schouders zwoegden van de inspanning. De steen zag er scherp en bloederig uit.

'Zeg dat ze er nog meer vaart achter moeten zetten.'

De aanvaller bleef in het ravijn staren. Shit. Hoe diep was Chennault gevallen? De aanvaller woog de steen op zijn hand. Met zijn ogen op de helling gericht kroop hij centimeter voor centimeter het ravijn in. Verdomme nog aan toe. Verdomme.

'Er is iemand uitgeschakeld en de aanvaller gaat weer naar hem toe,' zei ze. 'En ik heb geen wapen.'

Van heel ver weg klonk het geluid van een loeiende sirene. Jo zette haar handen weer aan haar mond en schreeuwde in de richting van het ravijn: 'Dat is de politie.'

De aanvaller draaide zich om. Van achter de bivakmuts tuurden zijn donkere ogen naar haar.

Haar stem klonk droog. 'Hij staat naar me te kijken,' zei ze tegen de telefonist.

Haar angst fluisterde haar toe dat ze de benen moest nemen, maar als ze dat deed, kon de aanvaller ongehinderd Chennault doden. Ze dwong haar benen om stil te blijven staan. Het geluid van de sirene zwol aan.

Ze knarsetandde en riep: 'Hoor je dat?'

De aanvaller bleef haar nog een paar tellen aanstaren, maar toen draaide hij zich geluidloos om en verdween hij tussen de bomen.

Het geluid van de sirene werd schril. Er verscheen een politieauto in haar gezichtsveld. Jo wees naar de bomen en gilde: 'De aanvaller is die kant op gerend.' Daarna haastte ze zich de helling af, naar de rand van het ravijn. Een pad van geknakte vegetatie liet het spoor van Chennaults val zien.

Ze kon hem niet zien. 'Chennault?'

Diep in het ravijn, onder mos en gevallen boomstammen, klonk gekreun. Met zijwaartse passen daalde ze van de helling af, waarbij ze zich vasthield aan takken en groene kruipers. De schaduwen werden donkerder. Boven hield de sirene op met loeien en werden autoportieren dichtgegooid.

Een politieman riep: 'Bent u ongedeerd?'

'Er is een man gewond. Hij moet gered worden.'

Weer klonk het gekreun, als het geloei van een dier. Ze volgde het geluid en vond hem half begraven tussen kruipers en vieze aarde.

Jasses, wat bloedden hoofdwonden toch altijd hevig. Als Jo niet had gezien dat Chennault een klap met een steen had gekregen, zou ze hebben gedacht dat hij was neergeschoten.

Ze ging op haar hurken bij hem zitten. 'Blijf liggen. De politie belt een ambulance.'

'Verdomme,' bracht hij kreunend uit. 'Die klootzak heeft me tegen mijn hoofd geslagen, hè?'

Wilde kruipers hadden zich om hem heen gewikkeld. Onder al het bloed was zijn gezicht krijtwit. Hij probeerde rechtop te gaan zitten en gilde het uit. Zijn linkerarm was gebroken en zijn elleboog was uit de kom.

Jo drukte hem voorzichtig tegen de grond. 'Blijf liggen.'

'Dat wordt een mooi naschrift bij het boek,' zei hij. Toen verloor hij het bewustzijn.

16

Toen Jo thuiskwam, stond de zon hoog aan de hemel. Ze parkeerde de Tacoma achter het park en liep naar haar huis, nog altijd met de schrik in de benen.

Chennault was door het ambulancepersoneel uit het ravijn gehaald en naar het ucsf Medical Center gebracht. Hij kon de politie niet veel over de aanvaller vertellen. Jo ook niet.

Toen haar telefoon ging, haalde ze hem haastig tevoorschijn en tuurde ze naar het schermpje. Alweer niet, dacht ze. Er kwam een laagje teleurstelling over haar ongerustheid heen te liggen.

'Weet de politie al hoe die man bij Tasia was binnengekomen?' vroeg ze.

'De beheerder had de achterdeur opengezet voordat je kwam,' antwoordde Amy Tang. 'De indringer is naar binnen geglipt toen niemand het zag. Maar veel belangrijker is de vraag wie hij was.'

'En wat hij wilde.'

'Zou het een dief zijn geweest?'

'Of een lijkenpikker. Op zoek naar relikwieën die hij op eBay kon verkopen.'

De koele wind schudde de Monterey-dennen in het park heen en weer. Een kabeltram propvol toeristen kwam met veel kabaal voorbij. De bestuurder trok aan zijn bel.

'Ik heb nog een vraag,' zei Jo. 'Komt hij terug?'

'Pas goed op jezelf.'

'Komt voor elkaar.'

Ze verbrak de verbinding, maar hield de telefoon in haar hand terwijl ze verder liep. Kom op. Ga nu alsjeblieft rinkelen.

Het moderne leven puilde uit van de communicatiemiddelen. Het informatietijdperk braakte dag en nacht roddels en scherpe commentaren uit, en het hele elektromagnetische spectrum gaf licht van alle telefoontjes, sms'jes en belangrijke nieuwsberichten over beroemdheden die hun borsten hadden laten vergroten. Hoe was het dan in vredesnaam mogelijk dat zij geen antwoord kon krijgen op haar dringende vraag of de parajumpers van de 129th Rescue Wing veilig op Moffett Field waren geland?

Ze stopte de telefoon in haar achterzak. Een tel later haalde ze hem weer tevoorschijn om Vienna Hicks te bellen. Toen ze haar vertelde dat ze in Tasia's huis door een indringer was aangevallen, zei Vienna: 'Sodeju. Bent u ongedeerd?'

'Afgezien van een schaafplek op mijn gezicht is er niets aan de hand. Maar Ace Chennault is in een ambulance afgevoerd.'

'Arme ziel. Echt iets voor een onhandige pechvogel als hij.'

Jo glimlachte. 'Weet u iemand die in het huis van uw zus zou willen inbreken?'

Ze gooide gewoon maar een hengeltje uit en verwachtte eigenlijk geen antwoord. Nadat ze had gekeken of er verkeer aankwam, stak ze op een drafje de straat over naar haar huis.

'Misschien wel,' antwoordde Vienna.

Jo ging langzamer lopen. 'Echt waar?'

'U moet een gegeven paard niet in de bek kijken, dokter Beckett. Kunnen we elkaar vanavond spreken bij Waymire & Fong?'

'Zeker.'

'Breng uw geheime psychiatrische decodeerring mee.'

'Wat bedoelt u?'

'Zes uur. Ik leg het straks wel uit.'

Jo zag de groene Kever voorbijrijden op het moment dat de bestuurster haar in de gaten kreeg. Het hoofd van de vrouw draaide abrupt opzij. Ze maakte een U-bocht en zette de Kever midden op de weg, naast een geparkeerde auto voor Jo's huis. De luchtgekoelde motor van de Volkswagen protesteerde; de knalpijp braakte stinkende uitlaatgassen uit. De bestuurster stapte uit.

Het beton onder Jo's voeten voelde opeens heet aan. Ze bleef doodstil staan.

De vrouw liep met grote passen naar haar toe. 'Ik had gedacht dat jij wel een secretaresse zou hebben, of in elk geval een kantoor dat tijdens kantooruren bereikbaar zou zijn.'

Ze was klein en kleurrijk, met lange, rinkelende rode oorbellen die in het zonlicht bungelden. Haar haar was inktzwart geverfd, met een magentakleurige streep langs haar voorhoofd. Aan haar vingers en tenen droeg ze zilveren ringen. Op haar T-shirt stond MARKHAM PRINTING. Kennelijk had ze iets met inkt. Op haar linkeronderarm stond een tatoeage met gotische letters. SOPHIE.

Met een dreigende blik kwam ze dichterbij. 'Jij bent toch Jo Beckett?'

Ze zag eruit als een vlinder wiens vleugels waren uitgerukt en weer waren aangenaaid. Mooi en beschadigd, worstelend om te blijven vliegen en nijdig over haar situatie. Dawn Parnell, de moeder van Sophie Quintana. Gabes ex-vriendin.

Jo kon geen enkele reden bedenken waarom Dawn haar adres had. Ze wist ook niet wat ze kwam doen, tenzij ze iets naars...

'Gaat dit om Gabe?' vroeg ze.

'Ja,' antwoordde Dawn.

De zon leek opeens te zoemen, een hoog geluid dat door Jo's borstkas heen boorde. 'Is er iets gebeurd?'

Dawns ogen waren een hazelnootkleurige caleidoscoop, te fel, tollend van emotie. Niet Gabe. Zeg dat het niet waar is. O jezus, nee...

'Waar is hij?' wilde Dawn weten.

'Hebben ze... heeft de Wing je niet verteld...'

'Ik ben al te laat voor mijn werk. Ik moest om twaalf uur beginnen, en het is zijn dag.'

'Wat?'

Dawn wees naar het einde van de straat, misschien wel in de richting van de printshop waar ze werkte. 'Sophie is doordeweeks bij Gabe, maar ze werd ziek op school en de schoolverpleegster kon hem niet bereiken. Daarom moesten ze mij bellen, en nu ben ik te laat.'

'Wacht.' Jo hief haar handen op. Ze hoorde de smekende toon in haar stem. 'Weet je niet waar Gabe is?'

'Nee. Daarom ben ik hier,' zei Dawn langzaam, alsof ze het tegen een dwars kind had.

'Dus je hebt niets gehoord van zijn familie of van de 129th Rescue Wing?'

'Nee, en ik kan het me niet veroorloven om niet naar mijn werk te gaan. Anders houden ze de gemiste uren in op mijn salaris. En als ik mijn baan kwijtraak, krijg ik problemen met die lui van de voogdij.'

Jo's hart leek uit haar borstkas te willen ontsnappen. Ze had het gevoel dat ze houvast zocht aan een muur van gesponnen suiker.

'Dus er is niets met Gabe gebeurd?'

Dawn keek haar bevreemd aan. 'Nou ja, ik kan hem niet bereiken. Ik heb Sophie van school moeten halen.'

Jo's blikveld leek te pulseren. Er was niets met Gabe aan de hand. Ze liep naar de Kever, waarvan de motor nog liep. 'Hoe is het met Sophie?'

'Koorts en overgeven. Er heerst buikgriep op school.'

Sophie zat niet in de auto. Jo stond stil, omdat het kwartje opeens viel.

Dawn sloeg haar armen over elkaar. 'Ze kan niet mee naar mijn werk.'

'Heb je haar hierheen gebracht?'

'Gabe is toch vaak bij je?'

Jo draaide zich naar de veranda aan de voorkant van haar huis. 'Waar is ze?'

'Ik moet gaan inklokken. Ik heb al problemen met mijn baas.' Dawn beende terug naar de auto. 'Je moet een briefje op je deur hangen als je weggaat. Je moet anderen laten weten waar je bent.'

'Waar is Sophie?' vroeg Jo.

Dawn wees naar een villa van rode baksteen, het grootste en opvallendste huis in de straat. 'Je buurman zei dat ze bij hem mocht blijven tot je thuiskwam.'

Ze opende het autoportier en stond even stil om Jo van top tot teen op te nemen. Een paar tellen leek ze iets te willen zeggen over Jo's uiterlijk, maar toen stapte ze in en reed ze in een waas van grijze uitlaatgassen weg.

Dit is nu jouw moeder, Sophie. Zo denkt jouw moeder als ze drugs gebruikt.

Jo drukte haar vingers tegen haar ogen, in een poging een einde te maken aan het zoemen en de hitte en de zure stoten adrenaline die door haar aderen stroomden. Oordeel niet te hard over haar, zei ze tegen zichzelf. Dawn werd door de rechter in de gaten gehouden om te zorgen dat ze clean bleef. Als ze haar bezoekrecht aan Sophie wilde behouden, moest ze haar baan houden en te allen tijde bereid zijn drugstests te ondergaan.

Dawn had aan San Francisco State mariene biologie gestudeerd, maar ze was met die studie gestopt toen ze zwanger werd en had zichzelf er na de bevalling met een bonte voorraad zelfgekozen chemische pepmiddelen bovenop geholpen. Ze had al twee keer in een ontwenningskliniek gezeten. Ze kon maar met moeite rondkomen en leefde bij de dag, vanaf een afstandje in de gaten gehouden door haar vader en moeder. Volgens Gabe deed de situatie haar ouders veel verdriet, al waren ze tegelijkertijd hoopvol gestemd omdat hun mooie dochter inmiddels op zichzelf woonde en in een zaak werkte waar de narcoticabrigade geen invallen deed.

Gabe is ongedeerd.

Misschien.

Jo liep naar de villa van haar buurman. Vanaf het balkon staarden gipsen beelden van Romeinse goden naar beneden. Toen ze de trap op liep, hoorde ze binnen gehaaste voetstappen op de hardhouten vloer van de hal.

'Ik kom eraan, Jo.'

Ze kneep in haar neusbrug. Had hij soms een infrarode Jo-camera die hem waarschuwde wanneer ze zijn veranda naderde? Er werd een sleutel omgedraaid en Ferd Bismuth deed de deur open. Toen hij naar haar glimlachte, lachten zijn ogen achter zijn brillenglazen mee.

'Ik wist dat je zou komen. Ik zei al tegen Sophies moeder dat je zou komen. Ik wist het gewoon.'

'Bedankt dat je de honneurs hebt waargenomen,' zei ze.

Hij gebaarde dat ze binnen mocht komen. 'Ik kon Sophie toch niet op jouw veranda laten staan?'

'Maar doe alsjeblieft dat mondkapje af.'

Hij liet zijn schouders zakken. Met tegenzin haalde hij de elastiekjes van zijn oren. 'Kom verder.'

Hij nam haar mee naar de woonkamer. De villa had hoge plafonds, enorme ramen en een trap met een zware houten leuning. In gedachten zag Jo Bette Davis boven aan de omineuze trap staan, gekleed als Baby Jane en klaar om Joan Crawford uit haar rolstoel te duwen. Ferd paste al geruime tijd op het huis. De eigenaars waren van plan geweest om negen maanden in Italië te blijven, maar ze waren nu al zestien maanden weg. Als de Spitzers nog langer wegbleven, kon Ferd krakersrechten krijgen.

Op de bank in de woonkamer lag Sophie, die vanonder een dikke laag dekens met haar vingers wiggelde toen ze Jo zag. Kussens waren als zandzakken om haar heen gestapeld, misschien wel voor het geval ze ontplofte. Op de salontafel stond een blikje 7UP naast pakjes vochtige doekjes en een doosje latex handschoenen. Sophies chocoladekleurige haar krulde tegen haar bezwete voorhoofd. Haar ogen, die glansden van de koorts, leken wel glazige knikkers.

Op de armleuning van de bank zat Ferds aap, meneer Peebles. In zijn beweeglijke handjes had hij een thermometer.

'Ik zie dat we vandaag *Outbreak* spelen,' zei Jo.

Als een volleerd verpleegkundige schudde meneer Peebles de thermometer heen en weer. Hij tuurde ernaar, ontblootte zijn tanden en liet een geschrokken geluidje horen. Waarschijnlijk had hij Ferd dat al honderd keer zien doen. Hij stopte de verkeerde kant in zijn bek en poseerde als Franklin D. Roosevelt met zijn sigarettenhouder. Daarna haalde hij hem weer uit zijn bek. Jo liep door de kamer en pakte de thermometer af voordat het beest hem ergens anders in kon stoppen.

Welkom in Ferds hypochondrie-paleis.

Het kapucijneraapje, officieel een hulpdier dat Ferd emotioneel moest steunen, staarde haar met een strakke blik aan, alsof hij haar in stilte toevoegde aan de lijst van mensen die hij het liefst met poep zou bekogelen. In het geval van een aap kon je dat heel letterlijk nemen.

'Niet zo arrogant, jij,' zei ze. 'Jij legt het al tegen me af als je tot drie moet tellen.'

Meneer Peebles rende over de bank en sprong op Ferds schouder. Jo ging op het puntje van de bank zitten en wreef over Sophies arm.

'Je ziet eruit alsof je je beroerd voelt, meid. Gaat het?'

Het meisje haalde haar schouders op. Jo legde de rug van haar hand op Sophies voorhoofd.

Ferd kwam dichterbij. 'Toen ik haar tien minuten geleden temperatuurde, had ze 41.'

Sophie keek met haar glanzende ogen naar Jo. 'Wanneer komt papa?'

'Zodra hij terug is.'

'Terug? Waar is hij dan naartoe?'

Jo kon zich wel voor het hoofd slaan. Maak dat kind niet van streek, sufferd. 'Hij is op pad voor zijn werk. Maar ik weet zeker dat hij je zo snel mogelijk ophaalt.' Ze veegde Sophies vochtige haar van haar gezicht. 'Voel je je erg beroerd?'

'Abominabel.'

Jo trok haar wenkbrauwen op. 'Niet gewoon "ja"?'

'A-b-o-m-i-n-a-b-e-l. Dat woord stond vandaag in mijn dictee. Ik heb op mijn proefwerkblaadje gekotst.'

Jo glimlachte. Ze werd altijd weer verrast door Sophies gevoel voor humor. 'Zeg maar tegen de juf dat ik heb gehoord dat je het woord ook in een gesprek kunt gebruiken.'

De glimlach verdween van haar gezicht. Ze moest vandaag erg veel doen en het leek wel of er met een zware stok tussen haar schouderbladen werd gepord.

'Denk je dat je naar mijn huis kunt lopen? In mijn logeerkamer staat een groot, warm bed. Daar mag je televisiekijken en slapen tot je vader komt.'

Sophie knikte. Ferd haalde haar rugzak en Jo hielp haar om haar schoenen aan te trekken. Toen ze zich bij de deur omdraaide om Ferd te bedanken, zag ze een spuitbus met ontsmettingsmiddel in zijn hand. Bij het zien van haar strakke, onvriendelijke blik verstopte hij hem snel achter zijn rug.

'Beterschap, Sophie,' zei hij.

'Bedankt,' reageerde Sophie toonloos.

Op de bovenste traptrede bleef Jo even staan. 'Ik ben heel blij dat je thuis was. Echt.'

'Kwestie van geluk.'

Vaak waren Ferds angsten of zijn dromerige, onbeantwoorde liefde voor Jo op zijn gezicht te lezen, maar nu keek hij haar ernstig aan. Hij hoefde verder niets te zeggen. Ze dachten allebei hetzelfde. Op geluk kon je niet bouwen.

17

In haar logeerkamer op de eerste verdieping stopte Jo Sophie in bed. Ze trok een donzen dekbed over het meisje heen en zette de televisie op Nickelodeon.

'Als je wilt, kan ik je tante Regina bellen en vragen of ze je kan ophalen.'

'Tante Regina moet verplicht extra rijlessen voor verkeersovertreders volgen.'

'Dan wachten we op je vader.' Ze gaf Sophie de afstandsbediening. 'Ik ben beneden. Als je iets nodig hebt, roep je maar.'

'Maar kom je dan ook?' Sophie klonk alsof ze in haar eentje een wankele brug over een ravijn moest oversteken.

'Natuurlijk. Ik weet dat je liever in je eigen bed ligt, maar zie dit maar als een schoolreisje naar het huis van dokter Jo, waar je nooit les krijgt en gewoon bij de televisie in slaap mag vallen.'

Er kon nog net een klein knikje af bij Sophie. Haar lippen waren wit en op elkaar geperst. Jo dwong zichzelf om de bezorgdheid uit haar stem, blik en houding te laten glijden. Ze ging op de rand van het bed zitten en veegde Sophies haar uit haar gezicht.

'Wist jij vroeger al dat je dokter wilde worden?' wilde Sophie weten.

'Nou, ik begon erover te denken toen ik iets ouder was dan jij.'

'Echt waar?' Sophies ogen lichtten op. 'Is het moeilijk?'

Jo dacht na voordat ze antwoord gaf. 'Het is een uitdaging, maar ik hou wel van uitdagingen. Geneeskunde is bijzonder boeiend. En het fijnste is dat je andere mensen kunt helpen. Je moet heel veel leren, maar gelukkig ging ik graag naar school.'

'Ik ook.'

'Weet je wat? Als je opknapt, zal ik je wel wat over mijn doktersopleiding vertellen. Grappige verhalen.'

'Ook over enge ziektes? Zoals vleesetende bacteriën?' Sophie glimlachte, maar daarna werd haar gezicht weer ernstig. 'Daar durf ik het best over te hebben. Het lijkt me fascinerend.'

Op een vreemde manier ontroerde die opmerking Jo, en ze onderdrukte een glimlachje. 'Stond dat woord ook in je dictee?'

'Als ik niet had gekotst, had ik een tien gehad.' Sophies blik werd peinzend. 'Wat is een gorillaoorlog?'

Jo staarde haar aan. 'Pardon?'

'Vechten apen met mensen?'

'Nee. Hoe kom je daarbij?'

Sophie haalde haar schouders op. 'Ik hoorde de meesters en juffen praten over een gorillaoorlog.'

'Dat is een guerrillaoorlog. G-u-e-r-r-i-l-l-a. Die wordt gevoerd door mensen – rebellen. Je hoeft je geen zorgen te maken over de apen.'

Of over je vader, die naar het front moet...

Sophie knikte. Jo stopte het dekbed nog wat verder in en liep naar beneden.

Ze ging achter het bureau in haar werkkamer zitten, leunde op haar ellebogen en wreef over haar voorhoofd. Aan boosheid hadden Sophie en zij helemaal niets. Ze kon zich maar beter ontspannen.

Ze nam zich voor om op haar hoede te zijn voor Dawn Parnell.

Haar mobieltje ging over. Het geluid leek als een brandalarm door haar hele lichaam te galmen.

Haastig pakte ze de telefoon. Op het schermpje zag ze Tina staan. 'Hallo.'

'Goh, wat klink je enthousiast als je mij aan de lijn krijgt.'

Jo schraapte haar keel. 'Dag zus.'

'Oké, met die toon zal ik het dus moeten doen.'

'Sorry, maar ik heb een rotdag. De zaak is verraderlijk, Sophie ligt hier ziek in bed en...' Ze stond op en deed de deur van de werkkamer dicht. '... Sophies moeder had zoveel haast om haar af te leveren dat ze het arme kind praktisch uit een rijdende auto heeft getrapt. En Gabe is sinds gisteravond op een reddingsmissie en als ik niet snel iets van hem hoor, stort ik in. Dan vlieg ik tegen de muren op en kruip ik over het plafond.'

'Dat is rot voor je, Jo. Wat voor een missie?'

'Een reddingsmissie op zee. Een tanker die achthonderd kilometer uit de kust ligt. Dat betekent dat de Pave Hawk in de lucht moet tanken.'

'Ga zitten. Leg je hoofd tussen je knieën. Ga niet aan het behang knabbelen.'

'Ze hadden al terug moeten zijn.'

'Ze komen terug.'

'Hij is nu al veertien uur weg.'

'Jo, luister naar me. Gabe weet wat hij doet, en hij is heel sterk. Jij ook. Het komt goed. Ik meen het.'

Van de overtuiging in Tina's stem werd Jo weer wat rustiger. Ze ademde uit.

'Bedankt. Sorry.' Ze ging zitten en haalde een hand door haar haar. 'Laten we even opnieuw beginnen. Hallo zus, hoe gaat het?'

'Kijk je naar het nieuws?'

Jo's vaste telefoon ging. Deze keer ging er een bezorgde, sombere trilling door haar heen. 'Nee.'

'Ze hebben het over jou.'

'Wacht even, mijn andere telefoon gaat.'

'Geen wonder,' zei Tina.

Jo nam de tweede telefoon op. 'Als dit gedoe uit de hand loopt, krijgen we niet eens tot het einde van de week om de zaak op te lossen,' klonk de stem van Amy Tang.

'Welk gedoe?' Jo nam afscheid van Tina, nam haar andere telefoon mee naar de woonkamer en zette de televisie aan.

'Ik heb mijn best gedaan om je erbuiten te houden, maar een of andere klojo heeft je naam gelekt.'

Het plaatselijke nieuws was bezig. Een verslaggever stond bij het huis van Tasia McFarland, en achter haar bewaakten twee politiemensen de voordeur.

'... hebben de identiteit van de man die door de indringer is aangevallen niet bevestigd, maar volgens onze bronnen is het...' Ze keek naar haar aantekeningen. '... Ace Chennault, een muziekjournalist die was ingehuurd om met Tasia's tournee mee te reizen.'

'Ik hoor je tv. Dat is nog peanuts. Zet hem eens op een landelijke zender,' zei Tang. 'Dan hoor je het echte enge nieuws.'

Jo zette de televisie op een nationale nieuwszender. Achter een neonblauw bureau interviewde een blonde verslaggeefster een gast die van de clichéplank was geplukt. De man was mollig, onverzorgd en gekleed in een tweedjasje met vlinderdas – allemaal kenmerken die de zender de moeite bespaarden om een naamkaartje met het woord 'professor' uit te schrijven. Jo vroeg zich af of ze een stagiair met een boodschappenlijstje naar de dichtstbijzijnde universiteit hadden gestuurd: een neanderthalerschedel van de faculteit antropologie, een strak cheerleaderbroekje, een verstrooide professor.

'... geen aanwijzing dat ze zo depressief was dat er gevaar voor zelfmoord dreigde. Ik heb beelden van de drie concerten vóór het optreden in San Francisco geanalyseerd, en er is gewoon niets wat erop wijst.'

'Wat is dit?' vroeg Jo.

'Dit is het begin van jouw kwartier in de schijnwerpers,' antwoordde Tang.

Op het scherm knikte de blonde verslaggeefster aandachtig naar de professor. 'Welke waarschuwingssignalen zou Tasia hebben afgegeven als ze suïcidaal was geweest?'

'Mijn hemel,' zei Jo.

'Ik denk dat je binnen anderhalve minuut om een kettingzaag schreeuwt waarmee je de televisie, de professor of jezelf in tweeën wilt zagen,' zei Tang.

De professor verstrengelde zijn vingers. 'Laten we eerst eens bekijken wat ze niét heeft gedaan. Ze heeft geen zelfmoordbrief achtergelaten. Ze leek niet "down" te zijn, zoals de lekenterm luidt. Ze was de hoofdattractie van een succesvolle tournee. Ze stond in het middelpunt van de aandacht en werd toegejuicht door adorerende fans.'

Een knokige vinger leek aan Jo's maag te krabben. 'Wie is die man?'

'Kijk maar op het scherm,' zei Tang.

Jo's ogen trilden. Gaspar Hellman, forensisch psychiater.

'Dus volgens u leek Tasia niet suïcidaal te zijn,' zei de blonde vrouw.

'Inderdaad.'

De verslaggeefster knikte langzaam. Haar haar, met zorg geföhnd en in de haarlak gezet, bewoog als een pruik die Jo voor het laatst had gezien bij de zangeres van de B-52's. Haar blauwe ogen stonden in een snoezig, hartvormig gezichtje met keurige, witte tanden. Ze heette Edie Wilson.

'Dus volgens u heeft de psychiater van de politie het bij het verkeerde eind,' zei ze.

'We weten niets van de kwalificaties van deze "psychiater", als dokter Beckett dat al is,' antwoordde de professor, die bij het woord psychiater aanhalingstekens in de lucht tekende. 'We weten alleen dat ze is ingehuurd door de politie, die er belang bij heeft dat de schuld van Tasia's dood niet wordt neergelegd bij de mensen die er wellicht van hebben geprofiteerd.'

Edie Wilson knikte heftig met haar hoofd. '*Cui bono.*'

Forensisch psychiater Herr Professor Hellman tuurde over de rand van zijn schildpadmontuur naar Wilson. 'Ik merk dat u Latijn hebt gehad en dat u weet wat dit betekent.'

'Nee,' zei Jo. 'Ze weet wat er op de autocue staat en ze blaat gewoon alle onzin na die de producers in haar oortje fluisteren. Jezus. Niet te geloven.'

Dit was onwerkelijk. Ze had durven zweren dat ze op de tickertape onder in beeld 'Russische postorderbruiden winnen wereldcup' en 'onlangs ontdekte eenhoorns willen zakendeal met My Little Pony sluiten' zag voorbijkomen.

Edie Wilson fronste haar wenkbrauwen. 'Vrouwen plegen geen zelfmoord met een pistool. Dat is bekend.' Een peinzende stilte. 'Zou het kunnen dat ze Russische roulette speelde?'

'Dit is niet te... Het komt wel degelijk voor dat vrouwen met een pistool zelfmoord plegen... Dit is... Jezus, wat een onzin,' zei Jo.

'Goed zo, Beckett. Gooi het er maar uit,' zei Tang.

De knokige vinger kromde zich weer om Jo's middel, en in haar hoofd hoorde ze een spookachtige stem 'nè nè nenèh nè' zingen.

Maar Tang kon er niet om lachen. Haar stem klonk bloedserieus. 'Misschien kom je wel tot dezelfde conclusie als de tetterende televisiedokter. Weet je zeker dat je hem wilt tegenspreken?'

'Hij kwaakt maar wat, hij heeft geen bewijsmateriaal. Hij strooit met oppervlakkige, ondeskundige opvattingen over suïcidaliteit. Over een vrouw van wie hij niets weet, die hij niet heeft onderzocht... Over míjn zaak.'

Gaspar Hellman streek met zijn hand over zijn sikje. 'Precies, Edie. Cui bono? Wie heeft er baat bij? Voor wie is het gunstig om te beweren dat Tasia zelfmoord heeft gepleegd?'

'Dat is een beangstigende vraag, professor,' zei de blonde vrouw.

'Beangstigend? Deze mensen begrijpen niet hoe erg hun speculaties de familie van het slachtoffer kwetsen. Of misschien interesseert het ze gewoon niet.' Jo klauwde vertwijfeld met een hand in haar haren. 'Tang, ze zouden mijn werk kunnen verprutsen.'

Cui bono? De domme massa die van de tragedies in de media smulde, díé had er baat bij. Misschien waren getuigen straks alleen maar bereid om tegen betaling met Jo te praten, omdat ze van de sensatiekranten en *E!* ook geld kregen. Misschien zeiden ze wel: 'Ik kan pas volgende week met u praten, want tot die tijd heb ik de exclusieve rechten aan *TMZ* verkocht.' Tegen die tijd zouden ze hun verhaal hebben aangepast om zo veel mogelijk persoonlijke publiciteit en artikelen in de sensatiekranten te krijgen.

Ze hoorde een scherpe klop op haar voordeur. Met haar telefoon aan haar oor stapte ze door de gang om open te doen. 'Ze maken hier een machiavellistische sport van. Ze schilderen mij af als een pion, alsof dit een gezelschapsspel is. Zij doen het voor de lol, maar ik vind het niet grappig.'

Ze greep de deurknop beet. 'Wacht even, er is iemand aan de deur. Als het die halfbakken nieuwszender is, sla ik ze op hun bek.'

'Beckett, ik ben geschokt.'

'Metaforisch gezien, dan. Stelletje idioten.'

Ze deed de deur open. Op de stoep stond Gabe.

18

Bij het zien van haar woeste gezicht hief hij zijn handen op. 'Wat heb ik misdaan?'

Een paar tellen bleef ze roerloos staan, maar toen liet ze de spanning uit zich wegglijden en wierp ze zich in zijn armen. Ze sloeg haar armen om zijn hals en trok hem dicht tegen zich aan.

Ze hield de telefoon vast. 'Ik bel je nog, Tang.'

Terwijl ze de verbinding verbrak, legde ze haar hand tegen Gabes borst. Ze probeerde rustig te worden, maar daar slaagde ze totaal niet in. Hij trok haar mee naar binnen.

'Welkom terug op het droge, sergeant.' Ze glimlachte. Ze onderdrukte de neiging om opgewonden op en neer te springen. Ze ging op haar tenen staan om hem een kus te geven.

Hij trok haar mee door de gang. 'Waar is Sophie?'

'In mijn logeerbed.'

Zijn blik dwaalde naar de trap. Hij had een honkbalpetje in zijn hand, waarmee hij tegen zijn dij sloeg. 'Ik heb Dawn nooit verteld waar je woont. Dat zweer ik je.'

'Daar heb ik geen moment aan getwijfeld.'

Hij sloeg weer met het petje tegen zijn been. 'Misschien heeft ze het op een of andere manier van Sophie losgepeuterd. Ik wil niet eens stilstaan bij de mogelijkheid dat ze me ooit is gevolgd.'

'Dat doet er nu niet meer toe.'

Jo wilde hem beetgrijpen en haar gezicht in de warmte van zijn shirt begraven, maar hij liep als een uitgehongerde kat door de gang.

'Heeft ze een scène getrapt?' vroeg hij.

'Ze maakte zich voornamelijk druk over de vraag of ze op tijd op haar werk zou zijn. Daarom heeft ze Sophie hierheen gebracht.'

'Gedumpt.' Hij stond stil. 'Ze heeft haar eigen dochter gedumpt.'

Er stonden rode vlekken op zijn wangen en nek, alsof hij met een brandende kwast was beschilderd.

'Wat ben ik blij dat je thuis was. Ik moet er niet aan denken wat ze zou hebben gedaan als je weg was geweest.' Hij haalde ruw zijn hand door zijn haar en keek naar haar. 'Wat is er?'

Jo's psychologische scholing en haar ervaringen met de dynamiek van gebroken gezinnen fladderden als motten om haar heen. Ze waarschuwden haar dat ze haar mond moest houden en zich niet met een fragiele, stekelige relatie moest bemoeien. Toch moest ze het hem vertellen. En ze moest haar eigen boosheid erbuiten laten. Als ze zich afreageerde en zijn woede voedde, zou ze de situatie alleen maar erger maken.

'Ik was niet thuis,' zei ze. 'Maar Ferd wel.'

Ze had een paar keer meegemaakt dat Gabe eruitzag of hij letterlijk iemand kon wurgen. De dreiging sprak uit zijn houding, zijn gelaatsuitdrukking, de aanhoudende felheid van zijn blik. En uit zijn onwrikbare zelfverzekerdheid, die zwijgend en zeer overtuigend uitstraalde dat er met hem niet te spotten viel.

Nu zag ze de dreiging weer, en voor het eerst zag ze haar pas echt goed. Haar huid werd klam. Ze moest vechten tegen de drang om een stap achteruit te zetten.

Hij deed zijn mond open en sloot hem weer. Zijn blik was geconcentreerd. Een paar seconden stond hij zo stil als een standbeeld.

'Was ze high?' vroeg hij.

'Als ze had gebruikt, kon ik het in elk geval niet zien.'

Zijn blik dwaalde door de gang, maar Jo wist dat hij niets van zijn omgeving zag. Haar zag hij al helemaal niet.

'Dit flikt ze me niet nog een keer.'

Jo ging heel zachtjes praten. 'Gabe, ik weet niet of je jezelf in de hand hebt.'

Vanaf de eerste verdieping riep een meisjesstem: 'Papa?'

Gabe verbrak het oogcontact met Jo. Hij rende de trap op en greep de leuning beet alsof hij een keel dichtkneep.

Jo bleef staan. De zwarte hitte in Gabes ogen was door haar heen gestroomd, zo gloeiend heet dat ze nu bijna huiverde.

Ze had hem nog nooit echt goed gezien. Ze had alleen gedácht dat ze hem kende. Ze had de buitenkant gezien, de aangeleerde, nijdige blik waarmee hij vijanden waarschuwde. Maar een paar tellen geleden had ze hem gezien zoals hij werkelijk was. Ze had gloeiende lava waargenomen. Hij had zichzelf niet in de hand gehad. Ze had een glimp opgevangen van pure gewelddadigheid.

En ze wilde hem niet naar boven volgen.

Ze liep naar de woonkamer. Op het nieuws staken ze inmiddels geen spelden meer in haar en analyseerden ze nu oude foto's van Tasia met Robert McFarland. De tickertape onder in beeld meldde nu 'controverse rond politiepsychiater in de zaak-Tasia McFarland'.

Ze zette de televisie af en staarde door het erkerraam naar schaduwen die in de wind over het trottoir schuurden.

Even later kwam Gabe met Sophie in zijn armen naar beneden. Haar hoofd lag tegen zijn schouder, haar ogen leken diep weggezonken door de koorts.

'Beterschap, meissie,' zei Jo.

Sophie glimlachte.

Gabe liep meteen door naar de deur. 'Kom, we gaan naar huis, moppie.'

Jo deed de deur voor hem open. In zijn blik waren zo'n hartstochtelijke beschermingsdrang en zoveel openlijke pijn te zien dat haar adem stokte.

Nu pas zag ze de beurse plekken in zijn nek en het blauwe oog dat steeds dikker werd. Onder zijn mouw, die omhoog was geschoven nu hij Sophie had opgetild, zag ze nu ook opeens een verband waar jodium onderuit was gelopen. Ze zag zijn uitputting, die hij alleen maar door de kracht van zijn woede de baas kon blijven.

Hij liep om haar heen naar buiten. 'Bedankt. Ik bel je nog.'

'Gabe.' Ze liep achter hem aan het trappetje af. 'Is iedereen...'

Iets waarschuwde haar dat ze haar mond moest houden. Niet vragen, niet met Sophie erbij. Toen hij zich uiteindelijk omdraaide, staarde hij haar met de rauwe, afgebrokkelde blik van de waarheid aan.

Het was niet allemaal goed gegaan. Ze hadden het er niet allemaal levend van afgebracht.

19

Om zes uur die avond liep Jo in het zakendistrict door de gewelfde marmeren hal van het kantoorgebouw aan het uiteinde van Sacramento Street. Ze nam de brandtrap naar de vierde verdieping van

het art-decogebouw en stapte de luxueuze lobby van Waymire &
Fong BV binnen.

De receptioniste stond achter haar bureau haar lippen parelmoer-
roze te stiften en wilde kennelijk net haar werkdag beëindigen. Toen
de branddeur achter Jo dichtging, keek ze als een geschrokken haas
op. De lippenstift trok een streep over haar kin.

'Ik heb een afspraak met Vienna Hicks,' zei Jo.

De receptioniste veegde de lippenstift weg. 'Jezus, u komt zomaar
uit het niets.'

Niemand nam hier de trap, dat was wel duidelijk. Maar Jo durfde
te wedden dat de helft van de advocaten in de sportschool wel een
uur op de StairMaster stond.

Terwijl de receptioniste de telefoon pakte, kuierde Jo door de lobby. Het gebouw was zo oud dat het nog hoge schuiframen had. Buiten bescheen de zon de zijkanten van de omringende gebouwen. Het
licht werd gereflecteerd met een warme, oranje toon die tegen de
ruiten leek te tinkelen en de stad naar de avond zong. Tussen de wolkenkrabbers op Sacramento Street was nog net een streepje van de
glinsterende blauwe baai te zien.

De receptioniste legde de telefoon neer. 'Mevrouw Hicks komt
eraan.'

Jo bleef nog even bij de ramen staan. Het gebouw was opgetrokken uit grijs graniet van een goede kwaliteit. Het art-decodesign had
royale randen en hoeken en zou een elegante klimmersuitdaging zijn.
Even had Jo zin om eraan te beginnen.

'Dokter Beckett.'

Het aanvallende stemgeluid van Vienna Hicks ving haar als een
lasso. Jo draaide zich om. Vienna doemde met haar vuisten op haar
heupen in de lobby op. De receptioniste stond met haar tas in haar
handen achter haar bureau. Vienna gebaarde dat ze naar de lift mocht
lopen.

'Ik laat dokter Beckett wel uit, Dana Jean. En ik doe alle lichten
uit en geef de hagedissen te eten. Wegwezen.'

Dana Jean haastte zich naar de lift. Vienna wenkte dat Jo mocht
meelopen.

Jo liep achter haar aan naar haar werkkamer. 'Het verbaast me dat
u hier nog bent.'

'De dag na mijn zusters dood, bedoelt u? Ik sta in het telefoonboek. De media kamperen op mijn oprit. Het kantoor is een toevluchtsoord.'

Ze liep een hoek om. Vienna leek niet zomaar door de gang te lopen; ze vulde hem eerder als een voortglijdende reuzenmanta.

'Daarom heb ik u gevraagd hierheen te komen. U mag me neurotisch, opgefokt of overbeschermend vinden, maar Tasia was mijn kleine zusje en ik wil niet dat de politie of de sensatiebladen informatie krijgen die irrelevant is.'

'Als u dacht dat uw informatie irrelevant was, had u me niet uitgenodigd.'

De werkkamer van Vienna was erg vol. Er stonden twee bureaus, een dode cactus in een pot en kasten met dossiers. Ze plofte als een dieptebom in haar stoel, trok een la van haar bureau open en haalde er een telefoon uit.

'Deze heeft Tasia een paar maanden geleden hier laten liggen. Het is een geheim nummer en ik heb het toestel aan niemand laten zien.'

'Dus de politie weet er niets van?'

'Dat leek me niet zinvol. Het is gewoon een telefoon. Tasia had er heel veel. Haar hele huis lag vol spullen en frutsels. Ze kocht ze alsof het snoep was. Tijdens uitreikingen van Awards kreeg ze tassen met fantastische spullen cadeau. En dan heb ik het niet over potpourri of lekkere zeep, maar over goede champagne, Xboxen en schoenen van vijfhonderd dollar per paar.'

Jo had een aantal van die schoenen op de vloer van Tasia's slaapkamer zien slingeren. 'Goh, meer niet?'

'Misschien kreeg ze bij de Grammy's ook nog een Stingerraket, ik weet het niet meer.'

Jo ging tegenover haar aan het bureau zitten. 'Hebt u gekeken wat er allemaal op de telefoon stond?'

Vienna hield haar adem in, alsof ze de hik had of ergens over weifelde. Uiteindelijk ademde ze uit. 'Nee. Tenminste, niet totdat de politie me liet weten dat er was ingebroken.'

Jo slaagde erin haar woede uit haar stem te houden. 'Waarom hebt u dat vanochtend niet gezegd, toen ik u belde?'

Vienna keek uit het raam. 'Hebt u familie? Broers en zussen?'

'Ja.'

'Heeft een van hen een leven als een kristallen vaas? Een vaas die ook nog eens over een schietbaan rolt?'

Haar stem was krachtig, luidruchtig zelfs, maar Jo hoorde er een barst in.

'Leeft een van hen als een duif die tijdens een vredesceremonie wordt losgelaten en recht de eeuwige vlam in vliegt? Een duif die vervolgens blijft vliegen, terwijl jij probeert het vuur te doven, haar in de lucht te houden of je blik af te wenden?' vroeg ze. 'Telkens weer dacht ik dat ik de vlammen had geblust. Telkens dacht ik dat dat prachtige wezen zou blijven vliegen en hoog in de lucht rondjes zou blijven cirkelen. En ik rende met uitgestrekte handen op de grond achter haar aan, terwijl ik God smeekte om haar vleugels stevigheid te geven, haar niet meer te laten ontvlammen, haar niet te laten vallen.'

Vienna perste haar lippen op elkaar, alsof ze wilde voorkomen dat haar stem zou gaan trillen. 'Ik ben dolblij dat mijn ouders dit niet meer hoeven mee te maken.'

Haar ogen liepen vol tranen. Jo kreeg ook een knoop in haar maag.

'Ik vind het heel erg voor u,' zei ze.

'Ik heb thuis nog een heleboel spullen van haar, maar het zijn allemaal persoonlijke bezittingen. Het lijkt me niet nodig om ze aan de politie te geven. Als ik dat doe, is het net of ik in het mortuarium het laken van haar af trek en iedereen toesta naar haar te staren en te wijzen.' Bruusk veegde ze haar ogen af. 'Maar dat doen ze nu toch al.'

Ze rechtte haar rug. 'Hoe gaat u te werk? Geeft u alles rechtstreeks door aan de politie? Of kunt u ook informatie buiten uw rapport houden?'

'Ik ben geen politievrouw. Ik ben gewoon een adviseur, en ik heb dezelfde plichten als iedere andere burger. Als ik aanwijzingen heb dat er een misdaad is gepleegd, ga ik naar de politie. Maar nu schrijf ik een rapport voor de politie, en dat wordt openbaar. Alle informatie op die telefoon moet bij het onderzoek kunnen worden gebruikt.'

Vienna's gezicht verstrakte. Er stond een koele blik in haar ogen.

'Anderzijds ben ik niet verplicht om alle informatie die ik krijg openbaar te maken,' voegde Jo eraan toe.

Vienna bedekte de telefoon met haar hand. 'Dus u begrijpt dat dit gevoelig ligt. Ik wil mijn zus beschermen.'

'Ja, dat begrijp ik.'

'Toen Tasia haar bipolaire stoornis een paar jaar geleden niet onder de duim had, projecteerde ze veel van haar gevoelens en angsten op anderen. Vooral op Rob.'

Rob, de president van de Verenigde Staten.

'Van tijd tot tijd uitte ze haar woede over dingen die hij deed en die in haar ogen "verdorven" waren. Dat was het woord dat ze gebruikte.'

'Hadden die dingen betrekking op hun huwelijk?' vroeg Jo.

'Nee, ze hadden geen relatie met de werkelijkheid. Ze zei in hoogdravende bewoordingen dat hij een bedreiging vormde.'

'Voor haar persoonlijk?'

'Voor het land. Toen zat hij nog in de Senaat. Ik vind het knap dat u nog niet hebt geroepen dat ze paranoïde was.'

'Ik neem aan dat er tijdens hun huwelijk nooit meldingen van mishandeling of lichamelijk geweld zijn geweest?'

Vienna schudde haar hoofd. 'Nee. Rob was haar prins. In elk geval tot hij in een kikker veranderde. Maar ja, zo gaat dat bij een scheiding.'

Paranoïde mensen weigerden hun fouten te erkennen. Ze loochenden hun eigen negatieve gedrag en karaktertrekken, zoals jaloezie, haat en agressie, en projecteerden ze op anderen. Daarom zag een paranoïcus overal om zich heen bedreigingen.

'Dacht Tasia dat McFarland haar kwaad wilde doen?' vroeg Jo.

'Hij niet. De regering. De FBI. De CIA. Maar ik moet nogmaals benadrukken dat ze haar ziekte toen niet onder controle had.'

'Wat gebeurde er toen?'

'Allereerst bestookte ze vrienden en familie met manische manifesten. Van tijd tot tijd kreeg ik een "communiqué" van haar. Maar uiteindelijk schreef ze naar Robs senaatskantoor en beschuldigde ze de regering ervan dat ze haar vervolgde. Hij belde me.'

'Belde Robert McFarland u persoonlijk? Over Tasia? Wat zei hij?'

'Ik praat niet over Rob.'

Jo spreidde haar handen. 'U hebt nu wel verwachtingen gewekt. Alstublieft.'

Vienna aarzelde. 'Laat ik het erop houden dat hij de brief had kunnen doorsturen naar de FBI. In plaats daarvan belde hij mij.'

'Wilde hij zorgen dat Tasia hulp zou krijgen zonder dat het in de publiciteit kwam?'

'Ze slikte geen medicijnen meer. Dat begreep hij. Ik heb haar toen laten opnemen.'

'Dat moet een zware tijd zijn geweest.'

'In die tijd woog ik vijftig kilo,' zei Vienna.

Jo hield haar blik neutraal.

Vienna liet een kort, scherp lachje horen. 'Volgens mij wint u elke pokerwedstrijd die u speelt, dokter. Zo'n effen, uitgestreken gezicht heb ik nog nooit gezien. Ik ben altijd een rondborstig Botticelli-type geweest.'

Jo liet een van haar mondhoeken omkrullen.

Vienna leunde met haar ellebogen op het bureau. Net als die ochtend liet ze haar blik over Jo's verschijning dwalen. Deze keer leek ze tot de conclusie te komen dat Jo ermee door kon.

'Het was een keerpunt. Daarna kreeg Tasia geleidelijk aan weer grip op haar ziekte. De paranoia nam af. Er kwam geen communiqué meer. Ze ging niet meer tekeer over politiek of over Rob. Helemaal niets meer. Dat lag achter haar.' Ze schoof de telefoon over het bureau naar Jo toe. 'Of misschien ook niet.'

Jo pakte de telefoon. 'Wat staat hierop?'

'Tasia gebruikte de browser van de telefoon om op extremistische antiregeringssites rond te snuffelen.'

Jo zette de telefoon aan. 'Snuffelde ze er alleen maar rond? Of leverde ze bijdragen?'

'Ze plaatste onder een pseudoniem commentaren op fanatieke extreem rechtse sites. Dat zou haar reputatie voor altijd kunnen ruïneren. Begrijpt u waarom ik dit onder ons wil houden?'

'Een pseudoniem. Denkt u dat andere mensen wisten wie ze was? Dat een van hen vandaag in haar huis heeft ingebroken? Werd ze bedreigd door iemand van een internetforum?'

'Het zijn ongure types. Het zou me niet verbazen.'

Vienna draaide haar stoel naar het raam. Het scherm van de telefoon lichtte op, en op een kleurige achtergrond zag Jo een aantal keuzemogelijkheden.

'Waar kan ik volgens u het beste beginnen?' vroeg ze.

'Webbrowser. Meest recent.'

Jo ging online. De website waarop Tasia het laatst had gekeken, was treeofliberty.com.

Ze scrolde langs de onderwerpen op de beginpagina. 'Niet bepaald geschikt als verhaaltjes voor het slapengaan, hè?'

'Misschien wel voor mensen die cyanidecapsules in het medicijnkastje bewaren, waarmee ze hun vrouw en kinderen doden voordat het Rode Leger de bunker bestormt.'

'Het onderwerp van gesprek is op dit moment de "moord" op Tasia.'

'Die verhandelingen heb ik allemaal niet gelezen. Ik heb nu even geen behoefte aan een beroerte.'

Jo wilde er net eentje aanklikken toen ze boven aan de pagina zag staan: *U hebt ingelogd als Fawno1.*

'Heeft ze die mensen echt niet verteld wie ze was?'

'Hebt u zin om die maandenlange geschiedenis door te spitten? Ga uw gang. Maar zorg dat er daarna iemand beschikbaar is om u schoon te spuiten.'

De teneur van het commentaar op de site varieerde van zelfvoldaan en woest tot boosaardig. Jo keek vluchtig naar Tasia's bijdragen. Tasia had op een theatrale, vervelende manier aan de discussie deelgenomen, maar haar bijdragen leken coherent – met beide benen op de grond, zoals de deelnemers aan het forum met elkaar hadden afgesproken. Ze zouden bij een geschiedenis- of inburgeringsexamen geen voldoende hebben opgeleverd, maar ze vormden voor een psychiater ook geen aanleiding om te denken dat Tasia psychotisch was.

'Tasia schrijft onder een pseudoniem. Moest ze een e-mailadres doorgeven om te kunnen inloggen?' vroeg Jo, meer aan zichzelf dan aan Vienna.

'Geen idee. Ik zit alleen op het internetforum "taarteters voor de vrede".' Vienna haalde haar schouders op. 'Ik neem aan dat ze deze activiteit voor ons verborg en met deze telefoon wilde voorkomen dat er iets op haar computer kwam te staan.'

Jo maakte een keuze uit diverse schermpjes en mogelijkheden op de telefoon. Ze zag niets opvallends en ging terug naar het forum.

Daar koos ze een onderwerp uit en besloot ze een bericht achter te laten.

'Eens even zien wat ze van mijn mening over het Hooggerechtshof vinden,' zei ze.

Zodra ze op de link klikte om een bericht achter te laten, kwam er een dialoogscherm in beeld. Fawno1 had ingelogd en er stond een bijbehorend e-mailadres bij.

'Bingo,' zei Jo.

Het was een e-mailaccount dat bij de telefoon zelf hoorde. Waarschijnlijk was het automatisch aangemaakt toen Tasia de telefoon aanschafte. Jo liet het aan Vienna zien.

'Herkent u dat adres?'

Vienna schudde haar hoofd. Jo ging naar het mailprogramma. Als het was beschermd met een wachtwoord had ze een probleem, maar Tasia's paranoïde neigingen waren niet grondig en geordend geweest. Ze had het programma zo ingesteld dat het haar wachtwoord onthield. Jo kon rechtstreeks naar haar account.

Postvak In: 1427 berichten.

'Lieve help.'

Vienna boog zich over haar bureau heen. 'Wacht eens, hoeveel berichten?'

'Veertienhonderd.' Jo keek naar de data. 'In de afgelopen drie maanden.'

Ze scrolde door het postvak. De haartjes op haar armen prikten. 'Wie is Aartsengel x?'

Heb je dit ooit eerder gedaan?

Zou je willen dat ik jou dit aandeed?

Waarom reageer je niet?

SCHRIJF VERDOMME TERUG

Jo opende dat mailtje. Zonder dat ze het wilde, zoog ze sissend lucht naar binnen.

Niemand heeft gezegd dat je zo onbeleefd mocht zijn. Ik heb je vele, vele malen gemaild en je neemt niet eens de moeite om te reageren. Je bent een KLOTEWIJF.

'Wat is er?' vroeg Vienna.

Het volgende mailtje. Net als negenennegentig procent van alle berichten in het postvak was het afkomstig van Aartsengel x.

Je hebt het recht niet om me te negeren. We zien elkaar nog wel, kreng. Ik zie je op het podium. Ik zie je als je slaapt. Ik zie je in het hiernamaals.

Haastig pakte Jo haar eigen telefoon. Ze toetste het nummer van Amy Tang in.

Vienna las wat er op het scherm stond. 'O god.'

'Ja,' zei Jo. 'Je zus had een stalker.'

20

NMP stapte op Turk Street uit de rammelende stadsbus. De bushalte was beklad met graffiti. In het westen scheerde de zon over de daken. Het licht was goudkleurig en scherp, als een beschuldigende vinger die rechtstreeks naar hem wees. NMP keek om zich heen.

Nee. Laat niet merken dat je vermoedt dat ze achter je aan zitten. Lopen.

Hij trok het gebreide mutsje laag over zijn voorhoofd en liep mompelend door de straat. De wind blies bijtend tussen de gebouwen door. In paniek balde hij zijn handen tot vuisten. De mensen konden hem zien. Het was hem niet gelukt om als een engel te zweven.

Hou je hoofd erbij. Je bent NMP, *de ruige rotzak. Je bent het zwaard van de waarheid.*

Laat het zien. Meet je een bijpassende houding aan. Je hebt een wapen, een zwaar wapen – laat iedereen op straat elke helse centimeter zien. Straal uit dat ze spijt krijgen als ze jou iets proberen te flikken. Dan blijven ze wel op afstand.

En als ze dat niet doen, krijgen ze een kei tegen hun hoofd.

De Tenderloin was een buurt waar je 's avonds beter niet in je eentje kon komen. Het afval lag in roestige vuilnisbakken te stinken. Op een braakliggend terreintje achter een met onkruid doorweven afrastering leunden drie mannen op de bumper van een auto. Ze waren graatmager en zaten te lachen.

Sinds NMP betrapt was in Tasia's huis had hij in de bus gezeten en door steegjes gelopen. Hij had al die tijd rondgezworven, en overal hadden de mensen naar hem gestaard. Net zoals ze vroeger op school, in de bioscoop of in de bibliotheek naar de vetklep Noel Michael Petty hadden gestaard. Net zoals Noels zus en haar vriendinnen in de schoolbus hadden gegiecheld en 'jezus, wat een dikke reet' hadden gefluisterd.

En de schermutseling van vandaag was een misselijkmakende mislukking geweest.

En dat na al die uren waarin NMP toezicht had gehouden, al die tijd waarin hij boven Tasia's huis had gezweefd. Toen hij eindelijk de kans had gekregen om naar binnen te glippen, was die muziekjournalist gearriveerd, gevolgd door die onbekende vrouw die foto's nam. De vrouw had op zíjn terrein rondgelopen. Rondgekeken. Hem zijn privémoment ontnomen. NMP wist wat ze van plan waren. Ze wilden Tasia's huis in een heiligdom veranderen. De Basiliek van de Aandachtshoer. Waar ze de leugen konden voortzetten. Waar ze het zouden hebben over liefde liefde liefde.

NMP had de man harder moeten slaan. Vaker. Hij had met hem moeten afrekenen.

Hij naderde een roestige pick-up die aan de kant van de weg was geparkeerd. In de cabine was een hond opgesloten. Het beest dook naar het raam en begon tegen hem te blaffen.

Tasia's slaapkamer. Een gitaar tegen de stoel. Laarzen bij het bed.

Hij wilde schreeuwen, maar dat kon niet. *Sst. Mondje dicht, mijn liefste.*

Kreunend liep Petty door de groezelige straat. Searle had naar Tasia's striptease gekeken. Searle had zich naast haar bed uitgekleed. Ze had hem genomen, ze had alle remmen bij hem losgegooid, ze had haar geur, zijn geur overal in de slaapkamer achtergelaten, als een berisping. Als een klap in het gezicht.

Maandenlang had NMP geweigerd het te geloven. NMP was loyaal gebleven. Sensationele roddels, geënsceneerde leugens, bedacht voor de publiciteit – dat was waarschijnlijk de waarheid achter Tasia's zogenaamde 'affaire'. Dat móést wel. Maar het waren geen verzinsels. Het was waar.

Er ontsnapte een kreet aan zijn keel.

De hond bleef blaffen. NMP marcheerde naar de auto en blafte terug. De hond ging volledig door het lint, zijn nagels klauwden, spuugklodders spatten tegen het raam van de pick-up. NMP greep de antenne van de auto beet en bewoog hem heen en weer tot hij afbrak. Hij stak hem door het kiertje boven in het raam en prikte ermee naar de hond. Steeds weer opnieuw.

'Hé.'

Hij liet de ruit rammelen, zwiepte de antenne heen en weer en sloeg de hond tot het beest ineendook.

'Hé, eikel, hou eens op.'

De mannen bij de vuilnisbak schreeuwden naar hem. NMP trok de antenne naar buiten, draaide zich om en striemde ermee door de lucht. De mannen hielden hun mond. Van het ene moment op het andere.

Hijgend liep NMP achteruit. Met de antenne in zijn hand, klaar om iedereen te geselen die in zijn buurt durfde te komen, zette hij het op een lopen. Op de hoek zag hij de lampen van de hotelluifel knipperen, spastisch rood neon. BALMORAL. Drie letters waren kapot, dus het leek of er MORAL stond. Moraal. Ja, de moraal van het verhaal was dat Tasia McFarland niet te vertrouwen was. Met gloeiende wangen duwde NMP de glazen deur met zijn grote handen open. De receptionist keek nauwelijks op en richtte zijn blik meteen weer op zijn schoot. Een televisie op de balie toonde de brede grijns van Robert McFarland, de Tasia-neuker. NMP rende erlangs en stormde de krakende trap op.

Tasia de slet. Tasia de getikte hoer. Ze was met Searle Lecroix naar bed geweest. En met andere mannen, een slijmspoor dat naar haar tienerjaren leidde. De hebberige teef. Was het nog niet genoeg dat ze de president van de Verenigde Staten had gehad?

Je moest toch wel een onverzadigbare, hoerige nymfomane zijn om de president van de Verenigde Staten te hebben, hem te dumpen en dan achter alle andere Amerikaanse mannen aan te gaan. Aan het eind had Searle Lecroix waarschijnlijk alleen maar een nietszeggende leegte gevuld.

En dat terwijl NMP stond te wachten.

De hotelkamer was benauwd en mistroostig. Petty deed de deur dicht en bonkte er met zijn hoofd tegenaan. Niet eerlijk. Niet eerlijk.

NMP wilde niet meer wachten. Als hij niet kon zweven, kon hij toeslaan.

Jo liep over Parnassus Avenue naar het UCSF Medical Center. De zon wierp een hallucinogeen rood licht over de Stille Oceaan. Ze hees haar tas hoger op haar schouder en beklom voorovergebogen de heuvel. Op het trottoir bij de ingang van het ziekenhuis stond een groep mannen en vrouwen met camera's en microfoons op nieuws over Ace Chennault te wachten.

Tang ijsbeerde met haar telefoon tegen haar oor door de lobby. Toen Jo binnenkwam, gebaarde Tang dat ze in de richting van de lift moest lopen. 'We krijgen vijf minuten om met Chennault te praten.'

Jo liep met haar mee door de lobby. 'Hoe gaat het met hem?'

'Goed. Ze houden hem vannacht ter observatie in het ziekenhuis. Hij heeft geluk gehad.' Ze drukte op het knopje van de lift. 'En waag het niet me te vragen de trap te nemen. De seconden tikken weg.'

Jo's claustrofobie begon iets te sissen over kleine ruimtes. Ze stapten in de lift en Tang duwde op de knop alsof ze een sigarettenpeuk uitdrukte – op iemands gezicht. De deuren gingen dicht.

Jo had klamme handpalmen, maar ze slaagde erin om flauwtjes naar Tang te lachen. 'Laat me raden. Je hebt de hoofdprijs in de loterij gewonnen.'

'Deze zaak biedt evenveel houvast als een kermisattractie waarvan de schroeven en stangen zijn gebroken. Hou er rekening mee dat je over het kermisterrein wordt geslingerd.'

Tangs telefoon begon te piepen. Ze keek naar het schermpje, zuchtte en nam niet op.

'Amy?'

'Jij eerst. Waar heb jij de pest over in?'

'Het zou kunnen dat Tasia werd gestalkt.'

Tang draaide zich abrupt opzij. 'Hoe heb je dat ontdekt?'

'Ze had een mobieltje waarvan we niets wisten.'

Ze vertelde Tang over de berichten die ze had gevonden. 'Op zijn minst een cyberstalker.'

De lift kwam tot stilstand en Tang stapte kordaat naar buiten, op de voet gevolgd door Jo.

'Wat is jouw nieuws, Amy?'

'Een nieuwe wending in de zaak. Helaas via een shownieuwsprogramma op tv.'

Met haar penning in haar hand liep ze naar de verpleegstersbalie. Jo viste haar legitimatiepasje van UCSF uit haar zak en hing het om haar hals.

Bij de balie zei Tang: 'We komen met meneer Chennault praten. Ik heb gebeld.'

Haar telefoon begon weer te piepen. De verpleegkundige achter de balie wees ernaar, maar Tang hief haar hand op. 'Ik zet hem al af.'

De verpleegkundige vertelde waar ze Chennaults kamer konden vinden en herhaalde: 'Vijf minuten.'

Chennault leunde met een bleek gezicht tegen de kussens op zijn bed. Zijn ogen reflecteerden het licht van de tv, en zijn linkerarm zat in blauw gips en steunde in een mitella. Een lok van zijn blonde haar was weggeschoren en op zijn hoofdhuid waren Frankenstein-achtige hechtingen te zien. Hij zette het geluid van de tv uit.

'Niet echt een normale werkdag voor een schrijver,' merkte hij op.

Jo glimlachte. 'Ik ben blij dat u er weer bovenop komt. Hoe voelt u zich?'

'Net zo beroerd als ik eruitzie. Die nazi-hoofdverpleegkundigen bij de balie willen me niets sterkers geven dan paracetamol.'

Tang vouwde haar armen over elkaar en trok haar schouders op. 'Kunt u ons iets vertellen over degene die u heeft aangevallen?'

'Hij kon keihard slaan. Geen wonder, het was ook een kei.'

'Heeft hij iets gezegd?' vroeg Tang.

'Niets. En ik heb zijn gezicht niet gezien, alleen zijn rug. Een grote kerel. Bewoog trouwens opvallend vlug voor iemand met zo'n dikke reet.'

Hij probeerde een spottende blik op te zetten, maar onder zijn mollige, jongensachtige gelaatstrekken zag zijn glimlach er uitgeput uit.

'Verder nog iets?' vroeg Tang. 'Zaten er logo's op zijn kleren?'

Chennault schudde zijn hoofd.

'Iets opvallends aan de manier waarop hij rende? Zijn manier van lopen?'

Chennault schudde nogmaals zijn hoofd en stak zijn hand uit naar de dikke deken die van zijn been was gegleden. Rond zijn enkel zat een tatoeage. Jo kon hem niet helemaal zien, maar ze zag een paar cursieve letters, *SEMPER T*. Chennault trok de deken eroverheen.

Tang knikte. 'Waar rook hij naar?'

Wasverzachter en deodorant van Right Guard, dacht Jo.

'Schone kleren. En misschien ook naar aftershave,' antwoordde Chennault.

'Bent u vorige week ook naar het optreden in Washington D.C. geweest?' vroeg Tang.

'Nee.' De glimlach leek nu nog geforceerder. 'De uitgever wilde niet de hele tournee voor me betalen.'

'Hebt u Tasia over haar verblijf in Washington gesproken?'

'Heel kort. Waarom vraagt u dat, inspecteur?'

Er kwam blauw, flikkerend licht van de televisie aan de muur. Chennault keek er even naar. Zijn jovialiteit viel als een neergegooide handdoek van hem af. Onder in beeld liep de tekst 'nieuwe, schokkende ontwikkelingen in zaak-Tasia'.

De deur ging open en er kwam een verpleegkundige binnen. 'Uw tijd is voorbij.'

Jo probeerde naar het scherm te kijken, maar de verpleegkundige werkte haar naar de deur.

'Wacht,' zei Chennault. Zijn glimlach zag er meelijwekkend uit. 'Mag ik u morgen bellen?'

'Natuurlijk.' Jo gaf hem haar kaartje.

In de lift zette Tang haar telefoon weer aan, die binnen een paar tellen begon te piepen. Ze blies als een nijdige kat.

'Wat is er aan de hand?' vroeg Jo. 'Wat zijn de nieuwe, schokkende ontwikkelingen in de zaak-Tasia?'

De telefoon ging. Tang keek er nors naar. 'Sorry, ik moet even opnemen.'

Ze nam op en sprak tijdens de wandeling door de lobby alleen maar in eenlettergrepige woorden. Buiten, tegen de karmozijnkleurige achtergrond van de ondergaande zon, verdrong de pers zich rond een man in een ivoorkleurig pak. De verslaggevers, cameramensen en geluidsmensen leken wel ijzervijlsel dat naar een magneet in een Etch-a-Sketch werd getrokken. De man hief zijn handen op, alsof hij de aanwezigen wilde waarschuwen.

'Wat krijgen we nou?' vroeg Jo.

Samen met Tang liep ze door de automatische deuren naar buiten.

'... u er nogmaals aan herinneren dat de politie al het mogelijke doet om dit onderzoek af te ronden.'

'We zijn de sigaar,' mompelde Tang binnensmonds.

Het donkere haar en de snor van de spreker waren keurig geknipt, alsof hij onder handen was genomen door een groundsman van Wimbledon. De felrode zonsondergang werd weerspiegeld in zijn pilotenzonnebril.

'Is de FBI bij het onderzoek betrokken?' wilde een verslaggever weten.

De man schudde zijn hoofd. 'Nee. Er lijkt geen aanleiding te zijn voor een federaal onderzoek. De politie van San Francisco is druk bezig om uit te zoeken hoe mevrouw McFarland is gestorven.'

Tang duwde Jo met zachte dwang om het groepje journalisten heen. 'Donald Dart. Politiewoordvoerder. Het feit dat hij hier staat, betekent dat mijn superieuren zich met vaseline insmeren en zo snel en soepel mogelijk onder deze zaak uit proberen te glibberen.'

'Maar hoe zit het met die aanval van vandaag?' vroeg een andere journalist.

'Die gaat om een verdenking van inbraak en geweldpleging. We zijn op zoek naar de dader.'

Een man achter Dart stond wijdbeens en met zijn handen op zijn rug, alsof hij het commando 'op de plaats rust' had gekregen. Zijn kale schedel was zonverbrand. Hij had kauwgom in zijn mond en deed zijn best om er intimiderend uit te zien.

Zijn blik viel op Tang en hij kwam naar haar toe.

'Eén minuutje,' zei ze tegen Jo.

De kale man nam haar apart.

Jo vond inspecteur Amy Tang geen ruziezoeker. Ze was vasthoudend en onverzettelijk, maar ze haalde nooit nijdig naar iemand uit. Als ze werd uitgedaagd of in een hoek werd gedreven, dook ze ineen, als een egel die zijn stekels opzette.

Zo zag ze er ook uit nu ze met Kaalkop praatte.

Hij torende boven haar uit. Jo kon het gesprek niet horen, maar hij sprak elk woord zo zorgvuldig uit dat ze zijn tanden kon zien. Tangs gezicht had een wezenloze uitdrukking gekregen.

Voor de microfoons maakte Dart een einde aan zijn verhaal. 'Dat was het voor nu. Dank u wel.' Hij draaide zich om en liep weg. Een paar verslaggevers schreeuwden nog vragen, maar niemand liep achter hem aan. De lampen gingen uit en de microfoons werden weggehaald. Hij liep naar Kaalkop en Tang.

Tang verhief haar stem. 'Omdat het onderzoek nog gaande is.'

Kaalkop bleef kauwgom kauwen.

Tang schudde haar hoofd en liep weg. 'Ik neem het wel op met mijn baas. Kijken wat hij ervan vindt.'

'Dat hebben wij al gedaan,' zei Kaalkop. 'Blijf hier, inspecteur.'

Tang liep langs Jo. 'Kom mee.'

'Inspecteur, hier hebt u niets meer over te zeggen,' riep Kaalkop.

Jo keek even naar hem. Kaalkop zette zijn handen op zijn heupen. Ze had durven zweren dat hij zich prima vermaakte.

Op een holletje ging ze achter Tang aan. 'Amy.'

Met het licht van de ondergaande zon op haar gezicht liep Tang over de oprit. 'Stelletje lafaards.'

'Wat is er aan de hand?'

'Dat is hoofdinspecteur Chuck Bohr, een van mijn superieuren. Hij neemt de leiding over.'

Jo keek over haar schouder. Bohr en Dart stonden te praten, waarbij Dart over zijn snor streek. Hij leek wel een figurant uit de komische politieserie *Reno 911!*.

'Ik word buitenspel gezet,' zei Tang.

'Hebben ze je van de zaak gehaald?'

'Nee, maar dat hadden ze net zo goed wel kunnen doen. Ze nemen de leiding officieel over, omdat er hogerop het een en ander gesust moet worden. Ze denken dat ze zo goed kunnen sussen dat de zaak uit zichzelf verdwijnt.' Ze haalde haar sigaretten tevoorschijn. 'Maar dat lukt ze niet.'

'Wat is er aan de hand? Wat is de nieuwe schokkende ontwikkeling in deze zaak?'

'Vorige week was er een *Bad Dogs and Bullets*-concert in Washington,' antwoordde Tang. 'Tasia en de band logeerden in het Four Seasons in de stad, maar de sensatiebladen hebben net een foto afgedrukt die iemand met zijn mobieltje heeft gemaakt. Tasia zit in de bar van het Hyatt in Reston, Virginia, en zegt tegen de barkeeper dat hij haar de hele fles Stolichnaya moet geven.'

'Dat is geen schokkende ontwikkeling,' zei Jo.

'Even daarna kiekte diezelfde burger een man die het Hyatt via de leveranciersuitgang verliet.'

Ze liepen de heuvel af. Jo spreidde haar handen, alsof ze wilde vragen: wat wil je daarmee zeggen?

'Het was avond, maar de sensatiebladen hebben de foto uitvergroot. Er is geen twijfel mogelijk. Het is Robert McFarland.' Tang stak een sigaret op. 'Leve de president.'

21

'Kun je bewijzen dat ze elkaar gesproken hebben?' vroeg Jo.

'Ik was al bang dat je dat zou vragen.'

'Maar jij denkt toch ook niet dat Tasia en de president toevallig allebei voor een naaikransje in het Hyatt waren?'

'Nee. Ze voerden onder vier ogen topoverleg.'

Jo's hart roffelde als een conga. 'Tijdens een persconferentie in het Witte Huis vroeg een verslaggever gisteravond aan McFarland of hij Tasia de laatste tijd nog had gesproken. McFarland zei nee.' In gedachten ging ze het gesprek nog eens na. 'Ik weet zeker dat hij nee zei.'

'Dan loog hij.'

'Dat betekent...'

'Ik wil het je niet horen zeggen,' zei Tang. 'Ik weet wat het betekent. Het betekent dat je je vinger in een stopcontact steekt.'

Tang had gelijk. De implicaties golfden als een muur van water over Jo heen. Ze vervulden haar tegelijkertijd met angst en opwinding.

'Zal ik het algemene nummer van het Witte Huis bellen, of kun je me het nummer van McFarlands secretaresse bezorgen?' vroeg ze.

Het was een eitje geweest om een gesprek met Searle Lecroix te regelen. Een zachtgekookt eitje. De president van de Verenigde Staten was een heel ander verhaal. En rechtstreeks informeren naar een ontmoeting met zijn ex-vrouw, die drie dagen voordat ze door zijn pistool was gedood had plaatsgevonden, zou net zo lastig worden als een lasso om een vliegende langeafstandsraket werpen.

Tang liet Jo voor het UCSF Medical Center achter, maar gaf haar eerst een lijst met namen en telefoonnummers in het Witte Huis. Jo liet haar blik over Parnassus Avenue en de lagergelegen delen van de stad dwalen. Ze tuurde langs de bleke stenen St. Ignatius Church en de University of San Francisco over de beboste heuvels van het Presidio naar de Golden Gate Bridge. In het zonlicht glinsterden de Stille Oceaan en de baai als kwikzilver.

Ze pakte haar telefoon. Het was nu eenmaal onmogelijk om McFarland via Facebook te bereiken, te reageren op een *tweet* van de first lady of de rozentuin van het Witte Huis binnen te dringen en op het raam van het Oval Office te kloppen.

Ze schraapte haar keel. Ze was een vakvrouw. Ze had de plicht en het gezag om dit te doen. Ze toetste het algemene nummer van het Witte Huis in.

'Het Witte Huis.'

Ze onderdrukte een jammerkreetje en de drang om 'o god o god' te piepen. In plaats daarvan vroeg ze naar Sylvia Obote, de secretaresse van de president. Toen Obote opnam met 'de werkkamer van de president', hoorde Jo haar eigen stem wobbelen als een fietswiel met een slag erin.

'U spreekt met dokter Johanna Beckett. Ik bel u vanuit San Francisco.'

'Wat kan ik voor u doen?'

Doe gewoon je verhaal. Het feit dat je het hebt gewaagd te bellen, betekent echt niet dat deze vrouw je niet meer toelaat bij de rondleidingen door het Witte Huis. 'Ik voer voor de politie van San Francisco een psychologische autopsie uit op Fawn Tasia McFarland.'

Stilte.

'Ik reconstrueer haar laatste levensdagen. Het is van belang dat ik de president te spreken krijg over zijn ontmoeting met haar.'

Waarschijnlijk had Obote zo'n soort telefoontje al verwacht. 'Als u mij uw gegevens, getuigschriften en een vragenlijst doormailt, geef ik ze door aan onze juridische dienst.'

'Graag. Ik ben blij met alle informatie die de president me kan ge-

116

ven, en ik besef dat zijn tijd kostbaar is.' Een beetje slijmen kon geen kwaad. 'Maar er is haast geboden bij het onderzoek. Als ik de president rechtstreeks zou kunnen spreken, zou dat nog waardevoller zijn dan e-mailverkeer.'

Obote dreunde een e-mailadres op. 'Ik zal uw verzoek aan de juiste mensen doorgeven.'

'Dank u wel, mevrouw Obote.'

Obote beëindigde het gesprek. Jo hield de telefoon vast alsof die roodgloeiend was. Ging Obote nu weer verder met het vijlen van haar nagels en het verplaatsen van piepkleine legertjes op het Riskbord op haar bureau? Of waren er nu al zwarte helikopters, afluistermicrofoons en mannen met oortjes onderweg naar haar huis op Russian Hill?

Misschien ontstond paranoia wel op deze manier.

Toen Jo Gabes oprit op reed, hing Venus vlak boven de heuvels in het westen. Gabe bewoonde een huis met twee slaapkamers, dat onder een groenblijvende eik in een rustige, kinderrijke straat van Noe Valley stond. Zijn 4Runner stond op de oprit en de bladeren van de eik ritselden in de avondwind. Ze klopte op de deur.

Toen Gabe opendeed, stond hij met zijn gezicht in de schaduw. Zelfs nu ze zijn ogen niet kon zien, wist ze dat hij uitgeput was.

Ze bleef op de stoep staan. 'Komt het slecht uit?'

Hij trok haar naar binnen, sloeg zijn armen om haar heen en begroef zijn gezicht in haar haren. 'Nooit.'

De lampen gaven amberkleurig licht. Binnen rook het naar sterke koffie. Op de salontafel in de woonkamer stond zijn opengeklapte laptop.

'Hoe is het met Sophie?' vroeg Jo.

'Die slaapt als een zombie. En ze kreunt en kotst.'

Met zijn arm om haar schouder liep hij naar de woonkamer, waar hij zich op de bank liet vallen en haar naast zich op de kussens trok. Aan de muur hingen foto's van de Golden Gate Bridge en de Hindoekoesj naast waterverftekeningen van Sophie in krachtige blauw- en groentinten. Naast de computer was een nagekeken hoofdstuk van zijn scriptie slordig op een exemplaar van Kierkegaards *Of/of* neergelegd. Hij staarde er met een wezenloze blik naar.

Telkens wanneer Jo hem vroeg waarom hij voor een studie theologie had gekozen, gaf hij haar luchtige redenen. Zijn favoriete antwoord was: 'Ik was een braaf misdienaartje.'

Maar er waren maar weinig luchtmachtmilitairen voor wie een studie katholieke moraaltheologie een carrièrekeuze was. Tijdens zijn colleges kon hij bijkomen van de ruwe wereld waarin hij werkte, maar Jo vermoedde dat hij persoonlijke motieven had om het universum te willen doorgronden. Misschien was het een verlangen naar aansluiting of een pijn die hij wilde verzachten. Hij hield zich niet bezig met mystiek. Hij onderwierp zich niet aan doctrines en hunkerde ook niet naar stigmata. Soms dook hij weg in zijn studie, een poging om aansluiting te krijgen bij de eeuwigheid rond de gebroken wereld van tijd en ruimte waarin hij rondstrompelde.

Soms vond ze dat wel mooi, maar op andere momenten voelde ze een klauwende hand in haar borst en wenste ze dat hij in haar leven zou duiken.

En Gabes meditatieve kant stond haaks op zijn vak als parajumper. Op Moffett Field stond het motto van Pararescue met manshoge letters op de muur van een hangar gekalkt: OPDAT ANDEREN BLIJVEN LEVEN. Met die woorden in het achterhoofd sprong hij elke dag letterlijk in de afgrond.

Zijn directe superieur had wel eens schertsend tegen Jo gezegd dat het werk van een parajumper neerkwam op 'een speelkwartier met veel speelgoed'. Bij hun zoek- en reddingsmissies moesten ze skydiven en bestuurden ze sneeuwscooters, jetski's en quads – soms rechtstreeks van de laadplank van een transportvliegtuig. Ze deden aan scubaduiken en sprongen uit helikopters en militaire vliegtuigen. Ze verdienden geen filmsterrensalaris. Ze waren ook niet beroemd, zoals Delta Force of de Navy SEALS. Ze aten adrenaline als ontbijt, lunch en avondeten, en soms werden ze in het heetst van de strijd aan het front gedropt om op het slagveld mensen te redden en operaties uit te voeren.

Soms vlogen ze achthonderd kilometer de zee op om de opvarenden van een brandend schip te redden. Ze verstrengelde haar vingers met de zijne. Zijn gezicht was bleek.

'Toen we het koopvaardijschip bereikten, was het al aan het zinken. De brand was ontstaan in de machinekamer en was onbeheersbaar geworden tegen de tijd dat wij arriveerden,' vertelde hij. 'Drie bemanningsleden waren al omgekomen door de brand, of beneden-deks verdronken. Achttien anderen waren in het water gesprongen. Slechts de helft van hen had vooraf een overlevingspak aangetrokken. En driekwart van hen kon niet zwemmen.'

'Een zwarte dag,' zei ze.

'We hebben vier mannen kunnen redden.'

'Goddank.'

Hij knikte, maar Jo voelde dat hij nog niet klaar was met zijn verhaal. Ze hield zijn hand vast terwijl hij achteroverleunde en zijn ogen sloot.

'Dave Rabin is gewond geraakt.'

'Ernstig?'

'Een scheidingswand begaf het door de hitte van het vuur, knalde los en raakte Dave tegen het achterhoofd.'

'Waar is hij nu?'

'Intensive care van het General. Hij ligt in coma.'

Hoewel het tegen haar intuïtie indruiste, probeerde ze hem niet te troosten. Ze hield alleen maar zijn hand vast. Gabe voegde verder niets meer toe aan zijn korte verslag. Hij wilde er niet over praten. Net zoals hij niet over zijn verleden en zijn tijd bij de luchtmacht wilde praten.

Ze wist dat hij in haar bijzijn geen zwakheid wilde tonen, en dat hij het vervelend vond als ze zich zorgen om hem maakte. Hij had liever dat ze achter hem stond. Daarnaast was ze arts. Ze zou liegen als ze nu geruststellende opmerkingen over Rabins toestand en zijn kans op overleving en herstel maakte.

Gabe wreef hard met zijn handen over zijn gezicht. Uiteindelijk draaide hij zich naar haar toe. Het licht was warm, en zijn ogen leken bezorgd en verlangend. Zwijgend stond hij op en nam hij haar mee naar boven.

Hij deed de slaapkamerdeur dicht. Het licht was uit, het raam stond open. Achter de pruimenbomen, de talloze daken en de kluwen van telefoon- en elektriciteitsdraden die de stad rijk was, had de hemel in het westen een diepe indigoblauwe kleur gekregen. Boven hen leek het sterren te regenen.

Hij tilde haar op en legde haar met een zwaai op het bed. Hij kwam boven op haar liggen, kamde met zijn vingers door haar haren en kuste haar.

Daarna trok hij haar trui over haar hoofd en trok zij onhandig zijn T-shirt uit. Hij duwde haar tegen het kussen en trok een spoor van kusjes over haar hals, borstkas en ribben. Hij maakte haar spijkerbroek los en kuste haar navel.

In het schemerige licht zag ze de blauwe plekken in zijn nek. Ze liepen in een nijdige lijn over zijn sleutelbeen en de rechterkant van zijn borstkas. Ze zag de oude littekens bij zijn heup, waarover hij niet wilde praten. De littekens die hij haar nog altijd een keer moest uitleggen.

Jo probeerde het tempo af te zwakken, maar hij was hongerig en leek naar haar te hunkeren. Hij gooide de dekens op de grond en sjorde haar naar het midden van het bed.

Hij keek haar niet aan, maar legde zijn hoofd naast het hare en wikkelde zijn ledematen om haar heen. Zijn hart bonkte tegen haar borstkas. Een deel van haar wilde iets zeggen, even wachten, genieten van zijn lichaam tegen het hare, hem vertellen wat hij voor haar betekende, verwoorden dat ze het vreselijk vond dat hij zich zo ellendig voelde. Maar in het donker, op drift in zijn verdriet en spijt, wilde hij alleen maar bewijzen dat hij nog leefde. Ze vrijden verhit met elkaar, waarbij ze zich aan elkaar vastklampten en bezweet raakten. Tegen het einde stak ze haar armen uit om het hoofdeinde beet te grijpen en steun te zoeken. Hij bleef diep in haar stoten, zijn ogen stijf dichtgeknepen, en ze beet in zijn schouder om haar kreet te onderdrukken.

Na afloop hield hij haar hijgend een poos stevig vast. Daarna rolde hij zich uitgeput op zijn rug. Hij trok haar tegen zich aan en streelde over haar haren.

Eindelijk fluisterde hij in haar oor: 'Dank je.'

Blijf bij me, wilde ze zeggen. Trek je niet terug. Laat me binnen. Wees van mij. Maar terwijl hij naar het plafond staarde, deed ze haar ogen dicht en zei ze: 'Graag gedaan.'

22

De ochtendzon brandde op het zilverkleurige metaal van de geparkeerde auto's bij Blue Eagle Security. In een hoek van de garage zat Ivory met een blikje Mountain Dew wijdbeens achter een bureau met een computer. Haar zwarte werkschoenen tikten op de maat van de stuiterende zenuwen in haar hoofd. Ze las de recentste boodschap van Tom Paine. *Tasia heeft ons gewaarschuwd. Ze kwam gewapend met het pistool van de jakhals naar het concert. Ze stak het omhoog.*

Ivory fluisterde de rest: "'Haar boodschap had niet luider kunnen klinken: Ware Amerikanen laten zich niet als makke schapen aan de kant zetten.'"

Het bureau was een smoezelig tafeltje vol paperassen en onderhoudsboekjes. Keyes doemde naast haar op en zag dat ze had ingelogd op Tree of Liberty. 'Wil je soms op straat worden getrapt?'

'Ik wis de browsergeschiedenis heus wel. Ik ben niet achterlijk, hoor.'

Toch keek ze even om zich heen. Een gepantserde wagen reed met een rommelend geluid en een stinkende dieselwolk achter zich aan het parkeerterrein af. Keyes zwaaide naar de chauffeur.

Ivory tikte op het scherm. 'Die inbraak gisteren in Tasia's huis, die is door de regering gepleegd. De politie heeft het aantal patrouilles opgevoerd en is op zoek naar de indringer. Dat is een prachtig excuus om wegversperringen neer te zetten en de National Guard erbij te halen.'

'Weet je zeker dat de politie in Tasia's huis heeft ingebroken? Was het geen aardworm die zich een fan noemde?' vroeg Keyes.

Ivory bloosde. Waarom bracht hij haar nu in verlegenheid? Haar gezicht gloeide en ze bedekte haar wangen met haar handen. Ze had een hekel aan kleur. Vanaf haar sneeuwachtige haar tot haar gelakte teennagels was ze wit, en alles ertussenin was gebleekt. Ze was puur.

Tasia was ook puur geweest, een blondine, goudkleurig. 'Tasia had lid van de Walkure-zusterschap kunnen zijn. Ze zou gewroken moeten worden.'

Keyes draaide haar met stoel en al naar zich toe en zette zijn handen op de armleuningen. 'Dit gaat niet om jullie gevangenisbende van blank uitschot. Het gaat erom dat deze stad geen gevangenis mag worden. Dat dit een vrij land blijft.'

Ze keek naar de vloer en knikte. Als de kop van een lucifer lag San Francisco aan het uiteinde van een schiereiland. Het schiereiland was tien kilometer lang, tien kilometer breed en werd omringd door een woeste branding, ijzige getijdenstromen en gevaarlijke zeestromingen. Als je de snelwegen naar het zuiden blokkeerde, de bruggen opblies en de veerboten liet zinken, kon je de stad van de rest van de wereld afsluiten. San Francisco was bepaald geen Malibu. De stad was een vesting. En vlakbij, in de baai, lag Alcatraz, het perfecte concentratiekamp.

Ze zag dat hij zich zorgen maakte. Ze zag het op zijn krachtige gezicht. Hij staarde langs haar heen naar het computerscherm. *Neem het voortouw, volg de leider of ga aan de kant, schreef Thomas Paine al.*

Wie doet er mee?

Ivory wist niet wat er was gebeurd toen Keyes in het buitenland voor een particulier militair bedrijf had gewerkt, maar na de verkiezing van Robert McFarland was hij ontslagen. Keyes dacht dat McFarland mensen als hij de schuld wilde geven van een buitenlands beleid waarvan men zich inmiddels had afgekeerd. Tulbanddragers afschieten en met oorlogsbuit naar huis komen – als je een eerbiedwaardige traditie volgde, kon je tegenwoordig vervolgd worden. Ondertussen boog McFarland het hoofd voor buitenlandse koningen. Keyes vervoerde miljoenen dollars in zijn auto, en naar wie gingen die? Arabieren en Joden. De tulbanden verkochten hun olie aan Amerika, de zionisten stopten de rente in hun zak – en alles ging via de centrale bank hier in San Francisco.

Dat was een van de redenen waarom hij belasting weigerde te betalen. Om die reden zat de regering trouwens ook achter hem aan, maar die blik, die woede, was weer in zijn ogen te lezen.

'Aan de kant,' zei hij.

Ze schoof haastig aan de kant en hij nam het toetsenbord van haar over. Hij tikte een bericht aan Tom Paine van Tree of Liberty.

De macht en de kracht van het despotisme bestaan volledig uit de vrees voor verzet, schreef Thomas Paine vroeger al.

Ik verzet me. Neem buiten het forum om contact met me op.

Jo was alleen toen ze wakker werd. Het was nog vroeg en buiten hing de ochtendmist als een deken over Noe Valley heen. Ze trof Gabe beneden in de keuken aan, waar hij al een halve pot koffie had leeggedronken. In zijn hand had hij zijn mobieltje. Hij tikte ermee tegen het hakblok, alsof hij het daarmee kon dwingen te gaan rinkelen.

'Nog nieuws over Rabin?' vroeg ze.

Hij schudde zijn hoofd.

Toen ze thuiskwam liep ze naar haar werkkamer om te kijken of er e-mails waren binnengekomen. Er waren geen berichten van het Witte Huis. Maar wat had ze dan verwacht, een feestelijke tros heliumballonnen?

Ze ging aan haar bureau zitten, zette Tasia McFarlands mobieltje aan en dook in de angstaanjagende e-mails die Tasia van Aartsengel x had gekregen.

De eerste was in maart verstuurd. *Hoi Tasia. Ben een enorme fan van je. Ik las net dat je aan de* Bad Dogs and Bullets-*tournee gaat meedoen. Fantastisch!! Klopt alles wat ik in de popblaadjes lees? (Haha.) Wanneer komt je nieuwe album uit?*

Het mailtje was ondertekend met NMP.

Het duurde drie weken voordat Tasia reageerde, maar ze schreef terug. *Hallo* NMP – *leuk om te horen dat je fan bent. Het nieuwe album komt op 30 maart uit. Groeten, Tasia.*

Een halfuur later kwam er een reactie van NMP. *O, wauw, kwam dat bericht echt van jou? Ik dacht dat een beroemdheid als jij slaafjes zou hebben om haar e-mails te beantwoorden. Thx voor de info over je album. Maar hoe zit het met de popbladen? Zijn alle roddels waar?* NMP.

Tasia had niet meer gereageerd, en vier weken lang waren er geen mailtjes meer binnengekomen. Maar op 30 april schreef Aartsengel x: *Sodeju, ik heb net je nieuwe single gehoord. Geweldig. Je stem klinkt heel zuiver. Maar ik kijk halsreikend uit naar je duetten. Kimber Holloway? Searle Lecroix? Dat moet wel vette muziek opleveren. Peace,* NMP.

Vijf dagen later kwam de reactie van Tasia. *Hartelijk bedankt!*

Kennelijk hadden die twee woorden de kraan opengedraaid. Twintig minuten nadat Tasia het bericht had verzonden, schreef NMP terug, een epistel dat Jo alleen maar kon classificeren als een cri du coeur. De kreet van een krampachtig bewegend, ijzingwekkend, oververhit hart. *Nu ik merk dat mijn berichten je blij maken, moet ik be-kennen dat ik heel lang heb uitgekeken naar deze tournee.*

NMP begon verder uit te weiden over '*mijn jarenlange, complexe lief-de voor muziek, die tijdens mijn jeugd ontkiemde en tijdens een pijnlijke puberteit bleef floreren*'. De toon werd steeds intiemer, alsof NMP dacht dat ze door Tasia's standaardantwoord op de fanmail boezemvrien-den waren geworden.

Tasia reageerde niet.

NMP schreef: *Even voor de zekerheid: heb je mijn mailtje gekregen?*

Ook daarop reageerde Tasia niet. Vervolgens stuurde NMP haar wel zeventig e-mails vol links naar grappige filmpjes. Maar onder de luchtige façade lag een hunkering naar contact, en hij leek er steeds stoutmoediger van uit te gaan dat er een bepaalde intimiteit tussen hen bestond. De eerste tien berichten waren hoopvol, alsof NMP een puppy met wat lekkers naar zich toe probeerde te lokken. Daarna werden ze een poosje volgens een zeker ritme verstuurd: NMP stuur-de elke ochtend, middag en avond aforismen en grappige links.

Jo wreef in haar ogen. Een ingehouden angst groeide uit tot een sterker vermoeden.

Aartsengel X, of NMP, leek een volwassene te zijn. Hij maakte een geletterde indruk en gebruikte volledige zinnen zonder grammati-cale fouten. Jo vermoedde dat Engels zijn moedertaal was, dat hij een redelijk goede opleiding had gehad en dat hij blank was, gezien het feit dat alle musici die in de e-mails werden genoemd Nash-ville-sterren uit de middenklasse waren.

Toen zijn puppybrokjes er niet in slaagden Tasia een reactie te ontlokken, schreef hij uiteindelijk: *Ik noem mezelf Aartsengel omdat ik ben vernoemd naar de aartsengel Michaël. En net als hij ben ik een be-schermer. Beschouw mij maar als een beschermengel. Je kunt me vertrou-wen.*

Tasia reageerde niet.

De volgende e-mails kwamen stootsgewijs en in groepjes, vijfen-twintig of dertig kort achter elkaar. De toon werd opdringerig en rancuneus. *Ik las op internet dat je het met Searle Lecroix doet. Dat is toch niet waar, hè?*

Toen Tasia voor de driehonderdste keer niet reageerde, schreef NMP: *Wie zei dat jij een relatie met Searle mocht hebben?*

Jo zuchtte. Een stalker, honderd procent zeker. *Hou je van Searle? Waarom doe je dit?*

Tot hij uiteindelijk schreef: *Slet.*

Daarna kwam er eindelijk een reactie van Tasia. *Vanaf nu zullen al je e-mails worden gewist.*

En de toon van Aartsengels reacties veranderde. *Zo, je hebt dus eindelijk genoeg moed verzameld om te reageren. Dat heeft een poos geduurd, laffe trut. Ik dacht dat je mijn vriendin was, dat je me begreep. Maar nu blijkt dat je mijn berichten gewoon wist. Dat is een klap in mijn gezicht. Schaam je je? Geneer je je, smerige* SLET *die je bent?*

De volgende e-mail bestond uit een lijst waarin Tasia met Pol Pot, Lucrezia Borgia, Cruella De Vil en vierhonderd andere schurken werd vergeleken.

Jo keek in Tasia's Postvak Uit. Het *al je e-mails worden gewist*-bericht was het laatste wat ze had verstuurd. Jo vroeg zich af of ze daarna nog wel eens haar e-mails had gelezen. Of had ze helemaal niet meer naar het mobieltje omgekeken? Uiteindelijk was ze het vergeten en had ze het bij haar zus laten liggen.

Wist ze dat Aartsengel x jacht op haar maakte?

Jo belde Tang. 'Ik twijfel er niet aan dat Aartsengel x Tasia stalkte. Misschien bleef het bij cyberstalken, maar de laatste e-mails zijn verontrustend.'

'Enig idee wie het is?' vroeg Tang.

'Nog niet. Ik heb nog geen naam. Maar die persoon zegt dat hij naar aartsengel Michaël is vernoemd, en de letters NMP zouden initialen kunnen zijn.'

'Geslacht?'

'Bedoel je of Aartsengel eigenlijk de mooie, jonge Irina Bendova uit Archangelsk is die met me wil trouwen?' vroeg Jo.

'Kun je ze door een van die programma's halen die je vertellen of de schrijfstijl mannelijk of vrouwelijk is?' informeerde Tang.

'Die zijn waardeloos. Volgens die dingen ben ik een grotere macho dan Steven Seagal,' zei Jo. 'Ik heb het e-mailadres van Aartsengel x. Kun je dat natrekken en me een naam bezorgen?'

Er viel een geladen stilte. 'Misschien. Het zal wel even duren.'

Jo keek weer naar de stroom e-mails. 'Ik denk dat Tasia een aantal van deze e-mails niet heeft gelezen. Tegen het einde, lang nadat

Tasia voor het laatst had gereageerd, schreef Aartsengel: "Voel je je soms beter dan een ander?"'

'Leuk.'

'Aartsengel wordt steeds bezorgder over de roddelbladen en het gerucht dat Tasia iets met Searle Lecroix heeft.'

'Dat werd genoemd in elk showbizzjournaal.'

'Dit is wat me zorgen baart.' Jo liet haar vinger over de rij e-mail-berichten glijden. 'Ik schat dat de laatste vijfhonderd e-mails bena-drukken hoe vreselijk het voor NMP is dat Tasia een verhouding heeft.'

'Wat is de toon?'

'Jaloezie. Bezitterigheid. Als ik puur naar deze e-mails kijk, zou ik niet durven zeggen dat Aartsengel van plan is haar te vermoorden. De berichten bevatten geen openlijke dreigementen, maar ze zijn wel agressief en verontrustend. Luister maar. "Wat doe je me aan? Ik kan hier niet tegen."'

'Dat zou ik kunnen interpreteren als een dreigement.'

'Of als een smeekbede. Hier is er nog een: "Het deugt niet. Waar-om doe je dit? Moet je nu per se Searle hebben? Er zijn ook nog an-deren die je kunt krijgen. En ondertussen moet ik maar wachten... Egoïstische trut."'

'Klinkt als een arrogante tiener.'

'Of een fan die bezeten is van zijn idool. "Je breekt mijn hart. Als jij niet met Searle breekt, doet NMP het voor je."'

Tang zweeg even. 'Dat is een dreigement. En "NMP"? Verwijst hij naar zichzelf in de derde persoon?'

'Ja,' antwoordde Jo. 'En hij heeft ook foto's gestuurd. Porno. Ver-ontrustende foto's.'

Opeens klonk Tangs stem vermoeid. 'Ik luister.'

'In het mailtje staat: "Heb je dit ooit gedaan?" Op de foto staat een naakte man die seks heeft met een reusachtige schorpioen. De staart van de schorpioen zwaait tussen de benen van de man omhoog en staat op het punt om zijn gigantische gifstekel in de man te ram-men.'

Tang was even stil. 'Kun je daar psychologische conclusies uit trek-ken?'

'Een heleboel,' antwoordde Jo. 'En nu komt het griezelige, Amy. Na al dat hysterische gedoe schreef NMP: "Tot ziens in San Francisco. Ik heb al een kaartje gekocht."'

'Beckett, dat is een goed aanknopingspunt.'

'Mooi.'

'Er hebben veertigduizend mensen kaartjes gekocht, maar het ís een houvast.'

'Misschien was Aartsengel x bij het concert aanwezig. Misschien heeft hij haar aangesproken. Kun je erachter komen van wie dat e-mailaccount is?'

'Er zal wel een dagvaarding voor nodig zijn. En voordat je het zegt: ik ga erachteraan.'

'Hoe lang duurt dat?'

'Ik kan niets beloven. Misschien wel dagen.'

'Zijn er aanwijzingen dat de stalker Tasia volgde? Aanklachten bij de politie, verzoeken om een contactverbod, vandalisme, inbraken in...'

Ze hield op met praten.

'In Tasia's huis?' vroeg Tang.

'Zat ik net aan te denken. De man met de bivakmuts. De indringer.'

Tang zweeg even. 'Dat zou een heel nieuw licht op deze zaak werpen.'

'Kun je daarachter komen?'

'Ik bel je nog.'

'Amy, als dit klopt, zijn ze je eeuwig dankbaar. Dan neem je de aandacht van de politieke intriges weg en kun je een onvervalste stalker als dader aanwijzen.'

'Mijn hemel, wat ben jij machiavellistisch. Ik wist niet dat je het in je had.'

Toen Jo ophing, was ze geagiteerd en voelde ze zich opgelaten. Zelfs nu ze veertienhonderd e-mails van Aartsengel had gelezen, had ze het gevoel dat ze iets over het hoofd zag. Er ontging haar een bepaalde toonbuiging, een onderliggende boodschap. Er smeulde iets onder de oppervlakte van Aartsengels woorden, als een brand in een ondergrondse steenkoollaag.

Ze wilde niet wachten tot ze meer informatie over Aartsengel x kreeg. Ze pakte haar computer en ging op zoek naar Ferd Bismuth.

23

Paine deed de deur dicht en schoof de gordijnen open. Het in mist gehulde centrum van San Francisco staarde sloom en nietsvermoedend terug. Hij was moe en ging gebukt onder tijdsdruk toen hij achter de computer ging zitten en op Tree of Liberty inlogde.

De onrust trilde als een metaalkabel door zijn armen. De veiligheidsinstanties van de regering cirkelden om hem heen. Een indringer had in Tasia's huis ingebroken. En vandaag had hij het opzienbarende nieuws gehoord. Robert McFarland kon niet langer aan de gevolgen van Tasia's dood ontsnappen. Er was een kritiek punt bereikt.

Het werd nu tijd om terug te vechten. Hij begon te schrijven.

In de Veroverde Staten van Amerika worden burgers tegenwoordig door de politie achter slot en grendel gezet als ze zich verzetten tegen het feit dat ze geen macht over hun eigen leven hebben. Als je je mond opendoet, krijg je handboeien om. De boodschap is: buig het hoofd en laat alles over je heen komen.
Hartelijk dank, meneer, mag ik nog een keer?
Ten grondslag daaraan ligt de meedogenloze drang naar macht. De autoriteiten willen ons weerloos en vernederd zien: kuddedieren die ze aan hun luimen en slachtingen kunnen onderwerpen. Als het politieoptreden begint, blijven we dan namelijk stilstaan om ons de keel te laten afsnijden.

Een grijze hitte liet de randen van zijn gezichtsveld krullen. De inval van die indringer in Tasia's huis was ronduit krankzinnig. Camouflagekleding en een bivakmuts, en dat midden op de dag... Bizar. Dit was een dramatische escalatie, een teken dat de zaak op het punt stond in te storten.

Het begon menens te worden, en de hielenlikkers van de Veroveraar zouden alles op alles zetten. Ze hadden het op hem voorzien, ze wilden hem vermoorden.

Dat was niets nieuws. De autoriteiten kwamen altijd achter hem aan. In het leger had de militaire politie hem in de barakken omsingeld. Ze hadden daar gestaan met hun glanzende helmen, hun holsters open, en ze hadden hem zijn wapen afgepakt.

Zijn huid begon te gloeien van vernedering. Hij was er nooit achter gekomen wie hem dat ongeluk met het geweer in de schoenen had geschoven. Garcia? Dat was de logische conclusie, maar op dat moment had Garcia volledig in het verband en aan een morfine-infuus in het ziekenhuis gelegen, een freak met één oog en drie vingers. Iedereen was bezorgd om hém geweest. Ze hadden de samenzwering tegen Paine genegeerd.

De grijze hitte kroop over zijn nek en leek zich om zijn keel te vouwen. Paine tikte gejaagd op de toetsen. Hij kon niet snel genoeg typen.

De jakhals wil zijn eigen burgerij ontwapenen, zich tegenover de wereld verontschuldigen en de sleutels van ons land aan het buitenland geven.
Word wakker. Verzet tegen onbillijk gezag is niet alleen jullie recht, het is jullie plicht. Het is geen misdaad om het bloed van despoten te vergieten. Het is zelfverdediging.

Nooit had iemand beseft hoe ernstig hij was bedreigd. In zijn tienertijd hadden de stoere binken uit de klas hem tegen de tegels in de douches aan gedrukt. Maar als hij dan wilde aantonen dat hij geen watje was, en de kleinere kinderen in het bijzijn van de binken zo hard duwde dat ze tegen de kranen aan vielen, werd híj aan zijn nekvel naar de kamer van de rector gesleept.

En vervolgens had hij de rector achter de deur van diens werkkamer met de decaan horen praten. 'Hij klaagt dat hij wordt gepest, maar hij is zo sarcastisch en wraakzuchtig dat hij het zelf uitlokt.'

De decaan had beweerd dat híj de pestkop was. Ze had hem een wijze les geleerd: mensen met gezag willen je alleen maar onder de duim houden.

Hij had er veel plezier aan beleefd om de stationcar van de decaan in brand te steken, maar de voldoening was van korte duur geweest. Het was jammer dat haar oude bordercollie achterin had liggen slapen. Maar ja, ze had die hond nooit in de auto moeten achterlaten.

Dat was haar eigen schuld geweest.

En dat was het begin van zijn echte carrière geworden.

Door het openstaande raam blies een zilte bries naar binnen. Hij legde zijn vingers op de toetsen.

Tja, die decaan... En zijn leraar Engels die hem openlijk van plagiaat had beschuldigd. En de sadistische drilmeester die hem in een barak vol homo's had gestopt. Al die homo's deden of ze zijn vrienden waren. Garcia wilde een biertje met hem drinken, biljarten, praten. De drilmeester deed niets, die wachtte gewoon tot hij zou bezwijken.

Hij had het heft in eigen handen moeten nemen.

Ik citeer Thomas Jefferson: De boom van de vrijheid moet
van tijd tot tijd worden gevoed met het bloed van patriotten
en tirannen.

Hij plaatste zijn verhandeling op de site. Woorden waren munitie, en hij was een semantische goochelaar, een Houdini met woorden. Maar alleen met wapens kon je de wereld echt veranderen.

Het feit dat hij verstand van wapens had, was de reden dat ze hem met een psychiatrisch etiket op zijn dossier uit het leger hadden geschopt. Hij had zich verdedigd, zich beschermd tegen de smerige dreiging. Niemand had kunnen bewijzen dat hij dusdanig met Garcia's wapen had gesjoemeld dat het ding in diens gezicht ontplofte. Ze hadden het alleen maar vermoed, en daarom hadden ze hem ontslagen.

Maar Garcia-met-de-drie-vingers had ondervonden hoeveel één persoon kon aanrichten. Als boodschap had Paine een luciferboekje op Garcia's stapelbed achtergelaten. *Wie zijn billen brandt...*

Tijdens de jaren daarna had hij nog vaak luciferboekjes naar anderen gestuurd.

Dat kloteleger. En wie was er nu president en Commandant der Strijdkrachten? Een voormalige legermajoor. Alweer een latino, een pepervreter in alle opzichten, behalve in naam. McFarland, de vijand, de illegale gastarbeider op Amerikaans grondgebied. Een tweede Garcia, maar dan nog erger. Omdat hij Tasia kapot had gemaakt.

Op het scherm verscheen een nieuwe melding. *Ik verzet me. Neem buiten het forum om contact met me op.*

Paine glimlachte. Een bericht van Keyes.

Veel mensen wilden buiten het forum om contact met hem. Ze voelden zich belangrijk als ze toegang tot hem hadden. Terecht – hij was veertien maanden bezig geweest om van Tree of Liberty een digitaal oorlogskamp te maken. Als een ware meester had hij de winden van de woede aangewakkerd. En nu was Tom Paine een icoon. Mensen probeerden indruk op hem te maken. Sommigen gingen verder dan woorden en haalden politieke stunts uit. Ze kiepten ladingen mest voor de deur van congresleden, stuurden senatoren doodsbedreigingen of droegen dijholsters met vuurwapens als ze naar gemeenteraadsvergaderingen gingen.

Maar hij wist dat Keyes echt gemotiveerd was. Keyes was een belangrijk datapunt in zijn dossiers. Door de maanden heen hadden ze achtergrondinformatie uitgewisseld, al was Paines verleden verzonnen. Keyes had voor een particulier militair bedrijf gewerkt. Hij had zich beziggehouden met wapensmokkel en geld witwassen – 'onregelmatigheden in de boeken', zoals Keyes het noemde – en was ontslagen. Hij was een ideale agent.

Paine herlas een e-mail die Keyes hem in het begin had gestuurd.

Mijn motto is: vrij leven, of sterven. Ervaring met handwapens, geweren, explosieven. Het Amerikaanse leger, een particulier militair bedrijf in Irak. Ken geen angst. Twee jaar lang 's nachts met de Freemen's Posse langs de grens met Mexico gepatrouilleerd om pepervreters te achtervolgen en smokkelwaar te confisqueren die ze stiekem over de grens ons land in wilden brengen. Geen strafblad. Nooit betrapt. Brandschoon.

De man was een dief en een lid van de burgerwacht. En hij had geen strafblad. Sommige mensen pochten met hun veroordelingen, alsof het littekens waren die hen geloofwaardig maakten in hun strijd tegen de allesverslindende overheid. Keyes ging prat op het feit dat hij géén strafblad had.

Paine had op een mailtje van hem zitten wachten, maar toch besloot hij het Keyes niet makkelijk te maken. Hij schreef: *Dat zijn slechts woorden, vriend.*

Vier minuten later kwam er een reactie van Keyes. *Ik ben geen man van woorden, maar van daden. Het is tijd om de overheid naar de kloten te helpen.*

Paine ging naar een internetprovider en maakte twee nieuwe accounts aan. Vanaf het eerste stuurde hij Keyes een mailtje.

Het zijn slechts woorden, en grove woorden bovendien. Ga je mond spoelen voordat je tegen me praat.

Er kwam vrijwel meteen een reactie van Keyes. *Sorry. Ik wilde niet onbeleefd zijn.*

Paine reageerde op het mailtje. *We hebben soldaten nodig. Patriotten. Wacht tien minuten en log dan in op een webmailadres dat ik je zal geven.* Hij gaf Keyes de informatie waarmee hij kon inloggen – een gebruikersnaam en een wachtwoord. *Kijk in het mailprogramma naar een conceptbericht. Vanaf nu schrijf ik je daar.*

Daarna logde hij in op het tweede nieuwe e-mailaccount. Hij opende een nieuw bericht en begon te typen. Hij zou het mailtje niet versturen. Hij zou het als concept bewaren en uitloggen.

Al Qaida maakte succesvol gebruik van deze techniek om boodschappen geheim te houden. Maar ook de jongens die aan de goede kant stonden konden er succes mee boeken. Er werden geen sporen van verzonden berichten achtergelaten, er vlogen geen pakketjes informatie over internet, er werden alleen dingen toegevoegd aan het conceptmailtje, dat Keyes en hij om beurten zouden lezen.

Hij schreef: *Ik heb een nieuwe taak voor je.*

Aan het kleine bureau in de garage van Blue Eagle Security las Keyes het conceptmailtje van Paine.

Ik neem aan dat je het laatste nieuws over Robert McFarland hebt gehoord. De tegenaanval begint nu.

We hebben inlichtingen nodig. Verzamel informatie over Tasia's familie, vrienden, de politie en mensen die 'onderzoek' doen naar haar dood. We moeten weten wie van hen door McFarlands agenten worden geschaduwd. En ik wil dat jij die informatie verzamelt, omdat jij schone handen hebt.

Ik heb foto's nodig.

Keyes las de zinsnede 'schone handen' nog eens. Hij had Paine slechts de halve waarheid verteld. Hij had wel degelijk een strafblad, maar dat was verzegeld omdat hij destijds nog minderjarig was geweest. Maar hij en Ivory hadden iets beters dan schone handen: twee rechterhanden. Ze waren er handig in om van identiteit te wisselen en hadden talloze paspoorten. Die van hem had hij te danken aan zijn voormalige werkgevers, die afspraken hadden gemaakt met Buitenlandse Zaken en de CIA. Officieel bestonden die identiteiten niet meer sinds hij was ontslagen, maar veel niet-militaire organisaties lieten zich er nog altijd door bedotten, om maar te zwijgen over het gemiddelde bedrijf.

En Ivory was een schuilnaam. Haar schone handen en de vervalste naam op haar rijbewijs en cv had ze te danken aan haar niksnut van een zus in Arizona, die geen idee had dat ze haar persoonsgegevens had uitgeleend.

Elke buitenlandse illegaal kon hem aan de kant schuiven en een baan in de Verenigde Staten krijgen. Nou, van hem mochten ze doodvallen. Hij en Ivory konden ook gebruikmaken van valse identiteitsbewijzen.

Hij hoefde geen moment na te denken over Paines woorden op het scherm, want hij wist dat Tom Paine veel meer was dan alleen een woordvoerder, meer dan een provocateur. Hij was een rechtschapen subversieveling, een saboteur die politieke lafaards te vuur en te zwaard bestreed om hen te dwingen noodzakelijke dingen te regelen. Tom Paine zou alles tot een goed einde brengen.

Hij schreef terug: *Ik stuur vanmiddag foto's.*

Hij logde uit en wiste de browsergeschiedenis van de computer. Het was begonnen. Hij zou iets kunnen betekenen.

24

Mistflarden kleurden de lucht op Geary Boulevard felwit. Dit deel van de boulevard was tot aan het strand recht en vlak. De gebouwen riepen een sfeer van weleer op: oude bioscopen, goed onderhouden bomen, huishoudzaken die geschilderd leken met een restje mosterdgroene verf van de halfronde metalen legergebouwen uit de Tweede Wereldoorlog. Verderop in de straat glansden de goudkleurige koepels van een Russisch-orthodoxe kerk in de zon, en op de etalageruiten stonden cyrillische opschriften. Jo zette haar auto op een parkeerplaatsje voor Compurama.

In de winkel rende het personeel als nerveuze prairiehonden rond. Twee mensen zaten ineengedoken achter de kassa iPhones te vergelijken. Jo telde tot vijf, maar toen ze haar bleven negeren, klopte ze op de toonbank.

Een van hen, een broodmagere jongen, keek op. Hij was een jaar of twintig en had een haarlok die over een oog hing.

'Ik ben op zoek naar Ferd,' zei ze.

Die jongen schudde zijn haar naar achteren en wees naar de achterkant van de winkel.

In de Compurama waren veel paden vol met computers en computerbenodigdheden geprop, en er stond ook nog een gigantisch rek met snoep en *beef jerky*. In een hoek van de winkel stond Ferd met een collega, een boomlange vrouw met een paardenstaart. Hij had een afstandsbediening in zijn hand. Jo hoorde een elektrische motor snorren en zag een voertuigje naderen.

'Is dat een robot?' vroeg Jo.

Ferd draaide zich om. Hij zette grote, verraste ogen op toen hij haar zag, maar toen gleed er een grijns over zijn gezicht. Even dacht ze dat hij op en neer zou gaan springen van opwinding.

Hij haastte zich naar haar toe. 'Dit is Ahnuld.'

Ahnuld was dertig centimeter hoog, had allerlei uitsteeksels en reed op vier dikke banden, als een Tonka-vrachtwagen. Hij was bedekt met de waarschuwingssymbolen voor gevaarlijk biologisch afval en straling. Hij zag eruit als een afstammeling van Wall-E en een dvd-speler.

'Snoezig,' zei Jo.

'Ik heb hem geleend van een vriend die in het robotlab op Berkeley werkt. Dit is het bètamodel dat later dit jaar aan een wedstrijd meedoet.'

'Een wegrace? Of gaan er robots in een afgesloten kooi knokken?' vroeg Jo.

Op het gezicht van de vrouw met de paardenstaart brak een glimlachje door. 'Hij moet met zijn navigatie een weg door de stad vinden.'

'Kijk maar.' Ferd drukte een knop in. Daarna legde hij de afstandsbediening op een schap. 'Hij rijdt in zijn eentje een rondje door de winkel, waarbij hij gebruikmaakt van ultrasone sensoren. Toe maar, Ahnuld. Rijden maar.'

Het in elkaar geflanste voertuigje reed snorrend weg, waarbij het vervaarlijk zigzagde. Ferd keek met een gelukzalige blik naar Jo, alsof ze de Heilige Maagd van Guadeloupe was. Of Barbarella.

'Ik heb een probleem,' zei ze. 'Ik moet een e-mailadres natrekken en de eigenaar vinden.'

Hij ging rechtop staan en hees zijn broek op. 'Tot je dienst. Wat weet je van hem?'

'Ik heb alleen een e-mailadres. Hotmail. En binnengekomen en verstuurde berichten.'

Ferd liet zijn tong over de binnenkant van een wang glijden. 'Bambi? Ideeën? Anders dan Whois in een database naar de domeinnaam laten zoeken of zijn ip-adres natrekken?'

'Bambi?' vroeg Jo.

'Bambi Hess,' zei de vrouw met de paardenstaart. 'We hebben elkaar ontmoet op Ferds Halloween-feest.'

Het duurde twee tellen voordat Jo haar had herkend. 'De Klingon.'

'*QaStaH nuq!*'

Ze zag eruit alsof ze een man in tweeën kon scheuren door hem bij zijn enkels te pakken en ze uit elkaar te trekken. Jo vermoedde dat ze vroeger houthakker was geweest, of anders misschien wel een echte Klingon-krijger.

'Wat is belangrijker, de identiteit van die man of de plaats waar hij zich bevindt?'

'De identiteit.' Jo dacht daar even over na. 'Maar als je erachter kunt komen waar hij is, wordt het misschien al makkelijker om te bepalen wíé hij is. En dan kan ik misschien natrekken wat hij allemaal heeft uitgespookt.' Bewijsmateriaal. Dat zou een tijdbalk en misschien ook een kaart opleveren. 'Wat zijn de mogelijkheden?'

'Dat hangt ervan af. Op zich heb je niet veel aan een e-mailadres. Iedereen kan een Hotmail-account aanmaken zonder zijn echte naam of contactgegevens in te tikken. Ken je iemand die bij Hotmail werkt? Iemand die je een naam zou kunnen toestoppen?'

'Nee, en ik ken ook niemand die ik zou kunnen omkopen, als dat je volgende suggestie is,' antwoordde Jo.

'Oké,' zei Bambi. 'Als je op een website of blog waar hij commentaar heeft achtergelaten de bevoegdheden van een admin had, zou je de *x-originating* header in zijn e-mailadres kunnen opzoeken en zijn IP-adres naar de bron kunnen traceren.'

'Ik kan op internet rondkijken of hij ergens commentaar heeft achtergelaten.'

'Dat is misschien wel nuttig.'

Ferd krabde op zijn hoofd. De Brylcreem had zijn haar in een misvormde punksculptuur veranderd. Het was stijf en vettig.

'In hoeverre vertrouw je me?' vroeg hij.

Jo trok een wenkbrauw op. 'Vraag je dat aan mij?'

'Stuur een paar e-mails van die man naar me door. Ik kan een *trace*-route proberen. Misschien kom ik dan achter de plaats waar hij inlogt. En als die plaats verandert...'

'... kun je hem volgen.'

'In theorie wel.'

'Hoe dicht kun je bij hem in de buurt komen?' vroeg ze. 'Kun je zeggen in welk land hij zit? In welke stad?'

'Als ik echt geluk heb, kan het bronadres me exact vertellen waar het vandaan komt – tot in het juiste gebouw aan toe. In een winkelcentrum bijvoorbeeld, of op een campus.'

Aartsengel x had Tasia naar de *Bad Dogs and Bullets*-tournee gevraagd. Jo vroeg zich af of het natrekken van zijn e-mails een spoor zou laten zien dat aantoonde dat hij Tasia had gevolgd.

'Dat zou heel nuttig zijn,' zei ze. 'Kun je het ook doen zonder dat hij het in de gaten heeft?'

Bambi grijnsde. 'Zonder hem rechtstreeks te mailen en te vragen: "Waar zit je, eikel"?'

Jo keek haar effen aan. 'Wie zegt dat hij een eikel is?'

'Anders zou je niet achter hem aan zitten. Hij heeft je belazerd of hij bestookt je met spam. Of hij is je ex.'

Jo maakte haar effen blik zo vlak dat er alleen nog maar een metaalachtige glans overbleef. 'Hij is mijn tegenstander in een MMR-WRPG.'

Bambi zette grote ogen op. Het woord 'huh?' leek op haar lippen te staan.

'Een *massively multiplayer real-world role-playing game*,' legde Jo uit. 'Het eerste waarin je de winst van anderen kunt bijhouden.'

136

'Wauw. Is het een echte wereld?'

'Levensecht.'

Verder wilde ze niets in het bijzijn van Bambi zeggen. Op dat moment kwam Ahnuld vrolijk zoemend de hoek om. Hij slingerde en reed tegen de schappen aan. Iemand had een blikje Pepsi aan hem vast getapet. En een sigaret.

'Succes,' zei ze.

Op het moment dat Jo de contactsleutel van de Tacoma omdraaide, ging haar telefoon.

'Dokter Beckett? U spreekt met dokter Gerald Rhee Park.'

Park was de arts die Tasia prozac had voorgeschreven. 'Fijn dat u terugbelt.'

'Ik betwijfel of ik de dood van mevrouw McFarland kan ophelderen. Ik heb haar maar twee keer gezien.'

Die opmerking verbaasde Jo. 'U hebt haar een antidepressivum voorgeschreven.'

'Ze vertoonde symptomen van een ernstige depressie, dus ik heb haar inderdaad een recept voor prozac gegeven.'

'Mag ik vragen waarom u het recept hebt uitgeschreven op naam van Fawn Hicks?'

'Om haar privacy te beschermen. En het spijt me als ik een open deur intrap, maar het gedoe rond haar dood bevestigt alleen maar dat ze er goed aan deed om voorzichtig te zijn. Op het recept heb ik haar eerste naam en haar meisjesnaam gezet, die allebei op haar rijbewijs stonden.'

'Maar dat betekende ook dat een apotheek het recept niet naast andere recepten kon leggen om te kijken of haar medicijnen elkaar beïnvloedden.'

'Mevrouw McFarland was een volwassen vrouw, dokter Beckett.'

'Heeft ze u verteld dat er een bipolaire stoornis bij haar was vastgesteld?'

'Ze kwam bij me met duidelijke symptomen van een zware depressie. Daarvoor heb ik een recept uitgeschreven.'

Jo kneep in haar neusbrug. 'Wat is uw specialisatie?'

'Ik ben huisarts.'

'Geen psychiater?'

'Nee. En eerlijk gezegd vind ik uw insinuaties niet terecht, dokter Beckett.'

'Ik insinueer niets,' zei Jo, hoewel ze wist dat dat wel het geval was. Ze merkte dat ze steeds bozer werd. 'Het voorschrijven van een selectieve serotonine-heropnameremmer zonder een stemmingsstabilisator kon bij mevrouw McFarland een manische of gemengde episode veroorzaken.'

'Ik heb gedaan wat ik kon om mevrouw McFarland goed en professioneel te helpen.'

'Hebt u haar daarna nog terug laten komen?'

'Er heeft een telefonisch consult plaatsgevonden. Haar symptomen waren aanzienlijk afgenomen. Dus als u het niet erg vindt, wil ik dit gesprek beëindigen.'

Hij verbrak de verbinding. Waarschijnlijk om zijn advocaat te bellen, zich in te dekken tegen een proces wegens nalatigheid en misschien wel om Jo wegens laster aan te klagen.

Ze schudde haar hoofd. Park had Tasia prozac voorgeschreven, een selectieve serotonine-heropnameremmer, zonder te weten dat ze manisch-depressief was. Waarschijnlijk was ze door dat medicijn in een gemengde episode beland – stuiterend van de energie, geagiteerd en misschien wel suïcidaal.

De telefoon ging weer. Het was de receptioniste van de afdeling psychiatrie van het UCSF. 'Ik wil je even waarschuwen. Nu de media je naam weten, worden we al de hele ochtend gebeld.'

Er ging een schok van ontzetting door Jo heen. 'Wie hebben er allemaal gebeld?'

'Fox, CNN, een verslaggever van een persbureau, en er is ook iemand bij de balie geweest die naar je heeft gevraagd. Er zijn heel veel berichten voor je achtergelaten. Zal ik ze voorlezen?'

'Graag. Bedankt.' Gefrustreerd haalde ze haar hand door haar haren.

Iedereen vroeg haar terug te bellen. Ze schreef alle namen op. In de verte leek ze een rommelend geluid te horen. Een vrachttrein die op haar af denderde.

'Bel je ze terug?' vroeg de receptioniste.

'Zodra ik terug ben van mijn reis naar Mars.'

Ze startte haar auto.

Thuis begon ze zich steeds onbehaaglijker te voelen, alsof ze last had van een verergerende jeuk. Aartsengel x was onder haar huid gekropen.

Ze ijsbeerde, at een banaan met pindakaas en zette een pot koffie. Terwijl de koffie pruttelde, belde ze Tang. 'Nog nieuws?'

'Twee dingen. We hebben de eerste toxicologische uitslagen van Tasia's autopsie. Ze was clean. Geen cocaïne, geen opiaten, geen verboden middelen.'

'Voorgeschreven medicijnen?' vroeg Jo.

'Prozac.'

'Verder niets?'

'Nee.'

Na het telefoongesprek was Jo nog onrustiger dan ervoor. Ze vond het visitekaartje van de beheerder van Tasia's huis en toetste het telefoonnummer in.

'Vandalisme. Interessant dat u dat vraagt,' zei hij. 'Ik heb de verzekeringsmaatschappij van mevrouw McFarland gebeld. Er is aan de buitenkant wat schade die hersteld moet worden.'

De jeuk kroop over Jo's arm alsof er zilvervisjes over haar huid renden. 'Wat voor schade?'

'Graffiti.'

Ze was de achterdeur uit gerend en door Tasia's achtertuin gehold. Ze had geen graffiti gezien. 'Wat voor graffiti? En waar precies?'

'Op de achtermuur van het huis. En op het hek op de helling, tussen de bomen.'

'Wat stond er?' vroeg Jo.

'Ik kan u foto's sturen.'

Jo gaf hem haar e-mailadres. Toen de foto's binnenkwamen, leken de kruipende zilvervisjes nog heviger te kriebelen. 'Wanneer hebt u dit ontdekt?'

'Gisteren, na uw komst. Na de inbraak.'

Jo kon nauwelijks geloven dat ze de woorden niet had gezien, al had ze natuurlijk geen gelegenheid gehad om de buitenkant van Tasia's huis te bestuderen. En toen ze achter de indringer aan was gerend, had ze niet over haar schouder gekeken. Als ze dat wel had gedaan, zou ze geschokt zijn geweest. Op de achtermuur had iemand met druipende spuitverf de woorden 'hoer', 'slet' en 'BRAND' geschreven.

'Heeft de politie dit gezien?'

'Ja. Ik ben gisteren na het incident met een agent rond het huis gelopen.'

De graffiti misten de ervaren finesse van gangs die hun territorium markeerden, en ook de joie de vivre en het cynisme van straatkunstenaars. Het ging puur om de boodschap, nijdig en scherp.

'Hier zijn er nog een paar die op het hek boven aan de heuvel stonden. De graffiti staan op de achterkant, waar niemand ze had gezien tot de dag dat u er was,' vertelde de beheerder.

Deze waren nog erger. *Je hebt me verraden, nu moet je boeten.*

Tasia KUTWIJF SLET *spreidt haar benen voor iedereen.*

'Laat niets overschilderen. Het is bewijsmateriaal,' zei ze.

Na het telefoongesprek belde ze Tang. 'Waarom heeft niemand me iets verteld over de graffiti bij Tasia's huis?'

'Dat heet "buitenspel staan", Beckett. Maar daar hebben we het een andere keer wel over. Ik heb net met een autoverhuurbedrijf gesproken. Tasia en haar mensen hadden vóór het concert drie auto's gehuurd. Twee daarvan zijn op tijd ingeleverd, maar de derde is nooit teruggebracht naar de luchthaven.'

'Omdat Tasia er op de avond van haar dood mee naar het honkbalstadion is gereden.'

'Hij staat er nog. En raad eens?'

'Vandalen hebben zich erop uitgeleefd.'

'Extra punten voor de dodenpsych. U mag door naar de tweede ronde.'

'Wat is ermee gebeurd?'

'Met een sleutel bewerkt, banden doorgesneden, superlijm in de portiersloten.'

'Graffiti?'

'Aan de kant van de bestuurder is in de deur gekrast. Het K-woord. En dan bedoel ik niet dat ze complot verkeerd hebben gespeld.'

Jo staarde uit het raam. 'Dit ging overduidelijk verder dan cyberstalken.'

'Denk je dat Aartsengel x erachter zit?'

Jo keek naar haar computer. 'Ik ga mijn best doen om daarachter te komen.'

Tang zweeg even. 'Goed zo. Maar pas goed op jezelf. Misschien is het wel de man die jou heeft aangevallen en Chennault het ziekenhuis in heeft geslagen. Blijf over je schouder kijken.'

25

Searle Lecroix logeerde in het St. Francis. Toen Jo van de kabeltram sprong, speelde er een salsaband op Union Square. De portier van het St. Francis glimlachte en tikte aan zijn hoed toen ze naar binnen ging.

Binnen weerkaatsten de gesprekken tegen de hoge plafonds en donkere houten lambriseringen. In de lobby belde ze Lecroix via een huislijn.

'Kom maar naar mijn kamer, dokter,' zei Lecroix.

'Ik heb een tafeltje in de bar.'

De stem van Lecroix werd nog lijziger. 'De media weten dat ik hier ben. Kijk maar eens naar buiten, dan ziet u vast een rat met een camera staan.'

Jo keek door de draaideur naar buiten. Op het plein aan de overkant stond een man met een camera om zijn hals.

'Tenzij u uw gezicht graag in de sensatiebladen ziet staan onder de kop: "Psychiater ondervraagt Searle over Tasia's dood" stel ik voor dat u naar boven komt.'

'Ik kom eraan.'

Jo nam de brandtrap naar de vijfde verdieping, waar de deur van het trappenhuis geluidloos openging. In de gang hingen vergulde spiegels, waardoor iedereen zichzelf in een gouden lijst kon zien. Toen Lecroix na haar klop opendeed, kon ze haar verbazing niet verbergen.

Zijn glimlach was loom en melancholiek. 'Had u verwacht dat mijn mensen u zouden begroeten?'

Hij was net zo gekleed als tijdens het concert: van zijn kruin tot aan zijn tenen een echte cowboy. Zijn spijkerbroek was zo strak als een tourniquet, zijn laarzen hadden versleten hakken. Hij tikte even aan de rand van zijn zwarte cowboyhoed en verwelkomde haar in zijn suite.

In de zitkamer stond een akoestische gitaar tegen de zijkant van de bank. Lecroix bood haar een zitplaats aan en ging tegenover haar op een stoel zitten. De kroonluchters braken het zonlicht met een kille, splinterige glans. Op de salontafel lag bladmuziek uitgespreid. Jo zag een half voltooid lied dat 'Engel, heengevlogen' heette.

'Is het al bekend wanneer de herdenkingsdienst plaatsvindt?' vroeg ze.

'Morgenmiddag in Grace Cathedral.' Hij gebaarde naar het lied dat nog niet klaar was. 'Ik schrijf een nummer als eerbetoon aan haar. En ik ga "Amazing Grace" zingen. Dat lied ontroert me elke keer weer.' Hij legde zijn handen op zijn knieën en haalde adem.

Jo wachtte tot hij had uitgeademd. 'Mag ik u wat vragen stellen over uw relatie met Tasia?'

'Daar komt u voor,' antwoordde hij.

'Hoe lang hadden Tasia en u al een relatie?'

'Sinds februari. We ontmoetten elkaar toen we "Bull's-eye" gingen repeteren.' Van onder de rand van zijn cowboyhoed keek hij haar aan. Zijn blik was magnetisch. 'Ik mocht haar heel erg graag. Ze was een fantastische meid.'

Jo wist niet of hij het meende of dat hij die woorden had voorbereid. 'In haar huis zag ik een paar laarzen en een gitaar staan.'

'Allemaal van mij.'

'Hebt u de nacht vóór het concert bij haar doorgebracht?'

'Ik was bij haar thuis, maar ze was de hele nacht nieuwe nummers aan het schrijven. Ze was onvermoeibaar. Ze was al wakker sinds – jeetje, op dat moment was ze al vijf dagen niet meer naar bed geweest.'

'Kunt u me iets vertellen over haar stemming?' vroeg Jo.

'Welke?' Heel even glimlachte hij. Toen het lachje verdween, bleef er een nabeeld van verdriet achter.

'Begint u maar bij het begin. Hoe was ze toen u haar ontmoette?' vroeg Jo.

'Eén bonk bruisende energie. Gezellig en grappig. En creatief, mijn god, er bleven maar nummers uit haar stromen. En ze kon ontzettend goed zingen.'

'Wanneer veranderde dat?' vroeg Jo.

Hij pakte de gitaar. 'Rond... april. Het was alsof ze in een afgrond viel. Eerst dacht ik dat er iets naars was gebeurd, problemen in de familie of zo. Maar nu denk ik dat er een depressieve episode begon.'

'Kunt u de verandering omschrijven?'

'Ze werd opgeslokt door een donkergrijze wolk. Eén keer vonden we haar in een kast in de studio. Ze zat met haar hoofd in haar handen.'

'In een kast?'

'Ze zei dat ze zo kon voorkomen dat ze haar leven ruïneerden.'

'Wie?'

'Ze. U weet wel. De beroemde "ze".'

Jo verstrengelde haar vingers. 'Zei ze wie ze daarmee bedoelde?'

'Ze had een lijst. De president stond bovenaan. Hij richtte het land te gronde. Hij geloofde niet in Amerika. Hij geloofde niet in de mannen en vrouwen die van dit land houden en er alles voor overhebben om er een succes van te maken.'

Hij zette zijn cowboyhoed af. Zijn huid was verweerd door de zon. 'Ze noemde hem nooit bij naam. Ze had het over "de president". Vindt u dat niet vreemd? En denkt u niet dat ze iets op hem projecteerde?'

'Waarom denkt u dat?'

'Als ze zei dat hij het land verwierp, dat hij het schade wilde toebrengen, dat hij het niet de liefde gaf die het verdiende – zou ze het dan niet over zichzelf hebben gehad?'

Jo deed haar best om niet te glimlachen. 'Hebt u psychologie gestudeerd, meneer Lecroix?'

'Ik heb gewoon mensenkennis.' Hij improviseerde een kort, bluesachtig stukje op de gitaar. 'En ik heb een bachelor economie aan Texas A&M behaald, met psychologie als bijvak.'

Jo leunde achterover. 'Heeft Tasia ooit gedreigd dat ze zichzelf iets zou aandoen?'

'Nee.'

'Heeft ze ooit gesuggereerd dat iemand anders haar iets wilde aandoen?'

'De geheime dienst, de chef-staf van het Witte Huis en een vent die met een religieus spandoek op Hollywood Boulevard staat. Ze was ervan overtuigd dat die man haar namens de regering in een concentratiekamp wilde stoppen.'

Hij zweeg even en las de vraag in Jo's ogen: waarom was hij bij Tasia gebleven?

Er verscheen een verdrietige blik op zijn gezicht. Zo zag hij er na het concert ook uit, dacht Jo. Ze herinnerde zich zijn onverholen verdriet toen hij Tasia dood had zien liggen.

'Toen ik al dat paranoïde gebabbel hoorde, vroeg ik me af of ik een punt achter onze relatie moest zetten. Maar ik wist dat ze een bipolaire stoornis had. En een maand geleden begon de situatie te veranderen.'

'Kunt u me daar meer over vertellen?'

'Ze kreeg veel meer energie. Ik dacht dat ze de depressiviteit misschien van zich had afgeschud en weer de oude werd.'

Het leek Jo beter om hem niet te vertellen dat het begrip 'de oude' in Tasia's geval een illusie was. De enorme stemmingswisselingen vormden onderdeel van haar persoonlijkheid. Tasia McFarland had geen evenwicht gekend.

'Wat gebeurde er?' vroeg Jo.

'Ze werd weer opgewekt. Echt vrolijk. Ze leek het heel fijn te vinden om me te zien. En dan bedoel ik écht fijn. Heel, heel erg fijn. Daarom was ik die nacht zo verschrikkelijk moe,' zei hij.

Hemel. Wist hij nu niet hoe hij het moest zeggen, of was hij een ouderwetse gentleman? 'Putte ze u lichamelijk uit?'

'Dag en nacht. Twee, drie keer per etmaal. Thuis, in de studio, in de tourbus.' Hij schudde met grote ogen zijn hoofd, bijna alsof hij zich erover verwonderde. 'En toen ik op een dag thuiskwam, stond er een nieuwe auto op mijn oprit. Het was een splinternieuwe Corvette met een grote rode strik eromheen. Die had ze voor me gekocht.'

'Wat dacht u toen?'

'Dat haar contract met de platenmaatschappij haar nog veel meer had opgeleverd dan ik had gedacht. Of dat ze me bedankte voor het feit dat ik haar...' Hij bloosde. '... dekhengst wilde zijn.'

In gedachten vinkte Jo twee symptomen aan van een manie die niet onder controle was: hyperseksualiteit en geldverkwisting.

'Hebt u haar wel eens voorgeschreven medicijnen of illegale drugs zien gebruiken?'

'Ze slikte eerst heel veel pillen, maar daar was ze mee opgehouden. Ze wilde clean zijn.'

Op dat moment wist Jo dat al haar bezorgdheid over Tasia's geestelijke instabiliteit terecht was. 'Vertelde ze welke medicijnen ze niet meer nam, en waarom ze ermee was gestopt?'

'Ze zei dat ze pillen had gekregen tegen een bepaalde chemische onbalans in haar lichaam. Maar ze vond dat ze erdoor vervlakte.'

'Op wat voor een manier?'

'Emotioneel. Ze ontnamen haar al haar vreugde, energie en creativiteit,' antwoordde hij. 'Ze had besloten om holistisch te leven en zich te focussen op positief denken. En ze had een nieuwe dokter. Ze ging niet meer naar die artsen die haar vol rotzooi hadden gestopt.'

Dat verbaasde Jo niet. Tasia was gestopt met haar medicijnen omdat ze hunkerde naar de energie en het gevoel van onoverwinnelijkheid die bij een manische episode hoorden. Vervolgens was ze met een klap in een depressie beland, maar ze was niet met haar psychiater gaan praten. In plaats daarvan was ze naar dokter Gerald Rhee Park gegaan, en ze had hem overgehaald om haar prozac voor te schrijven. Het antidepressivum had tot een gemengde episode geleid, die haar onrustig en depressief had gemaakt – en het risico op zelfmoord had vergroot.

'Kunnen we het over de vierentwintig uur voor haar dood hebben?' vroeg Jo.

Lecroix streek met zijn vingers over de hals van de gitaar. 'We bestelden telefonisch iets te eten. Ze had het te druk met nummers schrijven om uit eten te gaan.'

'Waren jullie die avond met zijn tweeën?' vroeg Jo.

'Rond negenen kwam haar coauteur langs. De ghostwriter, Ace.' Hij keek even op. 'Ze zei dat ik hem moest wegsturen.'

'Wilde ze hem niet ontvangen?'

'Ze wilde niet gestoord worden. En geloof me, daar was Ace niet blij mee.'

'Daar kan ik me iets bij voorstellen.'

'Ze negeerde hem al de hele week. Ace werd er knettergek van. Hij had een deadline waarop hij de conceptversie van de memoires moest inleveren.'

'Waarom wilde ze niet met hem praten?'

'Ik denk dat Tasia er serieus over dacht om met het project te stoppen. Ze raakte erg van streek toen haar verleden werd opgerakeld.'

'Bedoelt u haar huwelijk?' vroeg Jo.

'Ze heeft me nooit rechtstreeks iets over die jaren verteld.' Hij plukte aan de snaren van de gitaar. 'Vindt u dat raar? Wittgensteins neushoorn in de kamer en zo?'

'Ik weet het niet. Wist u dat ze Robert McFarland vorige week in Virginia heeft gesproken?'

'Nee. Ik hoorde het op het nieuws, net als iedereen.' Hij hield op met spelen. 'Ik heb geen idee waar ze het over hebben gehad. Tasia nam me niet in vertrouwen.'

Zijn blos werd nog dieper van kleur.

'Hoe dacht ze de laatste tijd over president McFarland?' vroeg Jo.

Searle verhief zijn stem. 'U hebt het nummer gehoord dat ze over hem heeft geschreven, "The Liar's Lullaby". En dat heeft ze aan mij nagelaten. Wat moet ik daar nu weer mee?'

Jo gaf hem even de tijd om af te koelen. 'In haar huis zag ik een exemplaar van *Case Closed* liggen. Was ze geïnteresseerd in de moord op Kennedy?'

'Dat boek had ze van Ace gekregen.'

'Waarom?'

Searles reactie leek nog het meest op minachtend gesnuif. 'Hij wilde haar "leren" dat ze niet in complottheorieën moest geloven. Tasia heeft het boek gelezen, maar eigenlijk interesseerde jfk haar niet. Haar belangstelling ging uit naar Jackie. Ze zei dat ze zich afvroeg hoe het was om first lady te zijn, of het erg moeilijk was om een huwelijk en kleine kinderen te combineren met een leven in de schijnwerpers.' Hij zweeg even. 'Maar ze had het vooral over de baby's die Jackie had verloren, en hoe vreselijk dat was.'

'Baby's?'

'Jackie had een miskraam gehad en was bevallen van een doodgeboren kind. En ze had een te vroeg geboren kind gekregen, dat net een paar maanden vóór Dallas was gestorven. Tasia vereenzelvigde zich met haar.' Hij liet zijn schouders zakken. 'Tasia had zelf ook een paar miskramen achter de rug. Ze werd al verdrietig en boos als ze het woord zwangerschap hoorde.' Hij zuchtte. 'Ze heeft me de details nooit verteld. Ik vroeg er ook niet naar.'

Jo probeerde de blik op zijn gezicht te peilen en deze puzzelstukjes van Tasia's leven op hun plaats te leggen. Lecroix keek naar beneden en bleef een melodie op zijn gitaar spelen.

'Heeft ze het ooit over bijdragen aan discussies op een extremistische website gehad? Ik heb het over Tree of Liberty,' zei Jo.

'Nee. Ik ben niet extreem rechts, en volgens mij was zij dat ook niet.' Er verscheen een spottende blik op zijn gezicht. 'Als ik optreed, hangt onze nationale vlag achter me, maar ze viel niet op me vanwege mijn vaderlandsliefde. Zelf was ze ook niet zo'n patriot. Ik denk dat ze uiteindelijk nooit bij een zanger zou zijn gebleven. Ze had de harten veroverd van mannen die veel machtiger waren dan ik, en voor haar bestond er geen grotere kick dan macht.'

Jo dacht even na. 'Veranderde haar houding na haar bezoek aan McFarland in Virginia?'

Zijn stem werd zachter. 'Vraagt u nu of ze daar een poging heeft gedaan om hem terug te krijgen?'

Hij klonk tegelijkertijd verdrietig, verward en trots.

'Denkt u dat dat haar doel was?' vroeg Jo.

'Ik weet het niet. Hoe moet ik met dit nieuws omgaan? Mijn vriendin heeft in een hotel een privéafspraakje met de president en ik moet het op de televisie horen.'

Hij begon weer een geïmproviseerd bluesdeuntje te spelen. De gitaarmelodie vulde de kamer, helder en schrijnend.

'De avond voor het concert, bij Tasia thuis,' zei Jo, om zijn verhaal weer op gang te helpen.

'Ace gaf het uiteindelijk op en ging weg. Tasia denderde met tweehonderd kilometer per uur door. Ik dacht dat ze rustig zou worden als ik met haar zou vrijen, maar ze bleef de hele tijd maar praten. Alsof ze de Daytona 500 live en in high definition moest verslaan.'

Jo probeerde niet te glimlachen bij dat beeld.

'Ze leek... Hebt u wel eens een paard gezien dat een doorn onder zijn zadel had? Zo'n dier wordt niet meer rustig. Zo was zij ook. Maar die nacht kwam de onoverwinnelijkheid opeens terug. Toen ik de volgende ochtend opstond, leek ze wel van staal.' Hij hield op met spelen. 'Ik wou verdomme dat ik wist wat haar dwarszat.'

'Heeft ze het wel eens over een stalker gehad?' vroeg Jo.

Hij fronste zijn wenkbrauwen. 'Nee. Werd ze door iemand achtervolgd?'

'Zou kunnen. Heeft ze het wel eens over berichten van fans gehad?'

'Ze was aardig voor haar fans. Ze wilde per se iedereen die haar schreef zelf terugschrijven. Maar ze heeft het nooit over een stalker gehad, en ik denk dat ze iets zou hebben gezegd als ze er een had. Ze zag overal dreigingen. Als er iemand achter haar aan zat, zou ze dat van de daken hebben geschreeuwd. Wat is er aan de hand?'

'Misschien was het alleen maar een kwestie van cyberstalken, maar het zou kunnen dat iemand haar naar San Francisco is gevolgd.'

'Denkt u dat ze door een stalker is doodgeschoten?'

'Ik weet het niet.'

'Goddomme.' Hij schudde zijn hoofd. 'Wat zijn er toch rare mensen op de wereld. Ik weet er alles van. Mijn huis is beveiligd en onderweg heb ik allerlei manieren om mezelf te beschermen.'

'Heel verstandig.'

Zijn blik werd peinzend. 'Denkt u dat die stalker haar moest hebben? Of ging het om degene met wie ze getrouwd was geweest?'

'Dat is een heel goede vraag.'

De verdrietige ogen van Lecroix werden ernstig. 'Wie van hen zou eerder een stalker aantrekken, de president of zij?'

'De president, dat staat vast. Maar ik weet niet of iemand die door hem geobsedeerd is ook zijn ex-vrouw kwaad zou willen doen.'

Maar ze wist iets wat Lecroix hoogstwaarschijnlijk niet wist. Stalkers pasten niet in een keurig persoonlijkheidsprofiel. Maar in San Quentin had ze er een ontmoet die de vrouw had vermoord van wie hij van tafel en bed was gescheiden. Later hoorde Jo over zijn vreemde historische obsessie, die hij met opvallend veel gewelddadige stalkers deelde: hij bleek gefascineerd te zijn door mensen die presidenten hadden vermoord.

'Kunt u me verder nog iets vertellen?' vroeg ze.

Hij aarzelde. 'Ja. Tijdens het concert dacht ik heel even dat Tasia het pistool op mij richtte. Dat zegt genoeg. Ik kende haar helemaal niet.'

Jo knikte en stond op. 'Dank u wel.'

'Belt u nu de geheime dienst?'

'Onder andere.'

'Dan kunt u maar beter opschieten. De president komt naar de uitvaart. Hij arriveert morgen in San Francisco.'

26

Terwijl Jo de trappen in het St. Francis af liep, toetste ze het nummer van Amy Tang in en liet ze een bericht achter.

'Ik heb net Searle Lecroix gesproken en ik maak me zorgen. Misschien was de aandacht van de stalker niet alleen op Tasia gericht. Ik vind dat de politie de geheime dienst moet waarschuwen.' Ze legde alles uit en voegde eraan toe: 'Het is misschien vergezocht, maar voorkomen is beter dan genezen.'

Daarna belde ze Vienna Hicks. 'Klopt de informatie die ik over de herdenkingsplechtigheid heb gekregen?'

'Grace Cathedral, morgenmiddag. Searle gaat zingen. De lieverd, hij is eigenlijk heel aardig en verlegen,' zei Vienna. 'En het klopt. "Hij" komt.'

'Robert McFarland.'

'Ik heb hem gesproken. Ik heb de informatie uit de eerste hand.' Vienna klonk tegelijkertijd bits en verwonderd. 'Ik ben ervan overtuigd dat zijn mensen het idee hebben goedgekeurd. Het zal wel goed scoren bij de kiezers dat de president de uitvaart van zijn ex-vrouw bijwoont.'

'Dus hij komt morgen naar San Francisco?' vroeg Jo.

'Wat betekent die toon in uw stem?'

Jo bereikte de begane grond, en ze maakte de branddeur open en liep naar de lobby. 'Ik moet hem spreken.'

Vienna barstte in lachen uit, een spontaan, hard geluid. 'En ik wil vleugeltjes en als Tinkelbel boven de stad vliegen om er elfenstof op te sprenkelen.'

'Hebt u een nummer waarop u hem rechtstreeks kunt bellen?'

'Nee.' Ze lachte nog een keer, maar liet het geluid wegsterven. 'Ik heb wel het nummer van zijn chef-staf.' Ze zweeg even. 'Die me zowaar een condoleancekaart heeft gestuurd.'

Jo pakte een pen. 'Heeft K.T. Lewicki een hart?'

'We kennen elkaar nog van vroeger. Hij had een zwak voor Tasia. Ik denk dat hij zelfs eerder dan Rob begreep dat ze een broze geestelijke gezondheid had. Na de scheiding hebben we contact gehouden, en hij wilde altijd van me horen of het goed met haar ging.' Haar toon werd behoedzaam. 'Waarover wilt u Rob spreken?'

'Over zijn ontmoeting met Tasia in Virginia. Waarom hij daarover heeft gelogen. Tasia's geestestoestand in het begin, het midden en aan het einde van hun huwelijk. Of ze naar zijn weten ooit was bedreigd.'

'Hebt u als kind een klap op uw hoofd gehad, of beseft u gewoon niet dat dergelijke vragen gevolgen kunnen hebben?'

'Volgens mijn zus ben ik een adrenalinejunk. Kunt u me het nummer geven?'

Vienna gaf haar een paar telefoonnummers.

'Bedankt,' zei Jo.

Ze liep de lobby in. De dingen die ze te weten was gekomen bezorgden haar de rillingen.

Aartsengel x had Tasia veertienhonderd e-mails gestuurd die een patroon van toenemende intensiteit, obsessie en dreiging lieten zien – zij het nooit expliciet. Maar Tasia had de meeste e-mails niet beantwoord of zelfs maar geopend. Voor zover Jo wist was ze er met haar agent, manager, familie of vriend nooit over begonnen. Misschien was ze zich niet eens bewust geweest van de laatste stortvloed.

Het vandalisme was zeer verontrustend en een waarschuwingssignaal dat de dader steeds gewelddadiger werd. En volgens Searle Lecroix was Tasia bang geweest. Volgens de stuntcoördinator, Rez Shirazi, had ze gedacht dat er in het publiek een moordenaar op de loer lag. Ze had het over offers en martelaarschap gehad.

Het zou geraaskal van een hevig paranoïde vrouw kunnen zijn. Maar er rolden nog zoveel flarden informatie als knikkers rond dat Jo ze niet kon negeren.

Haar blik viel op een krant. Op de voorpagina stond een foto waarop president McFarland en zijn staf in het Oval Office vergaderden.

Ze liep naar een rustig hoekje, zo ver mogelijk van het weergalmende kabaal in de lobby vandaan, en belde het Witte Huis.

De telefoon werd op zakelijke toon opgenomen. 'Sylvia Obote.'

'Met Jo Beckett.'

Het bleef even stil, maar toen zei Obote: 'Ja, dokter Beckett. Ik heb uw vragen doorgestuurd. Ik weet zeker dat de president ze te zijner tijd zal beantwoorden.'

Obotes stem klonk niet ongeduldig, maar haar minzame efficiëntie had een scherp ondertoontje.

'Dank u. Ik hoorde dat de president voor Tasia McFarlands herdenkingsdienst naar Californië komt. Ik...'

'De president woont de herdenkingsdienst op persoonlijke titel en als vriend van de familie bij. Ik vrees dat zijn schema geen ruimte biedt voor een gesprek met u.'

'Dat wilde ik niet vragen.' Nu in elk geval niet meer. 'Ik heb verontrustende informatie ontvangen. Het zou kunnen dat mevrouw McFarland werd gestalkt. Ik vind dat de geheime dienst daarvan op de hoogte moet zijn.'

Deze keer was Obotes stilte korter. 'Geeft u mij die informatie maar. En ik verbind u door met de dienst die over de bescherming van de president gaat.'

Jo hoorde Obote tijdens hun gesprek op haar toetsenbord tikken, al ging ze ervan uit dat het gesprek werd opgenomen en misschien wel werd doorgegeven aan het hoofdkwartier van het Bureau Nationale Veiligheid in Fort Meade, Maryland. Misschien werd het daarna wel doorgestuurd naar een spionagesatelliet in een polaire baan, die op dit moment al spiegelende ogen naar Union Square in San Francisco draaide.

'Bedankt voor de informatie, dokter,' zei Obote. 'Ik verbind u door.'

Er klonken wat klikken en stiltes en uiteindelijk werd de telefoon weer opgenomen. Een zakelijke mannenstem met een Zuidelijk accent stond haar te woord en schreef alles op toen Jo haar verhaal herhaalde.

'Misschien is er niets aan de hand, maar ik wilde het in elk geval even doorgeven,' zei Jo.

'Daar hebt u goed aan gedaan.'

'Mooi. Ik neem aan dat u bij de persoonlijke beveiligingsdienst van de president hoort, agent...'

'Zuniga. Inderdaad, mevrouw. En we zijn u erkentelijk voor de informatie.'

Ze bedankte hem en beëindigde het gesprek. Daarna keek ze weer naar de krant. Lawaai weerkaatste door de gewelfde lobby. Ze toetste een ander nummer in en staarde naar de foto, waarop een man zich met een aandachtige blik naar president McFarland boog om ruggespraak met hem te houden.

'Kantoor van K.T. Lewicki.'

Als ze de president niet te spreken kon krijgen, zou ze wel met zijn chef-staf praten.

Kelvin Tycho Lewicki stond bekend als De Spits. Hij was de poortwachter en de waakhond van de president en was al jarenlang bevriend met Robert McFarland. Hij ging over de agenda van zijn baas en bepaalde wie toegang kreeg tot het Oval Office en de president zelf.

Lewicki en Rob McFarland hadden op dezelfde middelbare school gezeten. Op de University of Montana had Lewicki als worstelaar in het universitaire Division I NCAA-team gespeeld. Iedereen wist dat hij vaak wedstrijden won door zijn tegenstanders voortijdig met ontwrichte ledematen van de mat te sturen. Later was hij in het leger gegaan en had hij als luitenant met McFarland in het buitenland gediend. Na tien jaar in het Huis van Afgevaardigden had McFarland hem als zijn rechterhand gekozen.

McFarland was minzaam en kalm als Gary Cooper. Lewicki daarentegen was bot, geestig en had de naam op de knieën van zijn tegenstander te mikken. Op politiek gebied hadden McFarland en hij het jarenlang met elkaar aan de stok gehad. Zelf had hij ook president willen worden, maar McFarland had hem de loef afgestoken en hem ingelijfd als chef-staf van het Witte Huis. Experts beschouwden het als een tactische zet om twee rivalen in één team te verenigen.

Maar Lewicki was getuige geweest bij het huwelijk van Rob en Tasia McFarland. Sinds zijn achttiende had hij zijn leven in dienst van de maatschappij gesteld. En zelfs na al die jaren was hij zo menselijk en meelevend geweest om Vienna Hicks een condoleancekaart te sturen.

De telefoon van Lewicki werd opgenomen door een ondergeschikte. Jo dreunde al haar kwalificaties, dringende verzoeken en verontrustende mogelijkheden weer op alsof het een bezwering was. Ze staarde naar Lewicki's foto op de voorpagina van de krant. Hij had de bouw van een stalen veer. Pezig, grijze ogen, gebouwd om druk te verdragen of uit te halen naar een vijand.

'Ik verbind u door,' zei de ondergeschikte.

Er klonk een klik. 'K.T. Lewicki. Wat kan ik voor u doen, dokter Beckett?'

Zijn stem klonk nasaal en afgemeten. Hij sprak als een man die gewend was om met krachtexplosies aan te vallen, of het nu om worstelaars, bolwerken van de Taliban of de voorzitter van het Huis van Afgevaardigden ging.

Zonder dat Jo het wilde, hield ze even haar adem in. 'Fijn dat u me te woord wilt staan, meneer Lewicki.'

Gewoon ademhalen. Dit is je kans. Vooruit met de geit. Dynamisch.

'Ik werk samen met de politie van San Francisco aan een onderzoek...'

'... naar Tasia McFarlands dood. Dat weet ik.'

Pats, als een bb-kogel tegen de zijkant van haar hoofd. 'Ik weet dat het een brutaal verzoek is, maar het is van wezenlijk belang dat ik president McFarland te spreken krijg over de geestestoestand van zijn ex-vrouw.'

'Brutaal? Nee, moedig. Blijkbaar hebt u besloten om het via mij te proberen.'

'U bent De Spits.'

'En daarom wil ik u erop wijzen dat het politieonderzoek naar een tragisch ongeval bij een concert inmiddels zo in details verzandt dat het neurotisch begint te worden.'

'Het is nog helemaal niet duidelijk of de dood van mevrouw McFarland een ongeval was.'

'Hoe dan ook, op het moment dat het gebeurde, zat de president vijfduizend kilometer van haar vandaan.'

'En drie dagen voordat ze met zijn pistool werd doodgeschoten, heeft ze hem gesproken.'

Heel even was Lewicki stil. Aan de andere kant van de lijn hoorde Jo papieren ritselen. 'Ik heb gehoord dat u vasthoudend bent, dokter Beckett. Maar soms ligt er een flinterdunne scheidingslijn tussen vasthoudendheid en bezetenheid.'

Nu was het Jo's beurt om even te zwijgen. 'Het is een kwestie van grondig te werk gaan. Dat is wat ik het rechtssysteem, mevrouw Mc-Farland en haar familie verschuldigd ben. En gezien de media-aandacht is het alleen maar prettig als we tot een onbetwistbare conclusie kunnen komen. Dan kunnen we alle geruchten en sterke verhalen de kop indrukken.'

'U weet dat het woord "onbetwistbaar" in de infotainmentbusiness niet bestaat. En na een bepaald punt verandert het onderzoek van een grondige analyse in vissen met dynamiet. Die flinterdunne scheidingslijn ligt soms tussen vasthoudendheid en roekeloosheid.'

'Ik wil de president geen schade berokkenen. Ik wil achter de waarheid komen,' zei Jo.

Het bleef weer even stil, iets langer deze keer, en ze besefte dat ze zich op Lewicki's terrein had begeven. Ze had hem keurig in de kaart gespeeld. Als een tegenstander in een worstelwedstrijd had ze zich in een positie laten manoeuvreren die tot een verpletterende smak zou leiden.

'U neemt graag risico's, hè?' vroeg hij. 'Ik hoorde dat u op de middelbare school wedstrijden met BMX'en en mountainbikes hebt gereden. Als Johanna Tahari hebt u een aantal klimwedstrijden gewonnen – zo heet dat toch? Ik heb een mooie foto uit het tijdschrift *Outside*, waarop u in Yosemite aan het klimmen bent. Ik ben blij dat u van onze Nationale Parken profiteert, dokter.'

De ene tik veranderde in een regen van BB-kogels.

'En ik weet dat u persoonlijke risico's wilt nemen om anderen te helpen. Mijn condoleances met uw grote verlies van een paar jaar geleden,' zei Lewicki.

De lobby van het hotel leek zich te vullen met een geluid dat aan kletterende regen op een zinken dak deed denken. 'Ik moet de president spreken,' zei ze. 'Als u dat een risico noemt, vind ik dat schokkend.'

Uw grote verlies... Wat een klootzak, om Daniel erbij te halen. Risico's? Wat suggereerde hij daarmee?

'Overtuig me dan,' zei Lewicki.

'Tasia werd vlak voor haar dood gestalkt.'

Het bleef stil aan de andere kant van de lijn.

'Een geobsedeerde fan blijkt in elk geval een cyberstalker te zijn geweest, maar misschien stalkte hij haar ook persoonlijk. Wat me zorgen baart, is dat de stalker af en toe de president in zijn berichten noemt.'

'Dan moet u met de politie en de geheime dienst praten.'

'Heb ik al gedaan. Ik heb agent Zuniga gesproken,' vertelde Jo. 'Er wordt nu op twee niveaus aan het onderzoek gewerkt. Ten eerste willen we vaststellen hoe mevrouw McFarland is gestorven. Daarvoor moet ik de laatste weken van haar leven reconstrueren. En om vast te stellen hoe haar gemoedstoestand was, moet ik met de president praten.'

'Waarom?'

'Ze heeft een geluidsopname achtergelaten waarin ze zegt dat ze voor haar leven vreest. Ze heeft het over de president. We begrepen niet waarom, totdat de foto's van het hotel in Reston opdoken. Nu begrijpen we dat er misschien een verband tussen die twee zaken bestaat. De enige die dit kan ophelderen en uitleggen, is meneer McFarland.'

Weer een lange stilte. 'U hoort van mij.'

'Dank u.'

De klik aan Lewicki's kant van de lijn klonk definitief, alsof de deur naar haar kansen werd dichtgesmeten.

De lawaaierige echo's in de hotellobby vulden de stilte. Jo stopte haar telefoon weg en voelde de marmeren vloer onder haar voeten bewegen. Ze had het vreemde gevoel dat ze zojuist de poten onder haar eigen stoel had weggezaagd.

Ze liep naar de deur, die door de portier werd geopend voordat ze haar hand op de klink kon leggen.

Buiten zette ze haar zonnebril op. Een stevige bries tilde haar haren op. Langs de blauwe hemel dreven slierten mist. In een kabeltram vol toeristen en mensen die in de stad werkten trok de machinist aan de hendel. Toen de kabeltram was gepasseerd, zag ze de fotograaf op het plein aan de overkant staan. Hij hield zijn camera voor zijn gezicht, richtte de lens op de deur van het St. Francis en kreeg haar in beeld.

Vrijwel meteen liet hij de camera zakken. Hij staarde naar haar, maar toen ze haar blik niet afwendde, haalde hij een pakje sigaretten uit zijn borstzak en keerde hij haar de rug toe om een sigaret op te steken.

Op het trottoir snelden mensen Jo voorbij. Het geluid van het verkeer klonk snerpend en het zonlicht schitterde op de autoruiten. Jo draaide zich om en liep in zuidelijke richting naar Market Street. Al die tijd hield ze de fotograaf in de gaten. Hij keek over zijn schouder naar de deur van het St. Francis, pakte zijn telefoon en belde iemand.

Ze liep door. De fotograaf keek naar links en naar rechts, alsof hij wilde weten waar ze naartoe was gegaan.

Misschien was paranoia wel besmettelijk.

Op de hoek stond ze stil en wachtte ze met de andere voetgangers tot het licht op groen sprong. De gebouwen rond het plein torenden boven haar uit. De stad was een gonzende bijenkorf. Binnen een straal van een kilometer lagen Chinatown, de wolkenkrabbers van het zakendistrict en de gaarkeukens van de Tenderloin. Het moest een nachtmerrie zijn om de president in zo'n dichtbevolkt gebied te beschermen.

K.T. Lewicki's onheilspellende opsomming van bijzonderheden uit haar eigen verleden liet haar vingertoppen tintelen, alsof ze een speld in een stopcontact had gestoken. Ze kon het geen dreigement noemen. Er was niets openlijk gezegd, maar bij elke lettergreep had ze Lewicki's waarschuwing gehoord.

Hou op met dat onderzoek. Bestempel Tasia's dood als een ongeluk.

'Lul,' zei ze.

Het licht sprong op groen. Samen met de andere voetgangers liep ze het drukke kruispunt over. De zon scheen schuin tussen de gebouwen door en de wind schuurde over haar huid.

Tasia zei niets meer. Misschien kon iemand anders voor haar spreken. Ze belde Ace Chennault, Tasia's schaduw.

Op Union Square hield Keyes de telefoon tegen zijn oor, en hij draaide zich de andere kant op om zich af te sluiten voor de herrie van de salsaband.

Ivory nam op. 'Nieuws?'

'Ik zag net die psych van de politie uit het St. Francis komen en weglopen.'

'Weet je het zeker?'

'Ik heb een foto van haar gemaakt. Stuur Paine een e-mail en zeg dat ze hier was om met Searle Lecroix te praten.' Hij kwam in beweging. 'Ik stuur hem de foto's binnen een halfuur.'

Hij klapte de telefoon dicht.

27

Ace Chennault was uit het ziekenhuis ontslagen, en Jo sprak met hem af dat ze in de buurt van het Civic Center een kop koffie zouden drinken. Ze wandelde stevig door.

De kortste route tussen de chique couturezaken aan Union Square en de pracht van het Civic Center liep door de Tenderloin. De wijk begon abrupt: onder de blauwe hemel, met de ultramoderne hotels en wolkenkrabbers nog in zicht, was er opeens bijna geen verkeer meer op straat. Magere mannen met gebreide mutsjes en slobberende spijkerbroeken schuifelden over het trottoir. Ze waren blank, ze waren zwart, ze hadden maar een paar tanden. Onder het handjevol voertuigen op straat waren een aftandse, geparkeerde pick-up en een elektrische rolstoel van een man met een dikke witte baard, die een bandana als een piratenhoofddoek over zijn paardenstaart had gebonden.

Jo hield haar tas stevig vast en stak op een drafje een straat over. Op de andere hoek van de straat kwam een man met een hanig loopje voorbij. Hij droeg een scheefstaande pilotenzonnebril en leek zijn handen niet stil te kunnen houden.

'Codeïne. Codeïne,' riep hij, alsof hij een marktkoopman was.

Op een holletje liep ze hem voorbij.

'Hé, schatje. Codeïne.'

Nee, bedankt. De gaarkeuken van de St. Anthony Foundation kon waarschijnlijk elk moment opengaan, want de mensen stonden in een lange rij voor de deur. De afzettouwen liepen zelfs tot om de hoek, alsof het gebouw een trendy nachtclub was. Aan de andere kant van de straat was het islamitisch centrum ook open, maar daar stond niemand op de stoep. Blijkbaar was het eten van de katholieken meer in trek.

Ze liep langs een goedkoop hotel met een knipperend neonbord. Vlak bij de deur was een werknemer met een emmer sop en een bezem de stoep aan het schrobben. Een paar van de letters waren kapot. Het woord MORAL knipperde aan en uit. Jo wist niet of dat als een belofte of als een waarschuwing moest worden gezien.

Na een paar straten kwam ze uit op het brede plein dat naar het Civic Center leidde. Het aantal mensen uit de Tenderloin nam af, als wervelstromen langs de kust. De gouden koepel van het stadhuis glom in de verte. Op het plein waren kraampjes voor een antiekmarkt opgezet. Ze liep in de richting van het Federal Building en zocht naar de vestiging van Starbucks toen een mannenstem haar naam riep.

'Ik zit hier.'

Vanaf een bankje in de verte zwaaide Ace Chennault naar haar. Toen ze naar hem toe liep, stak hij een beker koffie naar haar uit. 'Ik wist niet wat u erin wilde hebben, dus hij is zwart.'

Ze ging naast hem zitten. 'Dank u. Hoe gaat het met u?'

Hij haalde zijn schouders op. Zijn gebroken linkerarm hing in een mitella. Matblauw gips, een matblauwe mitella, een matte stemming. De zwarte hechtingen kropen als een korstige duizendpoot over zijn hoofdhuid.

Zijn jongensachtige gezicht zag er afgetobd uit. 'Ik heb anderhalve minuut in de schijnwerpers gestaan, maar de verslaggevers zijn verdwenen en de pijnstillers zijn uitgewerkt.'

Loop hier even de hoek om, dacht Jo. Meneer Codeïne heeft wel iets voor je.

Hij keek naar zijn voeten. 'Ik weet best dat ik verdomd veel geluk heb gehad. Ik kom net van de begrafenisondernemer. Ik heb Tasia de laatste eer bewezen. Heel akelig.'

Jo liet hem een moment tot zichzelf komen. Aan de andere kant van het plein, achter de antiekmarkt, werd het stadhuis omlijst door groene takken van bomen die wel een militaire erewacht leken te vormen.

Ze pakte haar notitieboek. 'Bent u klaar voor ons gesprek?'

Hij haalde een digitale audiorecorder tevoorschijn. 'Vindt u het erg als ik het opneem?'

'Nee hoor.'

Enerzijds was ze verbaasd, maar anderzijds ook weer niet. Tijdens een psychologische autopsie had ze nog nooit een gesprekspartner gehad die hun gesprek opnam, maar ze had ook nog nooit geprat met een schrijver wiens high profile-uitgeverscontract waarschijnlijk in rook opging.

Chennault prutste aan de knoppen, wat werd bemoeilijkt door zijn gips. 'Veel journalisten citeren mensen verkeerd. U zou er versteld van staan. Verslaggevers schrijven dingen op die anderen nooit hebben gezegd. En meestal geven ze er dan een neerbuigende draai aan.'

'Ik heb feiten nodig, en uw indrukken. Ik heb geen enkele reden om neerbuigend te doen.'

'Mooi zo. Excuses voor mijn achterdochtige aard, maar ik ben net aangevallen door een neanderthaler met een kei.'

Hij drukte een knop op de recorder in, hield het apparaatje omhoog en staarde haar indringend aan.

'Even voor de duidelijkheid,' zei Jo. 'Is Ace uw echte naam?'

'Beschuldigt u me ervan dat ik onder een schuilnaam werk?'

'Ik probeer u goed te citeren.'

Hij glimlachte. 'Sorry. Ace is een pseudoniem.' De glimlach kreeg een charmant, spottend trekje. 'Anson is geen goede naam voor een rock-'n-rolljournalist.'

'En Chennault?'

'Die naam is wel van mij.'

Ze schreef hem op. 'Sprak Tasia met u over haar huwelijk?'

De glimlach veranderde weer. 'Dat kunt u lezen als het boek uitkomt.'

Ze keek hem effen aan. 'Alstublieft.'

'Het spijt me, dokter. Journalistiek privilege, maar ik kan u al twee dingen vertellen. Tasia was knettergek en de onthullingen zullen inslaan als een bom.'

'Wilt u dat ik dat zinnetje in mijn rapport opneem?'

Nu lachte hij zijn tanden bloot. 'Alstublieft.'

Ze vermoedde dat dit een nieuwe manier van virale marketing was.

Een uiterst onaangename manier, in haar ogen.

'Heeft Tasia het wel eens over een stalker gehad?' vroeg ze.

Hij knipperde abrupt met zijn oogleden, alsof hij met een stok in zijn ogen was geprikt. 'Wie zat er achter haar aan?' Hij wees op zijn korstige hechtingen. 'Deze kerel?'

'Dat weet ik niet. De politie probeert de puzzelstukjes op hun plaats te krijgen. Heeft ze wel eens gezegd dat iemand haar bedreigde? En dan heb ik het over iemand uit het rijk dat we consensus-realiteit noemen.'

'Afgezien van "ze", bedoelt u. Nee.' Peinzend leunde hij achterover. 'Wacht eens. Ze heeft er één keer iets over gezegd.'

Er kwam een man aanlopen. 'U mag hier niet zitten.'

Het was een beveiliger in een soort zwart gevechtspak. Hij maakte een gebaar dat ze moesten doorlopen, alsof ze een stel zwervers waren.

'Dit is een parkbank op Federal Plaza,' zei Jo.

Hij keek de andere kant op. 'Niet tijdens de antiekmarkt. Besloten evenement.'

Hij had gemillimeterd haar en een piercing in zijn wenkbrauw. Op zijn zwarte scherfvest stond MONDO SWAT, en hij leek hooguit een jaar of achttien.

Chennault trok een lelijk gezicht en wees op zijn mitella. 'Geen genade voor gewonden?'

Met afgewend gelaat wuifde de jongen nog een keer. 'Iedereen moet doorlopen. Dat zijn de regels.'

Chennault liet een korte, blaffende lach horen. '*Jawohl*, Herr Himmler.'

Hij stond op. 'Het maakt zeker niet uit dat ik deze hechtingen heb omdat ik de indringer in Tasia McFarlands huis heb achtervolgd? Dat we de geruchtmakendste zaak in de Verenigde Staten proberen op te lossen? Regels zijn regels.'

De beveiliger keek hem hevig verrast aan. Chennault kuierde van het bankje in de richting van het stadhuis. Jo liep achter hem aan.

Hij schudde zijn hoofd. 'Moet je nu zien wat het huidige schoolsysteem heeft aangericht. Dat joch ziet niet eens hoe ironisch het is dat hij burgers van een openbare plek wegstuurt.' Hij keek even over zijn schouder. 'Ja, nu heeft hij er spijt van. Ik heb hem stof tot nadenken gegeven.' Hij keek naar Jo. 'En als u denkt dat Tasia me aardig vond omdat ik niet bang ben om mijn mond open te doen, hebt u gelijk.'

Tjonge, wat is hij lichtgeraakt, dacht Jo. Het is ook wel duidelijk dat hij graag aandacht vraagt. En dat hij pijn heeft.

'Hebt u haar daarom een exemplaar van *Case Closed* gegeven?' vroeg ze.

'Net als veel andere beroemdheden geloofde Tasia alle complottheorieën die ze hoorde. Ik wilde haar kennis bijbrengen over de moord op Kennedy. En over de maanlanding en andere nep-"samenzweringen", maar ze was voornamelijk geïnteresseerd in Jackie.'

'U zei dat iemand Tasia misschien had bedreigd,' zei ze.

'Concert in Tucson, vorige maand. Ik bekeek het optreden vanuit de coulissen. Vlak nadat ze via de tokkellijn was opgekomen, zag ik een kerel op de eerste rij. Iedereen juichte en klapte, maar hij stond alleen maar naar haar te staren. Heel eng.'

Daar had ze helemaal niets aan. 'Stond hij alleen maar te staren?'

'Ja. Tot hij over de dranghekken klom, zijn kleren uittrok en het podium op probeerde te stormen.'

'Hield de bewaking hem tegen?'

'Ja. Blanke man, mollig, achter in de twintig, schat ik zo. Ze duwden hem terug en hij ging op in de menigte.'

Als dat alles was, betwijfelde Jo of er melding van was gemaakt. Het viel haar ook op dat Chennault zich steeds meer details herinnerde nu hij haar vragen beantwoordde. Ze vroeg zich af of hij overdreef. Overbehulpzame getuigen waren een beroepsrisico, en ze luisterde met de nodige achterdocht naar de verhalen die de mensen haar vertelden.

'Ik hoorde dat u de avond vóór Tasia's dood bij haar langs bent geweest, en dat ze niet met u wilde praten.'

Hij keek weer of hij in zijn ogen werd geprikt. 'Is het wel eens bij u opgekomen dat Searle Lecroix misschien een reden heeft om zoiets te zeggen?'

'Zoals?'

'Een autobiografie tegenhouden die hem misschien wel in een kwaad daglicht stelt. Mij zwartmaken om er zelf beter op te staan.'

'Denkt u dat hij dat heeft gedaan?'

'Ik denk dat niemand rekening heeft gehouden met de mogelijkheid dat Searle zijn relatie met Tasia wilde beëindigen, maar dat niet kon doen zolang ze samen op tournee waren. Volgens mij heeft niemand erbij stilgestaan hoe goed het hem uitkwam dat ze stierf en dat hij het niet hoefde uit te maken. En dat hij die avond op het honkbalveld de verdrietige held uithing die anderen om hulp smeekte, maar zelf niets deed om haar te redden.'

Jo hield haar mening voor zich. Chennaults ogen flitsten van links naar rechts en ontweken haar blik. Het licht in zijn ogen was gekwetst en sluw.

'Misschien moet u Lecroix maar eens vragen naar die dikke fan die het podium in Tucson bestormde. Zijn antwoorden zouden u kunnen verbazen,' zei hij.

Er schuifelde een man met een ontbloot bovenlichaam voorbij. Zijn witte haren wapperden als wilde vlammen in de wind en zijn blote rug was het schilderdoek voor een groene tatoeage.

Chennault gebaarde naar hem. 'Ziet u dat? Semper Fidelis. Altijd trouw, betekent dat.'

Jo negeerde Chennaults neerbuigendheid. Alsof een arts geen Latijnse zinsnedes zou kennen. Daarnaast hadden de meeste Amerikanen echt wel eens van het motto van het United States Marine Corps gehoord.

'Bijna hetzelfde als uw tatoeage,' zei ze.

Hij knikte, en zijn verdrietige ogen werden rood. 'Weet u hoe weinig mensen tegenwoordig volgens die woorden leven? Vraagt u dat maar eens aan Lecroix. Ik denk dat Tasia's dood daarom draait.' Hij draaide zich om om weg te lopen. 'Semper. Denkt u daar maar eens over na. Waar het om gaat, is "altijd".'

In de muffe hotelkamer, boven rode neonletters die MORAL sputterden, trok Noel Michael Petty een spijkerjack aan. De outfit werd gecompleteerd met een gebreide muts en een sportzonnebril van Oakley, het model dat de honkballers in de Major League droegen. Petty keek in de groezelige spiegel, balde beide vuisten en schudde ze.

Je bent NMP. De ruige rotzak. Een man die je liever niet als vijand wilt hebben.

Maar de situatie begon rampzalig te worden. *Sst. Tasia is verdorven. Ze is gevaarlijk.* NMP stopte de computer in een rugzak. Hij moest verbinding maken met internet. Kijken of er berichten voor hem waren. *Stil, mijn lieve schat, niets zeggen, ze zullen je ruïneren, ze ruïneren alles.*

Meneer Liever-niet-als-vijand pakte de antenne die hij van de oude pick-up had gerukt, schoof hem in elkaar en stopte hem in de zak van zijn spijkerjack. Hij keek naar de muren van de hotelkamer, naar Tasia's prachtige, krengerige gezicht, naar een foto waarop ze Searle kuste en een foto waarop ze naar de president zwaaide. NMP haalde diep adem en verliet de kamer om aan de jacht te beginnen.

28

De kabeltram beklom met veel kabaal Russian Hill. Jo stond op de treeplank aan de buitenkant en hield zich goed vast terwijl het voertuig steil omhoog ging. Ze nam een slok uit haar immer gevulde roestvrijstalen koffiemok. Appartementengebouwen en zwoegende voetgangers gleden aan haar voorbij. De kabeltram bereikte het hoogste punt van de heuvel en stopte op de hoek. Jo sprong van de plank. Meteen daarna zwermde er een gretige, glimlachende groep Japanse toeristen in smetteloze Burberry-kleding de tram in. De machinist trok aan de bel. Jo stak de straat over en zag een andere groep op het trottoir voor haar huis staan.

Camera's. Hengelmicrofoons. Make-up en sigaretten.

Haar gezicht begon te gloeien. Hoe was de pers verdomme achter haar adres gekomen? En zou het opvallen als ze in de heg wegdook?

Ze stak de straat over, pakte haar mobieltje en zocht een nummer in haar telefoonboek. Een tel later hoorde ze: 'Tang.'

'Ze hebben me gevonden. De pers heeft zich voor mijn voordeur geïnstalleerd.'

'Jezus.'

'Hoe? Iemand van de politie?'

'Ik hoop het niet.'

Jo liep verder over het trottoir, langs het park tegenover haar huis. Te midden van de groep verslaggevers zag ze lang blond haar. Jo dacht dat haar hoofd zou ontploffen.

'Shit, Edie Wilson is er. Wat moet ik nu doen? Me verstoppen tot het donker is en wachten tot ze op zoek gaan naar alcohol?'

'Beckett, het spijt me, maar je zult door de zure appel heen moeten bijten.'

'Ik weet het. En ik ga verdomme niet mijn eigen huis ontvluchten.' Ze verbrak de verbinding.

Ze keek op toen er aan het uiteinde van de straat een motor brulde. In haar hoofd hoorde ze een bugel die de komst van de cavalerie aankondigde, want op de hoek stond Gabes 4Runner. Gabe zat achter het stuur en hij wenkte dat ze moest opschieten.

Ze ging harder lopen, maar op haar grasveld zat een man in een gekreukt zwart overhemd die naar haar wees.

'Hé,' riep hij. 'Jo Beckett.'

De kudde draaide zich om. Jo liep door. Shit.

'Dokter.'

'Jo, wacht.'

Gabes auto was nog honderd meter van haar vandaan.

'Jo, heeft Tasia zelfmoord gepleegd?'

Edie Wilsons snerpende stem dreef op de wind naar haar toe. 'Wie heeft Tasia McFarland gedood, dokter Beckett?'

De meute zwermde van het trottoir af en stroomde tussen geparkeerde auto's door de straat over. In de verte gaf Gabe gas om naar haar toe te rijden. De bestuurder van mijn ontsnappingswagen, dacht ze. Warme gevoelens welden in haar op.

'Waarom gaat u op de loop? Wat probeert u te verbergen?' riep Wilson.

Jo stond stil.

Ze kon niet op de vlucht slaan. Ze vermande zich, draaide zich om en liep naar hen toe. Opeens hing er een woud van microfoons ter grootte van dennenappels voor haar neus. Lenzen klikten.

'Jo...'

'Vertel eens...'

Hou je aan het script, dacht ze. Ze hief haar hand op om ieder-een het zwijgen op te leggen. 'Ik ben bang dat ik de meeste vragen niet kan beantwoorden, omdat mijn onderzoek nog loopt. Zodra ik mijn rapport heb ingeleverd, kan ik vertellen wat ik heb ontdekt.'

'Hoeveel schoten zijn er afgevuurd uit de colt .45?' schreeuwde een man.

'Klopt het dat Tasia op Twitter een zelfmoord-tweet heeft ge-plaatst? Is de site gehackt om het bericht te verwijderen?'

'Is de indringer die Tasia's biograaf aanviel een medewerker van McFarlands herverkiezingscampagne?'

De vragen gaven haar het idee dat ze werd bespuugd. 'Het spijt me, die vragen kan ik niet beantwoorden.' Die dómme vragen, had ze bijna gezegd.

Gabe kwam achter hen aan rijden en stopte midden op straat.

Edie Wilson duwde haar collega's met haar schouders aan de kant en baande zich een weg naar voren. Ze stak een microfoon als een speer naar Jo toe. 'Waarom heeft de geheime dienst haar niet be-schermd?'

Jo knipperde met haar ogen, en haar mond zakte een stukje open.

'Hadden ze opdracht om dat niet te doen?' vroeg Wilson.

Het was zo'n verbijsterend onnozele vraag dat Jo haar even alleen maar kon aanstaren. 'Mevrouw McFarland werd überhaupt niet be-schermd door de geheime dienst.'

'Waarom niet? Zijn ze van de zaak afgehaald?'

'Nee.' In het felle licht van de camera's probeerde Jo na te den-ken. In welke gevallen kreeg iemand precies bescherming van de ge-heime dienst? 'Volgens mij beperkt de bescherming van de geheime dienst zich tot de directe familie van de president. Als...'

'Als Tasia geen directe familie van de president was, wie dan wel?' wilde Wilson weten.

Gabe liet de motor brullen. Over de hoofden van de verslagge-vers heen zag Jo hem achter de voorruit van de 4Runner grimmig wachten.

'Het spijt me, maar ik word opgehaald,' zei Jo. 'Zodra mijn rap-port klaar is, laat de politie een perscommuniqué uitgaan.'

Zo ontdook de meute als een *football*-speler die met de bal ont-snapt en holde naar de 4Runner. Wilson kwam achter haar aan.

'Waarom wilt u de waarheid voor de buitenwereld verborgen houden?'

Niet happen. 'Ik ben op zoek naar de waarheid.'

'Wat kan de psychiatrie aan deze zaak toevoegen, afgezien van vage gevoelens en slappe smoesjes?'

Jo pakte de greep van het portier en hield hem stevig vast om te voorkomen dat ze Wilson een dreun zou verkopen. Ze stapte in de 4Runner en dwong zichzelf om vriendelijk te glimlachen, als een meisje dat meedeed aan een Miss America-verkiezing en ondertussen door een pitbull in haar kont werd gebeten.

Wilson bleef maar blaten over subjectiviteit en smoesjes verzinnen. Jo hoorde de onderliggende boodschap. Wat verbergt u? Houdt u niet van Amerika?

Met samengeklemde kaken zei ze: 'Rijden.'

Gabe zette de auto in de versnelling. 'Over die lui heen?'

Jo wees naar het andere uiteinde van de straat. Hij reed weg.

Ze maakte haar riem vast en dwong zichzelf om niet over haar schouder te kijken, want ze wist dat ze dan toortsen en hooivorken zou zien.

'Bedankt dat je me gered hebt.'

'Waar wil je heen?' vroeg hij.

'Maakt me niet uit.' Ze pakte haar telefoon. 'Als je maar niet naar Lombard Street rijdt. Daar kunnen ze ons op het bochtige gedeelte klemrijden.'

Ze belde Vienna Hicks om haar te waarschuwen dat de rondzwervende persmeute gezelschap had gekregen van een paar nationale zwaargewichten. Vienna's lach klonk dapper en melancholiek. 'Ik praat niet met de pers. Het hoofd van het advocatenkantoor heeft "namens de familie" een verklaring laten uitgaan. Daar blijft het bij. Geen tranen, geen roddels, geen woedeaanvallen. Succes, dokter. Welkom in de blender.'

Gabe reed heuvelopwaarts langs victoriaanse appartementengebouwen met blauwe en goudkleurige gevelspitsen. Achter zijn zonnebril bleef zijn gezicht ernstig.

'Geweldige timing, man,' zei ze.

'Ik was in de buurt.'

Dat geloofde ze niet. 'Besloot je gewoon even langs te komen?'

Hij stond stil voor een stopbord. Er kwam geen verkeer aan, maar hij reed niet verder. Met een wezenloze blik staarde hij de dwarsstraat in. Er was iets mis.

'Ben je in het ziekenhuis bij Dave Rabin geweest?' informeerde ze.

'Er mogen alleen familieleden op de intensive care komen. Ik ben niet bij hem geweest, ik heb alleen zijn vrouw gesproken.'

Jo legde een hand op zijn knie.

'Nog steeds geen verandering.' Zijn schouders zakten naar beneden. Hij dwong zichzelf bijna zichtbaar om weer bij de les te zijn en reed weg. Het zonlicht viel in een streep over zijn gezicht. 'Hij moet wakker worden.'

En het liefst nu meteen. Hoe langer Rabin bewusteloos bleef, hoe groter de kans dat hij nooit meer bijkwam. Ze liet haar hand op Gabes knie liggen. Zijn handen grepen het stuur stevig beet.

'Wat is er?' vroeg hij.

'Dat wilde ik net aan jou vragen.'

Appartementencomplexen flitsten voorbij toen ze een steile helling af reden. Hij zette zijn zonnebril af en kneep in zijn neusbrug. De lachlijntjes rond zijn ogen zagen er vermoeid uit. Het was duidelijk dat hij ergens tegenaan hikte.

'Wat is er?'

'Ik rij al een uur rond. Ik...'

Hij ontweek haar blik. Ze probeerde te raden wat er was, maar daar slaagde ze niet in.

'Sophie?' vroeg ze.

'Aan de beterende hand. Ze is vandaag nog niet naar school, maar ze voelt zich al beter. Mijn zus is nu bij haar, zodat ik naar het ziekenhuis kon.'

'Gabe, wat is er?'

Gabe staarde recht voor zich uit. 'Ik heb vandaag mijn oproep gekregen.'

Het duurde een tel voor ze hem begreep. 'Voor je uitzending?'

'Ik moet me over tweeënzeventig uur melden.'

Opeens leek de zon tegelijkertijd heet en pijnlijk fel. 'Echt?'

'Ik moet me vrijdagochtend melden. Dan vlieg ik naar New York, en volgende week vliegen we door naar Afghanistan.'

De zomerzon verhardde zich tot een geel licht, dat in haar oren leek te krijsen en de auto met het geluid van voortgeblazen zand leek te vullen.

'Volgende week. Volgende wéék – Afghanistan?'

'Ja.'

Ze knipperde met haar ogen. Jezus, op uitzending, rechtstreeks naar een oorlogsgebied, en parajumpers droegen geen rood kruis op hun mouw, ze voerden aan het front opsporings- en reddingsmissies uit. Het gele licht kleurde alles in de auto: haar handen, de lucht, Gabes stoere, knappe gezicht, dat wel uit steen gehouwen leek. Ze mocht niet huilen. Ze moest zich beheersen.

'Hoe kan dat?' vroeg ze.

'Zo is het Amerikaanse leger nu eenmaal. Het is een enorme, meedogenloze bureaucratische machine. Iemand heeft mijn plaatsing veranderd, en dan zeg ik: goed, *sir*, zeg maar waar ik naartoe moet, *sir*.'

Ze kneep zo hard in zijn been dat haar hand trilde. Ze trok haar hand terug op haar schoot. Kalm blijven. Zorg dat dat vreselijke geluid uit je hoofd verdwijnt. Die afschuwelijke ruis, fel en scherp, die de auto vulde en op haar drukte tot ze moeite kreeg met ademhalen.

Er moest sprake zijn van een vergissing. Hij kon met zijn commandant gaan praten en uitzoeken hoe deze administratieve fout was gemaakt.

Het klamme zweet brak haar uit; een moment raakte ze in paniek. De afgrond gaapte en liet haar een glimp van zijn zwarte diepte zien, de eeuwigheid die mensen met huid en haar opslokte en hun adem, hun hart, hun belofte uitdoofde.

Ze drukte haar vingernagels in haar handpalmen. Eén kort, afschuwelijk moment zag ze Daniels gezicht voor zich, de ogen die haar aankeken in de seconden voordat hij onherroepelijk de afgrond van het dodenrijk in werd getrokken.

Ze deed haar ogen dicht. Hou op, Beckett. 'Weet Sophie het al?'

'Nee. Ik werd gebeld toen ik in het ziekenhuis was.'

Gabe had geen behoefte aan haar gejank. Hij was naar haar toe gekomen. Ze moest flink zijn.

'Zet de auto aan de kant,' zei ze.

Hij keek naar haar. Ze gebaarde naar het trottoir. Hij stuurde de auto naar de kant en liet hem tot stilstand komen.

Jo stapte uit, en Gabe kwam ook naar buiten. Hij liep om de auto heen naar het trottoir.

Ze pakte zijn handen, greep ze stevig vast en bracht ze naar haar lippen.

'Alles,' fluisterde ze. 'Wat je ook maar nodig hebt. Je hoeft het maar te zeggen. Ook als je niets zegt, blijft het alles. Ik ben er voor je.'

Hij knikte.

Ze slikte en deed haar mond open om iets te zeggen. Hij trok haar naar zich toe en legde haar hoofd op zijn schouder. Met zijn hoofd tegen het hare hield hij haar vast.

Tweeënzeventig uur. Hoe konden uitzendingen zo vlug en zo radicaal veranderen? Ze dacht aan alles wat hij zo zorgvuldig had geregeld. Sophie en de voogdij. Dawn... Zou Dawn nu proberen of ze de voogdij over Sophie kon krijgen?

'Het komt allemaal goed,' zei hij in haar oor.

Ze knikte. Tweeënzeventig uur. Dat was helemaal niet goed.

'Ik kom terug. We komen er samen wel uit. Ik hou van je, Jo.'

Ze hield hem vast. De wind stroomde over haar rug.

29

Paine tikte op zijn toetsenbord en sorteerde de nieuwe foto's die Keyes hem had gestuurd. De televisie stond op een nieuwszender, de constante, flikkerende achtergrond van zijn leven. Nieuwszenders boden slechts een zweempje van de waarheid, een vertekend beeld dat nauwelijks iets te maken had met de zwoegende, grauwende, stinkende werkelijkheid die eronder, buiten het zicht, met klitten in haar vacht op de loer lag. Nieuws was geen effectief middel van massacommunicatie, het was een opiaat voor de kuddedieren.

De enige echt effectieve vorm van massacommunicatie was politiek geweld. En Paine kwam die boodschap brengen.

En al was hij een fantastische schrijver, zijn verhandelingen hadden niet zoveel impact gehad als zijn... noem het performancekunst. Een brand hier, een kortsluiting daar, een doorgesneden remkabel ergens anders. Het kunstige zat hem in het feit dat hij zijn doel nooit rechtstreeks aanviel. De mensen die hem inhuurden, betaalden hem heel veel geld om te zorgen dat hij dat niet deed. Hij hoefde alleen maar opdrachten te krijgen als 'maak deze senator duidelijk dat hij bij het stemmen over de verkeerswet een domme keuze heeft gemaakt' of 'laat die actievoerster zien dat ze beter niet kan protesteren tegen het dumpen van chemisch afval in beschermde stukken moerasland'.

Paine deed dan wat ze hadden gevraagd, al noemde hij zichzelf nooit zo tijdens deze 'lobbypogingen'. Hij maakte de senator duidelijk dat hij maar beter verstandig kon stemmen, bijvoorbeeld door de kleuterschool van zijn kleindochter plat te branden. Meer was er niet nodig. Er kwam alleen nog een luciferboekje bij, dat dezelfde dag nog per post in het kantoor van de senator werd bezorgd.

Maar nu had hij een enorm probleem.

Hij bereidde in San Francisco de belangrijkste boodschap van zijn carrière voor. Dit bericht moest zijn erfenis, zijn geschenk aan het land en zijn pensioen worden, verpakt in één spectaculair pakket. Maar zijn zorgvuldig voorbereide plannen dreigden gedwarsboomd te worden door verraders, gieren en de legioenen van Legioen. Plan A was op niets uitgelopen en plan B hing aan een zijden draadje.

Het probleem was dat hij de helft van zijn vergoeding als voorschot had gekregen. Hij mocht niet falen. Als hij de klus niet kon klaren, als hij de boodschap niet duidelijk kon overbrengen, verloor hij méér dan de tweede helft van zijn honorarium. Dan kreeg hij een kogel door zijn hoofd.

Het televisiescherm flikkerde. Paine keek op. Er werd overgeschakeld naar een buurt in San Francisco, waar verslaggevers elkaar verdrongen om een jonge vrouw met lange bruine krullen te onderscheppen. Op een onderschrift stond dat het om Jo Beckett ging, een forensisch psychiater.

Edie Wilson duwde een microfoon onder Becketts neus. 'Waarom heeft de geheime dienst haar niet beschermd? Hadden ze opdracht gekregen om dat niet te doen?'

Paine zat doodstil. Een giftige klimplant wikkelde zich om hem heen.

Misschien gingen ze nu wel achter Beckett aan. En zij zou praten. Hij bekeek haar op het scherm, een kleine vrouw met een rustgevende stem die het bombardement van de verslaggevers pareerde. Ze bleef kalm, terwijl haar waardigheid en zelfbeheersing op het spel stonden. Onmogelijk, als de stormtroepen van de Veroveraar door haar leven denderden.

Hij keek naar de foto's die Keyes hem had gestuurd. Beckett, met krullen die voor haar gezicht waaiden toen ze voor de deur van het St. Francis stond. Ze wist te veel. De boodschap moest tot haar doordringen. En hij was de man die de boodschap moest sturen.

30

Gabe bracht Jo naar huis, maar eerst verkende hij de buurt. Hij passeerde haar straat en reed net hard genoeg om geen inbreker te lijken die de wijk opnam. Niets wees op aanwezigheid van de pers. Ze zagen bijvoorbeeld geen buren die zich met vasthoudende reporters aan hun benen door de straat sleepten.

Jo's gezicht gloeide. 'Ik ga prat op het feit dat ik in vrijheid van meningsuiting geloof, maar ik heb zin om die mensen met een stroomstok te prikken tot ze piepen als kapotte microfoons.'

'Je moet er wat voor overhebben om in een democratisch land te wonen.' Gabe keek in zijn achteruitkijkspiegel. 'De liefde voor het vaderland zit vol tegenstrijdigheden.'

Een vaderland dat hem zomaar wegrukte – en hij had er zelf voor getekend. Haar maag kneep weer samen.

Toen hij voor haar huis stilstond, zei hij: 'Kom vanavond naar mij toe. Ze komen terug, en je hoeft niet thuis te zijn.'

'Ik graai wat spullen bij elkaar en ga weg voordat ze terugkomen.'

Zijn blik was indringend, zijn ogen dwaalden over haar heen en slokten haar bijna op. Ze boog zich naar hem toe en gaf hem een kus. Daarna sprong ze uit de auto en rende ze het trappetje naar haar voordeur op.

Binnen haastte ze zich naar boven en propte ze kleren in een rugzak. In haar werkkamer raapte ze haar aantekeningen bij elkaar. Niet aan Gabes naderende vertrek denken, hield ze zichzelf voor, maar de ruwe hand van de angst greep haar bij de keel. En diep in haar achterhoofd stak de achterdocht de kop op. Waarom Gabe? Waarom nu?

'Nee.' Ze schudde haar hoofd. Het was paranoïde om zo te denken.

Ze pakte haar dossiers om ze in haar tas te stoppen. Boven op de stapel lagen de e-mails die Aartsengel x aan Tasia had gestuurd.

Waarom heb je me dit aangedaan? Je had elke man op aarde kunnen hebben. En je hebt me verraden.

Ik wacht op je.

Onder dat bericht stond een aantal soortgelijke e-mails. Nijdige, onsamenhangende, meerduidige, egocentrische berichten waarin Aartsengel zich over zijn sneue, treurige leven beklaagde en scherp naar Tasia uithaalde omdat ze 'alles had verpest'. Weer had Jo het gevoel dat ze een bepaalde aanwijzing over het hoofd zag. Misschien kwam het doordat Aartsengel een gestoorde persoonlijkheid en een zeurderige navelstaarder was, maar Jo had het knagende gevoel dat de berichten ontcijferd konden worden, dat ze Aartsengels referentiekader moest kunnen binnendringen en erachter moest kunnen komen hoe hij werkelijk in elkaar zat.

Haar telefoon ging, luid en dichtbij. Ze schrok ervan en nam met bonkend hart op.

'Jo, ik heb hem gevonden,' zei Ferd. 'Ik heb Aartsengel x gevonden.'

Aan het tafeltje zat NMP voorovergebogen naar het computerscherm te staren. Het was ergerlijk lawaaierig om hem heen. Nasale stemmen, zakenlieden die lachten om een of ander financieel toverkunstje dat ze hadden geflikt, kletterende borden, messen en vorken. In zo'n omgeving kon NMP zijn aandacht niet goed bij het scherm houden. De Ruige Rotzak had wat denkruimte nodig om zich te concentreren.

Tasia's officiële website was bijgewerkt. Op de welkomstpagina stond 'In memoriam', met een foto in soft focus waarop ze zeventien leek, klaar om trouw te zweren aan een maatschappelijk geëngageerde jeugdbeweging.

Wel passend. Een schaap dat tegen de rest van de kudde blaatte.

Sst, mijn lieve schat. Niet verder vertellen. Dat is gevaarlijk.

Bijna tweehonderdduizend mensen hadden het condoleanceregister op de site getekend. Er waren duizenden berichten van mensen die hun medeleven betuigden. En er was zojuist nieuwe informatie toegevoegd: de herdenkingsdienst zou plaatsvinden in Grace Cathedral.

De website deed net of de herdenkingsdienst Tasia's allerlaatste optreden zou worden, maar dat was niet zo, het was slechts een zielige toegift na Tasia's vertrek van het podium in het stadion. Er werd niet vermeld welke beroemdheden de dienst wilden bijwonen, maar in een klein venster stonden linkjes naar het laatste nieuws – 'lees het hier', schreeuwden popblaadjes en koppen over hun dode heldin. En in die koppen stonden de namen van de aantrekkelijke, misselijkmakende beroemdheden die zich in dure zwarte couture zouden hullen, een gezangenboek zouden pakken en krokodillentranen zouden huilen om het kreng in de kist. De directeur van Tasia's platenmaatschappij. De burgemeester. Sterren die gezamenlijk goed waren voor vijfentwintig Grammy's.

En de president van de Verenigde Staten.

Er plakten muffinkruimels aan de tafel. NMP veegde ze weg.

De president zou komen, en er was bevestigd dat Searle Lecroix zou zingen. 'Bevestigd' – alsof hij de hoofdattractie bij dit exclusieve optreden was. Hij zou 'Amazing Grace' zingen, en ook nog een 'heel bijzonder lied dat ter nagedachtenis aan Tasia was geschreven', getiteld 'Engel, heengevlogen'.

Engel. Alsof zíj een van de serafijnen was geweest.

En de president zou op de eerste rij naar die rotzooi zitten luisteren. NMP vond het onverdraaglijk.

Hij had gehoopt dat deze expeditie een verkenningstocht zou zijn, een strooptocht om hem gerust te stellen. *Mijn lieve schat, sst, het is gevaarlijk, geloof me, ik hou van je.* Maar NMP zag dat het in werkelijkheid de laatste slag was. Alle machten stonden in slagorde tegenover Aartsengel opgesteld. Hij was verraden, hij had een bajonet in zijn buik gekregen. Maar ze hadden hem nog niet het zwijgen opgelegd.

NMP veegde een paar kruimels van het toetsenbord, logde in en begon te typen.

Jo rende de verandatrap van de rood stenen villa op. Ferd stond bij de voordeur te wachten.

'Waar is hij?' vroeg ze.

'Hij is op dit moment online.'

In de woonkamer stond Ferds laptop opengeklapt op de salontafel. De middagzon scheen door de hoge ramen naar binnen. Jo liep om een hindernisbaan van boeken, dozen en sixpacks frisdrank heen, die op de grond was uitgezet. Het robotje, Ahnuld, was er niet in geslaagd het parcours succesvol af te leggen en was blijven steken tegen een stapel actiefiguren uit World of Warcraft.

'Waar bevindt Aartsengel x zich in de echte wereld?' vroeg Jo.

'Hier in de stad.'

Ferd ging op de bank zitten. Op zijn scherm stonden lange rijen data.

'Bij die e-mails die je me hebt gestuurd, heb ik naar de x-originating header gekeken en een trace-route gebruikt om te kijken waar ze vandaan kwamen.'

'Is die informatie betrouwbaar?' vroeg ze.

'Het is geen gps, maar de techniek werkt goed.'

Ze tuurde naar de ondoordringbare rijen data. 'Waar zit hij?'

'Het zakendistrict. Een vestiging van Starbucks. Ik...'

'Heb je het adres?'

'Op Kearny.'

'Kom mee. Neem de laptop maar mee.'

'Dat hoeft niet, ik kan met mijn telefoon ook mailen. Maar eerst moet ik meneer Peebles in zijn kooi zetten.'

Hij ontweek de robot en rende door de gang. Hij was verrassend snel voor een man die volgens haar voor het laatst had gesport toen hij op de lagere school zat.

Vijf seconden later sprintte hij de trap op, met de aap als een football onder zijn arm. 'Ik kan hem niet alleen laten met Ahnuld. Hij wordt gek van het ultrasone navigatiesysteem.'

Even later rende hij weer naar beneden. 'Denk je echt dat Aarts-engel een gevaarlijke stalker is?'

Ze liep achter hem aan de verandatrap af. 'Ik maak me in elk ge-val zoveel zorgen dat ik hem wil vinden. We nemen mijn auto.'

'En de politie?'

Jo pakte haar telefoon en belde Amy Tang. 'Die is er al mee be-zig.'

NMP tikte als een razende. Een tafel vol kwekkende secretaresses stond op, schraapte stoelen over de tegels naar achteren en werkte zich met zwaaiende handtassen en wiegende, dikke achterwerken langs hem heen.

'Kijk een beetje uit, vetzak,' zei NMP.

Een van de vrouwen draaide zich met ogen als schoteltjes om. 'Wat zei je daar?'

'Kijk waar je loopt, dikbil. Er zijn hier mensen aan het werk.'

Het gezicht van de vrouw werd rood, maar haar ogen werden nog groter, alsof ze de stem van NMP niet bij de persoon tegenover haar had verwacht. Alsof ze van een Ruige Rotzak uit de Tenderloin niet zo'n snijdend nauwkeurige, bitse geestigheid had verwacht.

Een van haar vriendinnen trok haar mee. 'Geen aandacht aan schenken. Het is gewoon dom gezeur.'

Hoe durfde ze?

Nee. Geen aandacht aan schenken. Dat zei iedereen. Iedereen ne-geerde NMP. Iedereen. De barista's hier, die niet eens de kruimels van die klotetafel veegden. Tasia.

Even leek NMP's gezichtsveld heen en weer te golven. Het gore lef! Hij keek om zich heen. De vestiging van Starbucks zat vol, maar aan een paar tafeltjes in zijn buurt wierpen mensen steelse blikken in zijn richting. Hij boog zich weer voorover en richtte zijn aandacht op het scherm. Hij richtte zijn woede weer op de plaats waar die thuishoorde.

Tasia had NMP genegeerd. De mensen op de fora van al haar fan-sites uiteindelijk ook. En op die van Searle Lecroix – ze wilden niets horen over Tasia's verraad, ook al had dat mens haar scherpe rottan-den in hun held gezet. Zelfs de regering had NMP genegeerd. De e-mails aan het Witte Huis – gedetailleerde, zorgvuldig gedocumenteerde berichten – waren opgeslokt of genegeerd, behalve de eerste: *beste meneer de president, uw ex-vrouw is een slettenbak.*

Natuurlijk had hij de berichten anoniem verstuurd, net als de brieven, zonder retouradres, maar toch had iemand ze openlijk moeten beantwoorden. Dat was niet meer dan fatsoenlijk geweest.

En nu was er online een enorme kakofonie ontstaan.

Al dat verdriet over Tasia, schreef NMP. *Iedereen huilt om een leugen, dus daarom zal ik hier de waarheid schrijven.*

NMP weigerde nog langer te worden genegeerd.

Ik zal jullie eens iets vertellen over de heengevlogen engel. En over martelaarschap.

3 1

Jo scheurde in haar Tacoma door het zakendistrict naar Kearney. Ze stuurde de auto om een vuilniswagen heen alsof ze Ahnuld de robot op zijn hindernisbaan was. Ferd greep het dashboard beet om zijn evenwicht te bewaren. Ze gooide haar telefoon naar hem toe.

'Bel Tang nog een keer. Als ze er nog niet is, vraag dan naar haar baas.'

Ze schakelde op toen ze over de top van een heuvel reed. De autogordels om hun lichamen kwamen strak te staan. Ferd toetste een aantal cijfers in en kreeg minstens drie mensen aan de lijn voordat hij eindelijk het kantoor van de hoofdinspecteur kreeg.

'Ja, ik bel namens dokter Johanna Beckett. Het gaat om een noodgeval.'

Jo schudde haar hoofd. Ze kon niet zeggen dat dit een noodgeval was – nog niet. 'Het is dringend.'

'Nee, sorry, het is geen noodgeval, het is dringend.' Ferd veegde zijn voorhoofd af. Het volgende moment ging hij rechtop zitten. 'Ja, dank u, ik bel namens dokter Johanna Beckett.'

Ze stuurde haar auto naar de kant en stond stil in een zone waar ze eigenlijk niet eens mocht stoppen. Daarna nam ze de telefoon van hem over. Ze kreeg Chuck Bohr aan de lijn – de kale kleerkast die bij het UCSF Medical Center ruzie had gemaakt met Tang.

'Ik heb een spoor naar degene die Tasia McFarland stalkte.'

'Wat voor een spoor?' informeerde Bohr.

Ze legde het zo snel mogelijk uit. 'Misschien zit hij nog bij Starbucks. Kunt u iemand daarheen sturen om ons te helpen?'

Bohr had slechts een seconde nodig om na te denken. 'Ik stuur wel een agent in burger. We doen het onopvallend. Wat draagt u?'

Ze gaf antwoord en hij zei: 'Een kwartier. Als de stalker nog online is, hou hem dan aan de praat.'

'Dank u wel.'

Ze reed weg en moest vrijwel meteen op de rem trappen om te voorkomen dat ze op de achterbumper van een Camry botste. Ze wees op Ferds telefoon. 'Is Aartsengel x nog online?'

'Geen idee. De verbinding is te traag.' Ferd bleef de telefoon in zijn handen ronddraaien. 'Is dit eigenlijk wel legaal?'

Met een scherpe blik keek ze opzij. 'Als je aan iemands internetverbinding kunt zien waar hij zit, is daar niets illegaals aan. Of heb je me niet alles verteld?'

Hij haalde zijn hand door zijn haren. Deze keer had hij niet de moeite genomen om ze met Brylcreem plat te kammen, en er viel een lok voor zijn ogen.

'Ferd?' vroeg ze nog nadrukkelijker. 'Hoe heb je Aartsengel x gevonden?'

'Niet boos zijn.'

'Wat heb je gedaan?'

'Ik heb wat aas uitgegooid en hij heeft toegehapt.'

'Vertel op.'

'Ik heb online naar zijn voetafdrukken gezocht. Hij heeft Tasia McFarland veertienhonderd e-mails gestuurd, en ik dacht dat hij andere mensen misschien ook e-mails stuurde of online commentaar gaf. Je weet wel, op blogs en nieuwsberichten over haar, op de fora van fan- en muzieksites of in chatrooms.'

Ze keek weer even opzij. 'En is dat zo?'

Hij knikte heftig en zijn bril gleed van zijn neus. Hij duwde hem weer omhoog. 'Een paar muziekfora en een paar van de politieke sites die in de samenzweringstheorieën rond Tasia's dood zijn gedoken.'

'Je hebt die sites toch niet gehackt, hè?'

'De term is cracken, niet hacken, en waarom denk je dat ik dat kan?'

'Sorry. Heb je je op een site naar binnen gewurmd en informatie over Aartsengel x ontdekt?'

'Zo zou je het kunnen zeggen, ja. Ik heb op een politieke site commentaar achtergelaten.'

'Wat leverde dat op? Heeft Aartsengel x gereageerd?'

'Hij begon een discussie met me.'

Ze keek naar hem. 'Ferd. Mijn hemel.'

'Vervolgens heb ik mijn eigen blog opgezet. Over politiek en samenzweringstheorieën en muziek. En ja hoor, hij kwam bij me langs om te reageren op een bericht over Tasia.'

Die opmerking wekte duidelijk haar belangstelling.

Hij hief zijn handen op om haar enthousiasme af te remmen. 'Hier wordt het verhaal een beetje dubieus. Ik heb zo'n vijfentwintig stukken geplaatst en de tijdstempels veranderd om de indruk te wekken dat de blog al een paar maanden in de lucht is. En bij de commentaren op die stukken heb ik een paar klonen gecreëerd.'

'Heb je nepcommentaren gegeven?'

'Ja, ik heb de reacties zelf geschreven, waarbij ik een stuk of tien andere ID's heb gebruikt, zoals "Mad as Hell", "John Galt" en "Loverboy".'

Zodra het woord 'loverboy' uit zijn mond rolde, bloosde hij van zijn kraag tot zijn haarlijn.

'Nam Aartsengel x deel aan de discussie?' vroeg Jo.

'Jazeker.' Ferd ademde uit en probeerde zijn gêne van zich af te zetten. 'En omdat ik de beheerder van de site ben, kreeg ik allerlei gegevens over zijn IP-adres in handen. Ik heb de blog opgezet met wat extra software, die bij elk bericht alle rauwe data achter het mailverkeer tussen afzender en ontvanger weergeeft. Daardoor kon ik zien wie zijn internetprovider is, via welke hosts de berichten werden geleid, en het is duidelijk dat hij verbinding heeft gemaakt via een provider in de Bay Area.'

'Weet je zeker dat hij die gegevens niet heeft vervalst?'

'Nee, maar hij lijkt niet geïnteresseerd te zijn in digitale vervalsing. Hij vindt het belangrijker dat hij onder een schuilnaam zijn mening kwijt kan dan dat hij zijn identiteit op een technische manier kan verbergen.'

Jo keek verbaasd opzij. Kon Ferd Bismuth zich opeens in anderen verplaatsen?

Hij stak zijn hand uit en zette de airconditioning aan. 'Het is hier ontzettend warm. Volgens mij begin ik koorts te krijgen.'

'Leg eens uit hoe je erachter kwam dat hij in het centrum zit,' zei Jo.

'Ik zal het je laten zien.'

Vanuit haar ooghoek zag ze zijn duimen over zijn telefoon flitsen. In de verte vervaagden de zonverlichte wolkenkrabbers van het zakendistrict in een aanrollende muur van mist.

'Ik moet hem bezighouden,' zei Ferd.

'Heb je... Wat heb je gedaan?'

Zijn duimen tikten op de telefoon. 'Ik heb hem uitgedaagd om een reactie op een gedenksite voor Tasia achter te laten. Ik wilde niet dat hij de Starbucks zou verlaten.'

'Heel slim, maar je zou uitleggen hoe je weet dat hij juist in die koffiebar zit.'

'Ik weet hoe ik de runen moet lezen. De *raw* source headers op de interface van de blog laten zien dat hij zijn berichten verstuurt vanaf een site die wordt beheerd door een telecombedrijf, dat zelf weer onder contract staat bij een plaatselijke provider. Daardoor weet ik dat het een Starbucks is – hun *wifi*-netwerk is aangelegd door dat telecombedrijf. En een enthousiaste vriend heeft me geholpen om de rauwe data te lezen, die je vertellen van welke Starbucks de klant gebruikmaakt. Heel nuttig.'

'En daardoor weet je dat het de Starbucks op Kearny is.'

'Hé.' Hij tuurde naar de telefoon. 'Het is me gelukt om online te komen. Aartsengel heeft op een van mijn commentaren gereageerd. Ik zal hem nog een beetje opporren.'

Zijn duimen kwamen weer in beweging. 'Ik vertel hem dat Tasia te puur was om in onze wereld te blijven. Ze is naar een hoger niveau getild, waar ze over ons allemaal waakt. Vooral over de president. Als een beschermengel. Dat zal hem wel op stang jagen.'

'Maar niet te erg, hoop ik.' Jo reed om het huizenblok heen om haar route via de eenrichtingswegen te vervolgen.

'Wat denk je, zijn we legaal bezig?' vroeg Ferd.

'Zeker weten, maar ik wil de steun van de politie.'

'Hoe moeten we erachter komen hoe die stalker eruitziet?' wilde hij weten.

'We beginnen bij de forse mannen die in de Starbucks zitten te internetten. Ik denk dat Aartsengel de inbreker in Tasia's huis was.'

De Starbucks zat op een hoek, had grote ramen en was gevestigd in een oud, rood geschilderd bakstenen gebouw vol brandtrappen. Jo reed twee keer om het blok heen, maar ze kon geen parkeerplaats vinden.

'Heb je geen speciale dispensatie om hier in noodgevallen te parkeren?' vroeg Ferd.

'Nee, zelfs niet als je nu een uitbarsting van de builenpest krijgt.'

In de verte reed een langs de stoeprand geparkeerde bestelwagen weg. Jo trapte het gas in en wist de parkeerplaats te bemachtigen. Ferd en zij sprongen uit de auto en liepen over Kearney naar de Starbucks.

'Zoek iemand die aan het internetten is,' zei ze.

Ze liepen naar binnen en bleven bij de ingang staan. Het was een van de grootste, drukste vestigingen van Starbucks die ze ooit had gezien – warm, lawaaierig en propvol mensen.

Iederéén zat te internetten.

Aan tafeltjes, in hoeken, achter kranten, overal om Jo heen, zelfs in de rij voor de bar. Overal zaten mensen over computers gebogen of naar hun mobieltjes te turen. Aan een tafeltje zat een moeder naar een laptop te staren. In een wandelwagen naast haar zwaaide een kindje met een muffin in de ene hand en een iPhone in de andere.

'O jee,' zei Ferd.

'Zoek een tafel. Ik haal koffie en probeer te kijken welke mensen in aanmerking komen.'

Ze ging in de rij staan. Als Aartsengel x de potige indringer was die haar in Tasia's huis had aangevallen, moest ze verder kijken dan het beeld dat op haar netvlies stond. Niemand in de Starbucks droeg camouflagekleding en een bivakmuts. Veel mannen zagen eruit alsof ze hun kleren kochten in winkels voor extra grote maten. Ferd vond een tafeltje en ging zitten, terwijl hij zijn telefoon als een wapen uit Star Trek in zijn hand klemde.

Ze keek wat langer naar de mensen die met hun computers en telefoons bezig waren.

De meesten zaten tijdens het koffiedrinken te lezen. Af en toe scrolden ze op hun gemak een pagina naar beneden. Een paar anderen lieten hun vingers over de toetsen flitsen. Bij de bar drukte een vrouw met een groene muts haar opengeklapte laptop tegen haar borst. Terwijl ze met één vinger typte, stak ze haar mok uit naar de barista voor een tweede kop koffie. De mensen die verwoed zaten te tikken alsof ze in een felle forumruzie verwikkeld waren, waren in de minderheid. Toch waren het er nog altijd een stuk of twintig. Jo schoof steeds dichter naar de bar toe en bestelde twee grote bekers koffie.

Toen ze Ferds koffie op het tafeltje zette, zei hij: 'Aartsengel x heeft tien minuten geleden voor het laatst gereageerd. Als hij is weggegaan, kan ik dat nog niet zien. Ik heb hem uitgedaagd door heel hatelijk op zijn laatste bericht te reageren, dus we zullen zien.'

Hij keek om zich heen, knipperde gejaagd met zijn ogen en veegde zijn bovenlip af. Als hij een bom om zijn borstkas had gebonden, had hij er niet verdachter uit kunnen zien. Jo nam een slok koffie en keek de zaak rond. Dit was San Francisco, in naam het centrum van relaxed Californië, maar negentig procent van de aanwezigen vertoonde nerveuze tics of dwangmatig gedrag.

Ferd ging rechtop zitten. 'Hij heeft net een bericht geplaatst. O jee.'

Hij liet Jo de telefoon zien. *Een engel? Tasia was een* POKKENWIJF. *Ze vertrapte ieders dromen. Ze verdiende het om te sterven.*

Ferd had gelijk: o jee. 'Je kunt niet zien wie er op je bericht reageert, want zijn woorden verschijnen niet meteen op je scherm. Er zit wat vertraging tussen.'

Ferd fronste en zijn ogen flitsen naar links en naar rechts, alsof hij iets berekende. 'Ik heb een idee. Misschien kan ik zijn verbinding verbreken.'

'Hoe dan?'

Hij pakte zijn portemonnee en haalde er een prepaid wireless-internetkaartje van Starbucks uit. 'Zet je laptop aan.'

Ze haalde hem uit haar tas. 'Wat ga je doen?'

Hij pakte de laptop. 'Weet je zeker dat dit niet verboden is?'

'Ik weet niet wat je gaat doen. Bovendien ben ik arts, geen advocaat.'

Hij liet een browser in beeld verschijnen. Met het wireless-internetkaartje logde hij vanaf Jo's computer in op het Starbucks-netwerk.

Hij haalde diep en theatraal adem. 'Ik ga de klantenservice bellen. Daar gaat-ie.'

Hij belde het nummer op de achterkant van het internetkaartje. Even later zei hij: 'Ik hoop dat u me kunt helpen. Ik zit in een Starbucks in San Francisco en het lukt me niet om online te komen.' Hij luisterde even. 'Heb ik al geprobeerd.' Hij knikte. 'Dat ook. Ik heb alles nagelopen en al mijn stappen gecontroleerd. Het lukt niet.'

Hij keek even naar Jo en knikte als een hondsdolle bever. 'Mijn e-mailadres? Ja hoor. Dat is Aartsengel x, aan elkaar, at Hotmail,' zei hij.

Jo moest glimlachen om zijn lef. Een minuut lang hoorde ze hem vragen beantwoorden. De klantenservice liep een vast lijstje na om erachter te komen wat het probleem was. Tot haar verbazing was Ferd charmant en vasthoudend.

Uiteindelijk keek hij met glinsterende ogen op. 'Ik zet u even op de speaker, dan kan ik ondertussen typen.' Hij legde de telefoon op tafel. 'Kunt u dat herhalen?'

Er galmde een jong klinkende stem uit de telefoon. 'Ik kijk even naar de realtime-informatie van de plaats waar u nu zit. Volgens mijn informatie bent u nu online.'

Bingo. Jo balde haar handen tot vuisten en drukte ze op haar knieën. Aartsengel x was in deze ruimte aanwezig.

Ferd schraapte zijn keel. 'Nee hoor, echt niet.'

'Jawel, ik zie u op mijn scherm. Uw computer verzendt data en u hebt onder het adres van Aartsengel x ingelogd.'

Jo stond versteld. AT&T en Starbucks knapten het vuile werk voor Ferd op.

Ferd deed of zijn neus bloedde en liet wat wanhoop in zijn stem doorklinken. 'Kunt u me alstublieft helpen? U zegt dat ik online ben, maar ik kijk naar een bericht dat ik geen toegang heb en verspil al mijn tegoed op dit internetkaartje. Ik begin last van mijn maagzweer te krijgen. Kunt u mijn verbinding resetten?'

Na een korte stilte zei de stem van de klantenservice: 'Oké. Een ogenblikje.'

Jo was diep onder de indruk. Ferd was dapper en slim. Hij ging de klantenservice dwingen om de verbinding van Aartsengel x te verbreken.

Ferd pakte de telefoon en bedekte het spreekgedeelte. 'Als de verbinding van Aartsengel x wordt verbroken, moet jij om je heen kijken wie er geïrriteerd raakt.'

Ze wachtten. Met zijn hand nog op het spreekgedeelte vroeg Ferd: 'Hoever wil je hierin gaan? Als ik de klantenservice zover kan krijgen dat ze me weer helpen om "in te loggen", kan ik met de login-info misschien de verbinding van Aartsengel x wegkapen. Dan kan hij niet meer inloggen en krijgt hij pas echt de pest in.'

Jo keek op haar horloge. Er waren zes minuten verstreken sinds Bohr had gezegd dat er een agent in burger onderweg was.

'Goed.'

'Maar dan moeten we wel snel zijn.'

De stem van de klantenservice kwam weer aan de lijn. 'Meneer, ik ga nu uw verbinding resetten. Wacht zestig seconden en log dan weer in.'

'Dank u wel,' zei Ferd.

Hij verbrak de verbinding en ze probeerden onopvallend rond te kijken.

Om hen heen bleven de mensen koffiedrinken en aan hun elektronische speeltjes prutsen. Het kindje in de wandelwagen gooide de iPhone op de grond.

Jo keek weer naar haar scherm. 'Is het gelukt?'

Ferd tuurde naar haar computer. 'Dat zullen we zo wel zien.'

Hé, wat was dat?

NMP hield op met typen. Het draadloze signaal was weggevallen. De pagina kon niet worden geladen en zijn bericht werd niet naar het forum gestuurd.

'Verdomde...' Hij tikte hard op de toetsen. Er gebeurde niets. Daarna probeerde hij weer in te loggen, maar hij kreeg een foutmelding in beeld.

Wat was er aan de hand?

NMP leunde achterover. Lagen ze op de loer? Hield iemand de fora in de gaten?

Shit, had de regering NMP's digitale waarschuwingen over Tasia getraceerd?

NMP, de Ruige Rotzak, Aartsengel x, merkte dat zijn hart sneller ging slaan. Hij keek rond door alleen zijn ogen te bewegen. Hij voelde dat zijn masker van hem afgleed. Heel even kwam Noel Michael Petty tevoorschijn, miauwend als een jong katje.

Iemand had zijn mond voorbijgepraat. En in een abrupte, pijnlijke flits, alsof dikke handen een ribbenkast beetgrepen en openscheurden, wist hij wie het was geweest. Het voelde als een dolksteek. Bewijs, de finale. Het laatste verraad.

Petty was zo voorzichtig geweest. Alleen maar zorgvuldig gekozen woorden, de vermomming NMP, alle reacties geredigeerd achter het masker van de digitale avatar Aartsengel x. Hij had Noel Michael Petty beschermd, maar ook Noel Michael Petty's idool.

Het was allemaal voor niets geweest. NMP sloot zijn laptop en voelde de scherpe rand van de afgebroken, wachtende antenne in zijn zak.

3 2

In de studio van de nieuwszender hield Edie Wilson op met ijsberen. 'Die auto. De suv,' zei ze, wijzend op het televisiescherm.

Haar werkgever had een vestiging in San Francisco, en in een montagekamer bekeken Edie en een nieuwsproducer de opnames die haar cameraman bij het huis van de politiepsych had gemaakt. De producer zette de beelden op pauze. Op het scherm stond de zwarte Nissan 4Runner, die wegreed van Edie en de rest van de meute verslaggevers.

'Wat is daarmee?' vroeg de producer.

Edie gebaarde met haar hand naar het scherm. 'De psych is met die man meegegaan. Als we hem kunnen vinden, zijn we de anderen een stap voor als we een quote van haar willen.'

'Heb je al geprobeerd haar via de woordvoerders van de politie te bereiken? Een interview met haar aan te vragen?'

'Tranh, de politie geeft ons nooit toestemming om met haar te praten. En nu is ze gewaarschuwd. Ze kijkt wel uit voordat ze iets onthult.'

'Maar dat hoort toch bij haar werk?' vroeg de producer. 'Ze moet toch alles geheimhouden?'

Edie ging naast hem zitten. 'Ze is opgeleid om niet door te vertellen wat haar patiënten zeggen. Maar dat is een bewust proces. De kunst is om haar onderbewustzijn te bewerken. Zorgen dat ze niet meer op haar hoede is. Dat is de lol van dit werk.'

'Wat wil je daarmee bereiken?' vroeg Tranh.

Edie hief haar armen op. 'Moet je dat nu echt vragen? Dit wordt de primeur van mijn leven. We moeten erbovenop zitten.' Ze wees op het scherm. 'Deze psychiater weet wat er aan de hand is en ze verbergt het voor het publiek. Als journalisten hebben we de plicht om de zaak aan het licht te brengen.'

'Het publiek heeft het recht om alles te weten.'

'Bespaar me die postmoderne, spottende opmerkingen van jullie twintigers. Het publiek heeft inderdaad het recht om alles te weten.' Ze schoof haar stoel dichter naar Tranh toe en ging zachter praten. 'Kijk nu eens naar die auto. Knappe jonge vent achter het stuur – waarschijnlijk haar vriendje. Ze zal wel bij hem in de buurt blijven.' Ze knikte naar het scherm. 'Ga eens een paar frames vooruit.'

Toen Tranh de film een paar beelden verder zette, tikte Edie met een van haar afgekloven nagels op de tv. 'Stop. Daar. Zie je dat?'

Tranh zette de film stil. Edie wees op de suv. Op de achterruit zat een sticker. Ze hoefde hem niet te vragen in te zoomen.

'Dat is interessant,' zei ze.

'Wat, "mijn kind is een goede leerling van de St. Ignatius-school"?'

'Nee, die andere. Dat is een militaire sticker.'

Hij maakte het beeld scherper. 'Air National Guard. Moffett Field.'

'Misschien is er een verband met de regering,' zei Edie.

Deze keer nam ze niet eens de moeite om te zeggen dat Tranh die spottende grijns van zijn gezicht moest halen. Hij wist dat hij het spel ging verliezen. Ze was een vrouw die carrière maakte, en als zij het verhaal vanuit dit perspectief wilde brengen, kon hij haar niet tegenhouden.

'Zorg wel dat het geen verspilling van onze tijd is,' zei hij. 'Het moet goede televisie worden.'

Ze glimlachte. 'Mooi zo. Zoom eens uit, ik wil de kentekenplaat van de auto zien.'

Tranh deed wat ze had gezegd.

Glimlachend belde Edie haar assistent. 'Zoek iemand bij de Californische Dienst voor Motorvoertuigen die een kentekenplaat voor me kan natrekken. Het interesseert me niet hoe je het doet, maar zorg dat ik de naam en het adres van de eigenaar krijg.'

Ze hing op. 'Hier krijg je geen spijt van, Tranh.'

'Daar hou ik je aan.'

33

Ferd typte op Jo's laptop. Hij beet op de binnenkant van zijn wang en keek de vestiging van Starbucks rond.

Op zijn telefoon las Jo de lopende blogdiscussie tussen Ferd, zijn tien klonen en Aartsengel x.

Oké, Tasia had talent. Een indrukwekkend stemgeluid. Maar dat hebben een bultrug en een fabriekssirene ook, en die laatste twee zijn geen slettenbakken. Tasia deed haar benen uit elkaar en verslond de helft van alle mannen in het westen van de Verenigde Staten. Ze was zo hebberig dat ze niemand overliet voor de andere vrouwen in dit land.

Ferd had geantwoord: *Is dat je beste imitatie van een politieke verklaring?*

Er kwam een reactie van Aartsengel x. *Hebzucht en roofzucht zijn politieke verklaringen. Bezit is politiek. Hamsteren is politiek. Uitsluiting is politiek. En Tasia verzamelde trofeeën, ze hamsterde ze, ze creëerde een barrière die alles in tweeën deelde. Je hoorde erbij of je hoorde er niet bij. Sommigen van ons trapten er een poosje in en dachten zelfs dat we fans waren. Maar ze heeft ons genaaid, figuurlijk en soms ook letterlijk.*

En verder op de pagina: *Al deze zooi doet er niet toe. Ze heeft alles voor mij verpest. Er zit nog maar één ding op.*

De lucht leek koeler te worden. 'Mijn hemel. Hij plant een spectaculair einde.'

'Wat?' Ferd keek hevig bezorgd naar Jo en keek daarna naar haar computer. Zijn stem werd hoog van opwinding. 'Yes! Het is gelukt. Ik heb ingelogd als Aartsengel x. We hebben hem buitengesloten.'

Jo gebaarde dat hij zachter moest praten en belde Chuck Bohr. 'Aartsengel is hier. We hebben geverifieerd dat hij in deze vestiging van Starbucks zit en volgens mij bereidt hij iets gewelddadigs voor. Waar blijft uw agent in burger?'

'Weet u wie hij is?'

'Nog niet letterlijk, wel digitaal. Maar...'

'Ik heb meer nodig. Ik kan niet zomaar een agent op Starbucks afsturen en hem de e-mails van alle aanwezigen laten controleren. Er is geen redelijke aanleiding.'

Gefrustreerd probeerde ze het nummer van Tang nog een keer. Deze keer kreeg ze haar aan de lijn. 'Amy, ik heb hulp nodig.'

'Ik ben bezig. Het komt me nu niet goed uit,' zei Tang.

Jo legde uit wat er aan de hand was. Er viel een lange, gespannen stilte aan de andere kant van de lijn. 'Oké, ik kom eraan. Hou hem online.'

Tang hing op voordat Jo kon herhalen dat ze de verbinding van Aartsengel x net hadden verbroken en die strategie niet konden gebruiken.

Jo scrolde door de berichten van Aartsengel op de blog. *Tuurlijk, iedereen verheerlijkt de doden. Maar wees eerlijk, ze gebruikte mannen en zorgde dat de rest niets meer aan hen had.*

Angst? Angst voor vrouwen? Voor seks?

En uiteindelijk had ze niet eens meer genoeg aan de president van de verenigde staten ze moest ook zo nodig de zanger hebben die nummer een in de countryhitlijsten staat.

Jaloezie?

Ze moest en zou Searle Lecroix hebben. Wist ze niet dat er gewone stervelingen stonden te wachten? Dat ze het voor ons verprutste?

Een enorme, zelfingenomen arrogantie.

We wachten nog steeds, maar ze maakte het allemaal onmogelijk. NMP.

Jo staarde naar het bericht. 'Heeft hij zijn berichten aan jou ooit ondertekend met NMP?'

Ferd knikte. 'De eerste keren.'

Ze gaf hem zijn telefoon terug. 'Zoek die initialen in connectie met Tasia McFarland, de president en Searle Lecroix.'

Ze stond op, liep naar de bar en schonk melk in haar lauwwarme koffie. Aartsengel x, wie ben je? En wat klopt er nu niet aan de berichten?

Achter haar begon het kind te krijsen. Twee mannen duwden schrapend hun stoelen achteruit en stonden op. Bij de bar klaagde de vrouw met de groene muts dat ze de verkeerde koffiemelange had gekregen. Jo liep terug naar het tafeltje.

'Hebbes,' zei Ferd. 'Jo, kijk.' Hij liet haar het piepkleine schermpje zien. Een draad op een politiek forum, vlak na Tasia's dood.

Ze pikte ze allemaal in. Alle mannen in het westen. En moet je zien wat dat haar gebracht heeft. De dood.

Het bericht was ondertekend. Jo's blik viel meteen op de naam.

In haar hoofd begon een alarmbelletje te rinkelen. 'Nu weet ik het.'

Ze kon onmogelijk zien of het bericht was verstuurd vanaf het e-mailadres van Aartsengel x, maar de structuur, de toon en het woordgebruik van deze berichten leken op die van NMP. En NMP was Aartsengel x.

Ze belde Tang terug.

Tang nam op. 'Ik ben er over een kwartier. Geen paniek.'

'Noel Michael Petty,' zei Jo.

34

Jo keek de zaak rond. Aan een tafeltje bij de deur keek een dikke, gedrongen man met diepe acnelittekens fronsend naar zijn mobieltje. Hij kwam moeizaam overeind en draaide zich om om weg te gaan.

'Is dat hem?' vroeg Ferd.

'Zou kunnen.' Even aarzelde ze. 'Kom mee.'

Terwijl ze haar tas over haar schouder hees, liep ze naar de deur. Ze zocht in haar tas en haalde er een verkreukeld papiertje uit.

'Meneer? Neem me niet kwalijk, volgens mij hebt u dit laten vallen.'

De man draaide zich om. Jo stak het verfrommelde papiertje naar hem uit, en haar hartslag roffelde als rennende rattenpootjes over een houten vloer. In zijn ene hand hield hij een pakje sigaretten. Er stak er eentje uit, klaar om opgestoken te worden zodra hij buiten was.

'Sorry, kunt u dat herhalen?' De man was niet goed te verstaan.

Hij had twee hoorapparaten. Het was ook duidelijk dat hij ooit een beroerte had gehad. Een van zijn ogen wees naar buiten en een mondhoek hing naar beneden. Dit was niet de aanvaller die zo lichtvoetig van Tasia's huis weg was gerend.

'Sorry, ik heb me vergist,' zei ze.

Hij draaide zich om en ging weg. Jo liep naar de bar en zei met schrille stem: 'Ik heb problemen met mijn internetverbinding. Is er vandaag iets mis met jullie wifi?'

Ferd draaide zijn hoofd om te kijken wie er opkeek. Niemand.

Op dat moment rook Jo deodorant van Right Guard.

Ze stond doodstil. Right Guard en geparfumeerde wasverzachter – dezelfde scherpe geuren die ze had geroken toen de indringer op haar was gevallen. Haar huid prikte.

'Hij is vlakbij,' zei ze.

Ze tuurde de propvolle zaak rond. De geuren bleven hangen, maar werden algauw opgeslokt door andere luchtjes – koffie, suiker, zuur babybraaksel.

'Hij is hier. Ik weet het zeker.'

Haar handpalmen jeukten. Bohrs agent in burger en Tang waren nog kilometers van haar vandaan.

Hoe kon ze vaststellen wie hij was? 'Mag ik je telefoon nog eens?'

Ferd gaf haar het toestel en ze scrolde terug door de e-mails en berichten die haar prooi had achtergelaten – als Aartsengel, als NMP en als Noel Michael Petty.

Zijn beschrijvingen van Tasia. *Gulzige mannenverslindster... Vraatzuchtig... Egoïstisch... Bijenkoningin die alles voor zichzelf houdt...*

Het ging allemaal over bezit, consumptie, eigendom en het recht om iets te hebben. De jaloezie straalde eraf, maar toch was de toon niet bezitterig naar Tasia. Niet op de manier die je vaak bij gewelddadige stalkers zag.

En toen besefte Jo wat er in haar oren niet had geklopt aan de berichten van Aartsengel. De onderliggende boodschap lag niet in zijn woorden, maar in wat hij níét verwoordde.

Aartsengel zei nooit dat Tasia van hem was, dat ze bij hem hoorde. Hij zei dat ze anderen afpakte, dat ze mannen hamsterde en hem buitensloot.

'O, man,' fluisterde ze.

Aartsengel was woedend op Tasia, maar niet omdat ze hem had afgewezen. Hij dacht helemaal niet dat ze van hem was. Hij had het nooit over haar alsof ze een relatie hadden.

Hij had het over alle mannen die ze inpikte en voor zichzelf hield.

Aartsengel wilde Tasia helemaal niet voor zichzelf. Hij nam het haar kwalijk dat ze hem een andere man had afgepakt. *We wachten nog steeds, maar ze maakte het allemaal onmogelijk.*

In de overvolle zaak baande de moeder met de wandelwagen zich een weg naar buiten. Het kindje had een keel opgezet. De wandelwagen stootte tegen Jo's scheenbenen. 'Neem me niet kwalijk,' mompelde de moeder.

Jo resette haar gedachten. Ze had alles vanuit het verkeerde standpunt bekeken. Aartsengel was geobsedeerd en vond dat Tasia zijn leven had geruïneerd. Maar hij gaf geen blijk van fantasieën of waanideeën dat ze een relatie hadden. Dat begreep ze nu.

Was hij een homo, geobsedeerd door een andere man?

Haar handpalmen begonnen te zweten. De moeder worstelde om de deur open te krijgen. Een andere vrouw, de vrouw met het groene mutsje, glipte gauw voor haar langs naar buiten.

'Ja hoor, tuurlijk, ik heb toch niks beters te doen,' zei de moeder, wier irritatie even door haar kalme houding heen brak. De vrouw met het mutsje stak haar middelvinger op en liep weg.

Jo rook het weer, de geur van mannendeodorant van Right Guard.

'O nee...'

Terwijl ze zich naar de deur haastte, toetste ze het nummer van Tang weer in.

Ferd kwam achter haar aan. 'Wat is er?'

Ze keek door de grote ramen naar buiten. De vrouwen waren uit het zicht verdwenen.

'Dat was Aartsengel.' Ze haastte zich naar de deur. 'Het is geen man. Het is een vrouw.'

Het was de vrouw met het mutsje. En ze was inmiddels verdwenen.

3 5

Noel Michael Petty stormde over Kearny Street. Gebogen hoofd, samengeperste lippen, roffelende schoenen op het trottoir. Woede rammelde in de lucht, scherp als scherven rood glas.

Wie zat er achter Aartsengel aan? Het was geen toeval dat de draadloze verbinding in Starbucks was verbroken. Er was opzet in het spel. Tasia's mensen? Robert McFarland? De politie?

Ze hadden Aartsengel het zwijgen opgelegd. Halverwege de grote finale, het ultieme moment van de waarheid, was de digitale keel van Aartsengel afgesneden.

Ze waren Aartsengel op het spoor. Dat betekende dat ze NMP op het spoor waren. De vermomming had niet gewerkt.

Petty rukte het mutsje af en gooide het in de goot. Tijdens het lopen trok ze het spijkerjack uit, dat ze onder een geparkeerde auto propte. Daarna probeerde ze de knopen van haar denim mannenshirt te rukken. De Ruige Rotzak had niet standgehouden. Het beeld van NMP als de gevaarlijkste kerel van de Tenderloin, bedoeld om te voorkomen dat iemand de kleine Noel onder de jas, muts en stoere houding zou zien, had niet standgehouden. Iemand moest haar hebben verraden.

Ze wist wie.

Ze rukte aan het denim hemd, zag een knoop wegvliegen, trok het shirt uit en stopte het in een vuilnisbak. Haar T-shirt was dun, en de nevelige wind krulde zich om haar heen en koelde haar af tot pure, bedachtzame woede. Ze keek loensend door de troebele glazen van haar bril. Ze had maar een paar minuten om zich te verstoppen voordat de rest van de wereld haar vond. Ze moest het zakendistrict uit zien te komen en heel snel iemand anders worden. Op een holletje stak ze Kearny over en liep ze in westelijke richting over Sutter. Ze wist wie ze de schuld moest geven. Ze wist wie ze moest straffen.

Jo gooide de deur van de Starbucks open en rende het trottoir op. Ferd kwam struikelend achter haar aan.

'Wat bedoel je, een vrouw?' vroeg hij.

'Welke kant ging ze op?'

Jo keek naar links en naar rechts over Kearny. De moeder met het iPhone-kindje liep een eindje verderop, worstelend met haar tas en de beker koffie die ze had meegenomen.

Jo legde een hand op haar hoofd. 'Aartsengel is een vrouw. Ik had het eerder moeten zien.'

Ferds mond zakte langzaam open. 'Die forse vrouw met die muts?'

'We moeten haar vinden.' Ze wees in noordelijke richting. 'Jij gaat die kant op.'

Ferd kloste in de richting die ze had aangewezen.

'Ga niet naar haar toe,' riep Jo. 'Als je haar ziet, bel me dan, dan waarschuwen we de politie.'

Terwijl ze de andere kant op rende, belde ze Tang weer.

'Ik ben onderweg, Beckett.'

'Het is een vrouw. Noel Michael Petty. We hadden het niet door.'

'Neem je me in de maling?'

'Nee.'

Ze rende over Kearny, langs haar auto. Op de kruising met Sutter stond ze stil en keek ze om zich heen. Oude bakstenen gebouwen, bezaaid met brandtrappen. Boven haar hoofd elektrische leidingen van de trolleybussen. Op Sutter gladde wolkenkrabbers van glas en graniet. Chique winkels.

Geen enkel spoor, tot ze in de goot opeens de groene muts zag liggen.

'Ze gooit de kleren weg die ze aanheeft. Ze weet dat er iets mis is.'

'Weet je dat heel zeker?' vroeg Tang.

'Ik zou alleen maar zekerder van mijn zaak zijn als ik haar bij een confrontatie zag en haar rijbewijs kon bestuderen. Dezelfde deodorant, dezelfde wasverzachter. Even groot als de man die me in het huis van Tasia aanviel. Amy, we gingen ervan uit dat het een man was omdat de indringer zo groot was en alle e-mails aan Tasia zo jaloers en bezitterig klonken. En het merendeel van de stalkers is heteroseksueel. Mijn fout.'

'Nee, geen fout. Je hebt ontdekt hoe het zit. Als dit klopt, vermomde Petty zich. Ze wilde de indruk wekken dat ze een man was.'

'Ze draagt een spijkerjack en een groene gevechtsbroek. Maar als ze haar vermomming weggooit, probeert ze te ontsnappen. Ik denk dat ze kwaad in de zin heeft.'

'Wat dan?'

'Ik denk dat Tasia niet haar enige doelwit is.'

Terwijl ze de straat afspeurde, zag ze opeens een groene flits. In de verte rende iemand in gevechtsbroek over Sutter weg. Er reed een bus voor Jo langs. Toen hij was gepasseerd, was de persoon verdwenen.

'Ze rent naar het westen. Kun je een patrouillewagen naar haar laten zoeken?' vroeg ze.

'Komt voor elkaar.'

Jo zette een stap in de richting van haar auto en aarzelde. Kearny was een eenrichtingsstraat, en tegen de tijd dat ze om het blok heen kon rijden en kon keren om achter Aartsengel aan te gaan, kon de vrouw al tien verschillende kanten op zijn gerend.

'Ik ga te voet achter haar aan,' zei ze.

'Blijf uit haar buurt,' zei Tang scherp.

Jo holde de straat over en liep verder over Sutter.

'Tang, ik maak me zorgen. Voordat ze op de vlucht sloeg, zag ik een bericht dat ze aan het schrijven was. Het was een necrologie.'

36

De winkels op Union Square waren fel en opzichtig: enorme dozen met reclameposters op de ramen waarop half ontklede, geretoucheerde, perfect uitziende jonge mensen stonden. Noel Michael Petty haastte zich naar binnen bij Gap en greep het eerste shirt in extra large dat ze zag. Uit een stapel trok ze een bruine lange broek. Terwijl ze haar voorhoofd afveegde, stormde ze naar een kleedkamer, waar ze zich omkleedde en de kaartjes van de kleren rukte.

Bij de kassa keek de verkoopster, een magere lat met een adem die naar pepermuntkauwgom rook, haar raar aan.

'Heb ik wat van je aan?' vroeg Petty.

'Nee, mevrouw. Dat is dan negenentachtig vijftig.'

Ze schoof een briefje van honderd dollar naar de magere lat. 'Het is belangrijk om er verzorgd uit te zien. Denk daar maar eens over na.'

Petty streek haar haren glad en duwde haar bril hoger op haar neus. Kijk niet zo naar me, dacht ze. Iedereen wilde naar haar kijken, en dat beviel haar niet.

Ze nam haar wisselgeld aan en haastte zich naar buiten, het kille zonlicht in.

Tegen de tijd dat Jo twee straten heuvelopwaarts had gerend, liep ze te hijgen en begon ze de moed te verliezen. Aartsengel was in de drukke straten van het centrum opgegaan.

'Ik ben haar kwijt,' zei ze tegen Tang.

'Ik heb haar beschrijving aan alle patrouillewagens doorgegeven. Ze hebben opdracht om naar haar uit te kijken.'

Op een hoek ging Jo langzamer lopen. Welke kant moest ze op?

'Wat gaat ze doen?' vroeg Tang.

'Iemand doden.'

'Zichzelf?'

'Weet ik niet. Zou kunnen. Misschien ook nog iemand anders.'

'Ik rij op Market in noordelijke richting.'

Jo kreeg een ingeving. 'Kun je naar Union Square rijden?'

'Natuurlijk. Waarom?'

Jo zette het weer op een lopen. 'Volgens mij heeft ze het voorzien op...'

'Jezus christus, de president is er toch niet, hè?'

Jo hield haar tas stevig vast en rende door de kloof van wolkenkrabbers naar het St. Francis Hotel.

'Nee. Volgens mij stalkt ze Searle Lecroix.'

In de televisiestudio viste Edie Wilson de lekkerste hapjes uit een salade. Met de tanden van haar vork veegde ze zwarte olijven en geraspte worteltjes aan de kant. Een plastic vork – ze was echt geen snob, ze voelde zich heus niet verheven boven de anderen op de werkvloer. Al moest ze dat voortdurend bewijzen aan mensen als die magere jonge producer, Tranh. Omdat een natuurramp haar grote doorbraak was geweest, dachten sommige mensen dat ze gewoon mazzel had gehad, dat haar carrière een kwestie van stom geluk was en dat ze de ellende van anderen had gebruikt om bij de nieuwszender hogerop te komen.

Goed, dat was misschien wel zo, maar daar ging ze zich echt niet voor verontschuldigen. 'Twintig uur tragiek in Topeka' was van het begin tot het einde haar verhaal geweest, want als enige verslaggever had zij het lef en de mazzel gehad om die dag in de buurt van de gigantische supercel te zijn. Ze was bezig geweest aan een reportage over een groep tornadovolgers van Oklahoma University. Inderdaad, ze was verdwaald, en inderdaad, ze had uiteindelijk in een vuilnisbak dekking moeten zoeken voor de tornado. Daar schaamde ze zich heus niet voor. Sterker nog, ze had de vuilnisbak genoemd in het promotiefilmpje voor haar programma. Ze had de moed gehad om tussen een zwerm tornado's door te rijden en verslag te doen van het nieuws. Zesennegentig doden, en dat had het land uit háár mond gehoord. Háár arm had om de schouder van die oude vrouw gelegen toen brandweerlieden in de puinhopen van hun stacaravan naar haar man zochten. Daar kon Brian Williams een punt aan zuigen.

Edie Wilson, de Dapperste Vrouw van het journaal, verontschuldigde zich tegenover niemand.

Toen haar telefoon ging, vroeg ze de stagiair om op te nemen. Ze likte met haar tong over haar tanden om te zorgen dat haar glimlach smetteloos wit was.

Uiteindelijk nam ze de telefoon over. 'Zeg dat je iets hebt gevonden.'

'De auto staat op naam van Gabriel Quintana.'

Ze schreef het adres op. 'Zoek zo veel mogelijk informatie over die man. Vooral in verband met dokter Jo Beckett.'

Ze klapte de telefoon dicht en gaf haar bord met de salade aan de stagiaire. 'Waar is Andy?'

Als haar cameraman zat te lunchen, moest hij zijn bestek maar neerleggen. Ze moesten journalistiek speurwerk verrichten.

Jo ontweek voetgangers en rende over de drukke straten naar Union Square. Ze drukte haar telefoon tegen haar oor.

'In haar e-mails aan Tasia schreef Aartsengel een paar keer dat Tasia alle mannen inpikte. Maar ze noemde Searle Lecroix in het bijzonder.'

'Denk je dat hij gevaar loopt?'

'Bel het St. Francis. Zeg dat hij voorzichtig moet zijn.'

Op de kruising met Grant liep ze het zebrapad op en hoorde ze een luide claxon. Toen ze achteruitsprong, raasde er een gele taxi voorbij.

'Ik bel je terug,' zei Tang.

Jo wachtte tot ze kon oversteken. De wind blies haar haren rond haar gezicht. Dacht ze dat Lecroix gevaar liep? Ze kon het zich niet veroorloven om daar niet van uit te gaan.

De portier van het St. Francis tikte aan zijn hoed en maakte de deur open. Petty kneep met haar ogen, krabde zich onder haar oksel en ontweek zijn blik.

Tasia McFarland was in haar eentje al erg genoeg geweest. Een afvoerput, een poel des verderfs, een menselijke latrine. Ze had Searle gestolen en hem gemanipuleerd terwijl Petty wachtte – het was een hel geweest.

Bij de aanblik van de lobby stond ze stil, want zo'n luxueuze omgeving had ze nog nooit gezien. Ze streek haar nieuwe shirt glad en probeerde haar kroezende haar onder het met roze stof beklede elastiek rond haar paardenstaart te proppen. Hoe moest ze dit aanpakken? Hoe kon ze het doen? Dit was een wereld waarin ze niet thuishoorde.

Die gedachte bezorgde haar een branderig gevoel in haar borst. Ze had haar best gedaan om Searle tegen Tasia te beschermen. Ze had hem gewaarschuwd – altijd op een zachtmoedige manier, omdat ze had gedacht dat hij een zachtmoedige man was. Maar het was altijd haar bedoeling geweest om hem te beschermen. Hij had hulp nodig. In zijn berichten waarschuwde hij haar. *Sst. Vertel het aan niemand, mijn allerliefste. Tasia is gevaarlijk.*

Daarom had ze haar e-mailcampagne tegen Tasia gericht. Zorg dat je het kreng kwijtraakt, bespaar Searle de pijn van de waarheid. De waarheid was voor de meeste mensen te fel, te angstaanjagend, te heilig. Ze beschermde hem tegen zichzelf. Daarom had ze online de identiteit Aartsengel aangenomen. Ze was vernoemd naar de Bijbelse Michal, de dochter van koning Saul, maar ze voelde meer verwantschap met de aartsengel Michaël, beschermer van de onschuldigen.

Ze had gedacht dat Searle het zou begrijpen als Tasia dood was. Zijn teksten spraken tot haar. Zijn boodschappen waren zo puur en begripvol, ze boden zo'n indringend inzicht in haar geheime, diepste waarheden dat ze alleen maar voor haar bedoeld konden zijn. Hun schoonheid en macht, en de passie waarmee Searle ze zong, overtuigden haar daarvan. Ze kende ze allemaal uit haar hoofd. *Wees kalm en voorzichtig.* Ze hoorde de speciale boodschappen die erin waren opgesloten. *Noem mij niet, spreek er met geen woord over.* Speciale boodschappen, gezongen voor de engel die van hem hield. *Vertel niemand over onze liefde.*

Ze wist waarom hij die woorden voor haar zong. Hij hoefde de ware boodschap niet uit te spreken: omdat Tasia een wig tussen ons zal drijven en alles zal bederven.

En op die triomfantelijke dag dat Tasia dood en met een bloederige schotwond op de grond had gelegen, was Petty ervan overtuigd geweest dat Searle zich tot haar zou wenden. Ze had gedacht dat hij haar zou bedanken voor de vriendelijke condoleances die ze naar zijn website had gestuurd, maar hij had niet gereageerd. Niet één keer. In plaats daarvan had hij een lied geschreven dat hij tijdens Tasia's herdenkingsdienst wilde zingen.

Engel, heengevlogen. Hitte kringelde als de vlam van een gasbrander om Petty heen. Searle had de hele wereld deelgenoot gemaakt van zijn gevoelens. Hij had Tasia zijn engel genoemd. Op een vernederende, expliciete, zeer directe manier had hij Noel Michael Petty afgewezen. Het was een opzettelijke, onuitwisbare klap in het gezicht.

Ze ademde uit door haar neus en vocht tegen de bijtende woede die in tranen dreigde te veranderen. Nee, ze hoorde hier niet thuis. Daar had de samenspannende wereld wel voor gezorgd. Maar op een bepaalde manier hoorde ze hier wél thuis. Waarom was het anders uitgelekt dat Searle hier logeerde?

Ze liep door de lobby naar de balie, langs zakenlieden die aan piepkleine koffiekopjes nipten, vrouwen met diamanten en toeristen met plattegronden.

'Ik moet iemand bellen die hier logeert,' zei ze.

Jo ontweek een toeristengezin dat voor een foto poseerde en kwam uit op Union Square. Onder het felle zonlicht huiverden de bomen op het plein in de bries.

Haar telefoon ging. 'Ik heb het St. Francis gebeld en een bericht voor Lecroix achtergelaten,' zei Tang. 'Heb je zijn eigen nummer?'

'Alleen dat van zijn mobieltje. Neemt hij niet op?'

'Nee, vandaar mijn haast om naar het hotel te komen.'

Jo rende verder over het trottoir. Het St. Francis bevond zich aan de westkant van het plein en torende hoog boven de straat uit.

'Ik ben er over een minuut,' zei ze.

'Als je Petty ziet, blijf dan uit haar buurt. Waarschuw de beveiliging van het hotel. Ik ben er over vijf minuten.'

Jo wist op dat moment nog niet hoe lang die vijf minuten zouden lijken.

De stereo-installatie in de suite stond knoerthard. De muren van het St. Francis waren dik, en Lecroix kon de hoge tonen niet meer zo goed horen. Toen hij de douchekraan dichtdraaide, hoorde hij de telefoon in zijn kamer rinkelen.

Hij sloeg een handdoek om zijn middel, liep met een wervelende sliert damp achter zich aan de badkamer uit en nam de telefoon op die op het nachtkastje in zijn slaapkamer stond. Het was de balie van het hotel.

'Meneer Lecroix, er is hier een bezoekster die vraagt of ze boven mag komen. Vienna Hicks.'

Met de rug van zijn pols veegde Lecroix water uit zijn ogen. 'Forse vrouw, waarschijnlijk een verdrietige blik op haar gezicht?'

'Dat lijkt wel te kloppen, meneer.'

Op de achtergrond hoorde hij een vrouw zeggen: 'Ik heb een paar dingen die Tasia aan hem wilde geven.'

'Meneer Lecroix, ze...'

'Ik heb het gehoord. Het is goed. Ze mag boven komen.'

Hij hing op, haalde de handdoek van zijn middel en droogde zich af. Aan het knipperende rode lampje op de telefoon zag hij dat er een bericht voor hem was achtergelaten. Hij beluisterde het niet, maar ging zich aankleden.

De vrouw achter de balie legde de hoorn neer en probeerde professioneel en gedienstig over te komen door haar hoofd een beetje schuin te houden. 'Meneer Lecroix zegt dat u naar zijn suite mag komen.'

'Waar vind ik die?' vroeg Petty.

'Vijfde verdieping.'

De vrouw pakte een plattegrond van het hotel en tekende een cirkeltje om een kamer. Ze gaf het plattegrondje aan Petty. Het cirkeltje leek wel de roos van een schietschijf. Petty liep naar de liften.

37

Jo draafde door de lobby van het St. Francis en liet haar blik door de hele ruimte dwalen, zoals ze Gabe had zien doen als hij naar bedreigingen speurde. Ze zag Noel Michael Petty nergens.

Bij de balie stond een rij mensen die wilden inchecken. Jo draaide langzaam rond en tuurde door de weelderig ingerichte lobby. Niets. Ze pakte de hoorn van een huislijn en vroeg naar de kamer van Lecroix. De telefoon ging over, maar er werd niet opgenomen. Ze liet een bericht achter.

'Meneer Lecroix, de stalker die achter Tasia aan zat is in San Francisco. Het is een vrouw. Ik denk dat ze gevaarlijk is en dat ze het op u heeft voorzien. Ik ben hier in het St. Francis en de politie is onderweg. Waarschuw de bewaking van het hotel als u dit hoort en bel me alstublieft terug.'

Bij de balie was het personeel nog steeds bezig. Jo liep naar het bureau van de conciërge, die met een toerist praatte en bezienswaardigheden op een plattegrond van de stad omcirkelde. Jo viel hem in de rede.

'Het spijt me, maar ik moet dringend het hoofd van de beveiliging spreken.'

De conciërge keek even opzij, glimlachte onverstoorbaar naar de toerist en zei: 'Neemt u me niet kwalijk.'

'Nu meteen, alstublieft,' zei Jo.

Er werd op de deur van de suite geklopt. Lecroix maakte de zilveren rodeogesp van zijn riem vast en propte zijn voeten in zijn cowboylaarzen. In de spiegel van de slaapkamer zag hij zichzelf, en hij streek zijn natte haren glad. De cowboyhoed?

Nee, dat zou onbeleefd zijn. Tegenover Tasia's zus moest hij respect tonen, dus dan hoorde hij binnenshuis geen hoed te dragen. Hij rechtte zijn rug. Hij had Vienna Hicks nog nooit ontmoet en wenste dat hij zich onder andere omstandigheden aan haar kon voorstellen.

In de spiegel oefende hij een glimlachje. 'Tasia heeft het heel vaak over je gehad.'

Hij hoorde nog een klop op de deur. Met een vlug, gefluisterd schietgebedje aan het adres van Jezus en alle beschermengelen die zorgden dat rouwende zussen het een countryzanger niet kwalijk namen dat hij hun zusje had overgehaald een fatale stunt uit te voeren, liep hij door de suite naar de deur.

De conciërge wenkte kalm een collega naar zijn bureau en vroeg hem om de goed geklede toerist te helpen die Alcatraz wilde bekijken. Daarna belde hij de beveiliging. Jo spande en ontspande haar vuisten.

Toen de conciërge ophing, liep hij om zijn bureau heen en leidde hij Jo naar een plaats buiten gehoorsafstand van de toerist. 'Zijn er problemen?'

'Ik vermoed van wel.' Ze vertelde hem kort wat er aan de hand was. 'De politie is onderweg, maar ik kan meneer Lecroix niet bereiken. Hij heeft geen bodyguards. Wat kunnen jullie doen?'

Een paar meter van hen vandaan zei een gesoigneerde jonge vrouw achter de balie: 'Neem me niet kwalijk. Een minuutje geleden was meneer Lecroix nog in zijn kamer. Zal ik hem nog eens bellen?'

'Alstublieft,' zei Jo.

De jonge vrouw belde naar de suite van Lecroix. Ze straalde jeugdig enthousiasme en onverstoorbaarheid uit. Op haar naamplaatje stond KARA. 'De telefoon gaat over.'

Jo kwam bij de balie staan. 'Hoe weet u dat meneer Lecroix een minuutje geleden nog in zijn kamer was?'

'Ik heb hem gesproken.'

'Naar aanleiding waarvan?'

'Ik zei dat hij een bezoekster had.'

'Wie?'

'Een vrouw. Ze heette...' Kara legde de hoorn neer en schudde haar hoofd. 'Er wordt niet opgenomen. De vrouw heette Vienna.'

'Vienna Hicks?'

'Ja.'

De zenuwen gierden Jo door de keel. 'Wat zei meneer Lecroix?'

'Dat ze boven mocht komen.'

'Een meter tachtig, een flinke bos rood haar...'

Kara schudde haar hoofd. 'Gedrongen, vettige bruine paardenstaart.'

'Probeer Lecroix nog eens te bellen en zeg dat hij niet moet opendoen.' Jo schreeuwde de woorden bijna naar haar toe. Tegen de conciërge zei ze: 'Stuur de beveiliging erheen, nu meteen.'

Terwijl ze naar de trap rende, toetste ze het alarmnummer in.

Lecroix deed de deur open. 'Vienna. Kom binnen.'

De vrouw bleef als aan de grond genageld in de gang staan.

'Vienna?' zei hij.

Hemel, het verdriet had haar hevig aangegrepen. Hij herkende haar helemaal niet van de foto op Tasia's aanrecht. Dat kiekje was natuurlijk tientallen jaren geleden gemaakt, maar lieve god, de tand des tijds had geen medelijden met Vienna Hicks gehad.

Haar blik was ontzet en ze leek een instorting nabij, alsof er een tornado in haar binnenste woedde. Even dacht hij dat ze zou flauwvallen of zich zou omdraaien en wegrennen. 'Gaat het?' vroeg hij. 'Kom alsjeblieft binnen.'

Hij legde een hand op haar elleboog. Ze zag eruit alsof ze dringend behoefte had aan een glas water. Toen hij haar aanraakte, zakte ze bijna door haar knieën.

Het volgende moment verscheen er een zeer resolute blik op haar gezicht. Die arme meid, ze stortte bijna in, maar ze probeerde zich te vermannen.

'Ja, ik wil wel binnenkomen,' zei ze.

Terwijl ze strak naar zijn ogen bleef kijken, liet ze zich meenemen naar de zitkamer. De deur viel met een zware klik achter hen dicht.

'Ik ben blij dat ik je eindelijk ontmoet,' zei hij.

Ze draaide zich langzaam om en staarde naar hem alsof hij in brand stond. 'Ja. Eindelijk.'

Bij het zien van haar intense blik begon er een vreemde bezorgdheid aan hem te knagen. 'Vienna?'

'Sst, Searle.' Ze liep naar hem toe. 'Searle, mijn allerliefste. Het had allemaal heel anders kunnen lopen.'

3 8

Halverwege de trap ging Jo's telefoon in haar hand over.

'Ik ben in de lobby,' zei Tang.

'Vijfde verdieping,' bracht Jo hijgend uit. 'Petty is naar de suite van Lecroix gegaan.'

'Waar ben jij?'

'Trappenhuis, derde verdieping. De conciërge wilde dat ik in de lobby op de beveiliging zou wachten en met hen naar boven zou gaan, maar dat kon ik niet.'

Tangs stem kreeg een scherpe klank. 'Beckett, blijf uit Petty's buurt. Klop niet op de deur van Lecroix en ga niet door de gang van de vijfde verdieping zwerven. Wacht in het trappenhuis op mij.'

'Als...'

'Je bent ongewapend. Als Petty net zo gevaarlijk is als je denkt, loopt niet alleen Lecroix gevaar, maar jij ook.'

Op het trapbordes van de vierde verdieping maakte de trap een draai. In het blauwe fluorescerende licht van het trappenhuis bleef Jo rennen. 'Petty heeft zich uitgegeven voor Vienna Hicks. Hij wacht op haar, en nu neemt hij zijn telefoon niet op.'

'Ik kom eraan, Beckett. Blijf waar je bent.'

Tang klonk buiten adem. Onder in het trappenhuis hoorde Jo een deur dichtslaan en schoenzolen over de betonnen treden schuren. Tang rende naar boven.

Hijgend bereikte Jo het trapbordes van de vijfde verdieping. Ze was blij dat ze niet op een hogere verdieping hoefde te zijn. Tangs voetstappen kwamen dichterbij en werden onregelmatiger. Jo liep voetje voor voetje naar de branddeur, die ze heel voorzichtig een stukje opende.

Ze zag een dunne streep van de chique, gedempte gang, maar ze hoorde helemaal niets. Ze zag ook niemand; er stond alleen een roomserviceblad met vuile vaat naast een kamerdeur. Aan het einde van de gang zag ze de deur naar Searles suite.

De voetstappen en een zware ademhaling kwamen dichterbij. Jo deed de deur dicht en stapte achteruit. Tang kwam in zicht. Haar hand was wit op de leuning en ze moest zichzelf bijna naar boven hijsen. Haar gezicht stond strak, vlak en gespannen.

'In de gang is niemand te zien,' zei Jo.

Boos schudde Tang haar hoofd. 'Wat zei ik nou?' Ze maakte verder geen woorden meer vuil aan Jo's inbreuk op haar terrein en trok de holster van haar dienstwapen open. Geluidloos duwde ze de klink omlaag en zette ze de branddeur op een kiertje. Haar blik dwaalde onderzoekend door de gang.

'Blijf in het trappenhuis,' zei ze.

Op het moment dat Tang de gang in liep, liet de lift een ping horen en gingen de deuren open. Op weg naar de suite van Lecroix draaide Tang haar hoofd naar de lift. De conciërge en drie beveiligers in jasje-dasje stapten uit. De beveiligers hadden allemaal oortjes en walkietalkies.

Tang liet haar penning zien. 'Achter mij blijven.'

De mannen gingen achter haar lopen en volgden haar naar de suite van Lecroix. Ze klopte hard op de deur.

'Meneer Lecroix? Politie.'

De beveiligers zetten zich schrap als briesende stieren, klaar voor de aanval. Hun schouders rolden in hun colberts.

Tang klopte nog een keer. 'Politie, meneer Lecroix. Doe open.'

Jo bleef in de deuropening van het trappenhuis staan en hield de deur met haar voet een paar centimeter open. Tang bonsde nogmaals op de deur van Lecroix. Daarna knikte ze naar een van de beveiligers.

'Maak maar open.' Ze hief haar hand op. 'Ik ga als eerste naar binnen. Jullie gaan allemaal achteruit.'

De beveiliger knikte. De conciërge en twee van de jasjes liepen weg van de deur en gingen tegen de muur van de suite staan. Tang trok haar wapen en knikte naar de beveiliger, die een personeelssleutelkaart in het slot stak.

Zijn walkietalkie kraakte, en een stem zei: 'De politie komt net de lobby binnen.'

'Zeg dat ze één agent naar boven moeten sturen en dat de tweede in de lobby moet blijven,' zei Tang. 'Maar ik wacht niet op hen.'

Jo hield de deur met haar voet open. Ze kon goed zien wat er gebeurde. Ze vond het vreselijk om op de achtergrond te blijven, maar ze wist dat ze alleen maar in de weg liep als ze zich bij Tang voegde. Die gedachte vond ze ook vreselijk. Haar handpalmen waren klam. Ze verbeeldde zich dat ze in de gang een vleugje Right Guard rook.

Tang hield haar wapen met beide handen in de aanslag, duwde de deur van de suite open en ging naar binnen. Ze liet het pistool naar links wijzen en verdween uit het zicht.

De conciërge en de beveiligers bleven tegen de muur staan. Jo duwde de branddeur nog een paar centimeter verder open. Het drong tot haar door dat ze de klink beetgreep alsof ze zich honderd meter boven de grond aan een rotsspleet vastklemde. De stilte uit de suite leek wel een ijzige, bittere wind.

Opeens viel haar oog op een gekleurde plek op de branddeur.

Rood. Aan de gangkant van de deur was een halvemaanvormige, dieprode vlek op de deur gesmeerd.

Het was een bloederige, partiële handafdruk.

Vanuit de suite van Lecroix schreeuwde Tang: 'Veilig. Blijf in de gang.'

De handafdruk was zo vers dat hij glinsterde.

Tang had hem niet kunnen zien toen ze vanuit het trappenhuis naar de suite liep. Jo hield de deur vast. Ze voelde al haar nekhaartjes prikken.

Ze keek over haar schouder het trappenhuis in. Op zo'n twee meter van het trapbordes stond op de leuning naar de volgende verdieping nog een handafdruk.

Tangs stem weergalmde door de gang. 'Regel een ambulance, nu meteen. Beckett, kom hier.'

Petty was naar boven gegaan omdat Jo en Tang onder haar in het trappenhuis liepen. Als ze naar beneden was gevlucht, zou ze hun tegen het lijf zijn gelopen.

Jo rook weer deodorant van Right Guard en wist dat ze zich niets had verbeeld. Christene zielen nog aan toe, verborg Petty zich vlak boven haar?

'Tang!'

'Beckett, schiet op,' riep Amy terug.

'Ze zit in het trappenhuis boven ons,' schreeuwde Jo.

Met kippenvel op haar armen gooide ze de deur open en holde ze door de gang naar de suite. De conciërge en de beveiligers stonden in de deuropening gejaagd in hun walkietalkies te praten. Jo werkte zich langs hen heen naar binnen.

Op de vloer van de zitkamer boog Tang zich op haar knieën over Searle Lecroix heen. Zijn voeten wezen naar buiten, zijn cowboylaarzen lagen doodstil. Overal zat bloed.

Met wanhopige tranen in haar ogen keek Tang naar Jo. Met gespreide handen duwde ze op de borstkas van Lecroix. Lecroix keek omhoog naar Tang. Zijn ogen waren donker van een angst die de pijn en de schok voorbij was en besef uitstraalde. De dood was nabij. De dood won meer terrein dan Tangs koortsachtige poging om het bloeden uit de vele steekwonden te stelpen.

39

De schok golfde als water van een doorgebroken dam over Jo heen. Eén seconde kon ze zich niet bewegen. Doe me dit niet aan, God. Daarna dwong ze zichzelf om op haar tanden te bijten en naar Lecroix te lopen.

Op haar knieën ging ze naast hem zitten. Tang keek hulpeloos en hoopvol naar haar.

Het bloed dat vanuit zijn onderbuik door de plakkerige scheuren in zijn shirt gutste, was donker, bijna bruin. Hij had een aantal steekwonden in zijn lever. Het wapen moest een scherp mes zijn geweest.

'Zorg dat de beveiligers me komen helpen,' zei Jo. 'Ik neem hem over.'

Tang leek haar niet te horen.

'Vlug,' zei Jo. 'Petty verschool zich een verdieping hoger in het trappenhuis, maar ik ben van het trapbordes weg gelopen. Het zit er dik in dat ze via de trappen naar de lobby rent.'

Tang knipperde met haar ogen en kwam tot haar positieven. Ze stond op, sprong over Lecroix heen en rende de suite uit, onderwijl instructies schreeuwend naar de beveiligers. Als ze de agent in de lobby met een portofoon kon waarschuwen, konden ze Petty de weg afsnijden.

Jo scheurde het shirt van Lecroix open en duwde hard op de gutsende wond in zijn zij. 'De ambulance is onderweg.'

Zijn gezicht was een wanordelijke mengeling van contrasterende kleuren. Een witte huid, helder bloed dat aan weerszijden van zijn gezicht uit zijn mond en neus liep, een catastrofale vlag van de Japanse keizerlijke marine. Zijn tanden klapperden. Hij probeerde te praten, maar er kwam geen geluid uit zijn mond.

Tussen zijn ribben door was hij ook een aantal keren in zijn rechterlong gestoken. Toen hij ademhaalde, hoorde Jo een zuigend geluid. In het roze bloed op de gruwelijke wond in zijn borstkas verschenen luchtbelletjes.

'Hou vol. Kijk me aan,' zei ze.

Zijn ogen bewogen en hij keek haar aan.

'Wend uw blik niet af.'

Hij had vreselijke ademnood. Ze moest een luchtdicht verband op de zuigende borstwond aanbrengen en het aan drie kanten afplakken.

De beveiligers kwamen aanlopen.

'Haal alles wat je in de badkamer kunt vinden. Haal de hele boel maar overhoop,' zei ze. 'Cellofaan, aluminiumfolie, douchemuts, snoeppapiertjes, alles. En vaseline. Smeermiddelen.' Ze bleef met haar hand op zijn borst duwen. 'Kijk ook op dat vuile dienblad in de gang. Als er gebruikt huishoudfolie op ligt, neem het dan mee. Vlug.'

Lecroix bewoog zijn lippen. 'Pijn.'

'Ik weet het. Blijf naar me kijken. Hou vol.'

In de deuropening verscheen een politieman in uniform. 'De ambulance is er.'

Jo keek op. 'Ga inspecteur Tang helpen. Ze is naar het trappenhuis gerend. De aanvaller is gewapend met een mes en is uiterst gevaarlijk.'

De politieman trok zijn wapen, draaide zich om en verdween.

Lecroix spuugde iets uit wat op een woord leek. Jo boog zich voorover naar zijn mond.

'Wat?'

'Pistool...'

Geschokt keek ze hem aan. 'Pistool?'

'Zij.'

'Wie, Petty? De vrouw die u heeft neergestoken?' vroeg Jo.

Bij zijn woorden kwam er niet eens lucht naar buiten, het waren alleen maar klikjes. 'Het mijne.'

'Heeft ze uw pistool gepakt? Had u een pistool?'

Hij knipperde met zijn ogen. Jo herinnerde zich zijn opmerking dat hij zichzelf op allerlei manieren beschermde.

'Agent!' gilde Jo. 'Luister! De dader heeft een pistool!'

De beveiliger in de deuropening leek even te verstenen, maar toen legde hij een hand op zijn oor en rende hij met zijn walkietalkie tegen zijn wang de kamer uit.

'Zeg het tegen de politie,' gilde Jo, maar ze schreeuwde tegen een lege deuropening.

Lecroix huiverde onder haar handen. Hoewel ze zijn wonden bleef dichtdrukken, voelde ze zijn leven tussen haar vingers wegsijpelen.

Twee beveiligers kwamen aanrennen en gooiden spullen uit de badkamer en van het dienblad op de vloerbedekking. Met één hand ontwarde Jo een gebruikte bal huishoudfolie, die ze met glijmiddel insmeerde en op de borstwond van Lecroix duwde om te voorkomen dat er lucht uit zijn long lekte.

De beveiliger zei: 'Op het dienblad lag nog een stuk biefstuk, maar het steakmes was verdwenen.'

Haar blik gleed naar de deur. Was iemand erin geslaagd Tang te waarschuwen dat Petty een pistool had? Het was zo'n wanordelijke situatie dat de boodschap misschien niet was overgekomen. Jo moest zeker weten dat Tang op de hoogte was.

Ze bleef druk uitoefenen op de wonden van Lecroix. Meer kon ze niet doen. Ze kon alleen maar haar best doen om het bloeden te verminderen.

Er schuimde bloed uit zijn mond. 'Bang.'

In zijn ogen zag ze de allesoverheersende confrontatie met het onvermijdelijke. Hij wist het. Hij zweefde op de drempel. Hij was nog maar een zachte ademtocht van de laatste stap verwijderd.

Ze vreesde dat Lecroix het niet zou overleven. Tijdens haar opleiding had ze wat bijverdiend op de Spoedeisende Hulp. Zelfs daar vergden zulke ernstige wonden al het uiterste van een volledig uitgeruste afdeling. De verpleegkundigen zouden er straks een ongelooflijke klus aan hebben om hem levend in de ambulance te krijgen.

Hij legde zijn hand op de hare. Zijn vingers waren koud en glibberig van het bloed. Zijn ogen smeekten haar om te zeggen wat hij wilde horen, smeekten haar om de woorden 'je redt het' in de mond te nemen.

Dat kon ze niet. Ze kon verdomme helemaal niets doen.

Nee, dat was niet waar. Ze kon wel iets doen. Ze probeerde te slikken, maar haar keel zat dicht. 'Als ik de woorden van "Amazing Grace" opzeg, kunt u ze dan in uw hoofd zingen?'

Hij knipperde met zijn ogen.

'Vier coupletten,' zei ze. 'Dan zijn de verpleegkundigen hier.'

Ze vreesde dat Lecroix er dan niet meer zou zijn.

'*Amazing grace*,' zei ze met trillende stem. '*How sweet the sound.*'

Met een wilskracht die haar hart bijna verpletterde drukte ze haar handen op zijn wonden. En ze dwong haar lippen om woorden over leven uit te spreken, in de hoop dat ze waar waren.

'*I once was lost, but now am found.*' Haar stem was nauwelijks meer dan een gefluister.

Hij knipperde met zijn ogen, en in zijn ooghoek verscheen een traan.

'*Was blind, but now I see,*' zei Jo.

Ze hoorde de ping van de lift. De verpleegkundigen kwamen eraan. Dat moest wel. Schiet alsjeblieft op. Ze kon Lecroix niet alleen laten, ze wílde hem niet alleen laten. Schiet op, schiet op.

Zijn hand trilde. Ze keek niet op en wilde haar blik niet afwenden. Ze boog zich dichter naar zijn gezicht. Het tweede couplet – hoe ging dat ook weer? Het maakte niet uit welk couplet ze nam.

'*Through many dangers, toils and snares, I have already come,*' zei ze. De lippen van Lecroix bewogen. Wat kwam er daarna – jezus, wat kwam er daarna? De verpleegkundigen kwamen binnen, vergezeld door een politieman. Ze haastten zich naar Lecroix toe.

'Meerdere steekwonden,' zei Jo. 'Vijf minuten geleden. Aanwijzingen voor leverwond, waarschijnlijk in de leverader. Pneumothorax en zuigende borstwond. Hij krijgt geen zuurstof binnen. Polsslag 170 en zwak. Hij is de hele tijd bij bewustzijn geweest.'

Een mannelijke verpleegkundige knielde bij Lecroix neer. 'Begrepen.'

Jo haalde haar hand van de buikwond en schoof achteruit. Ze draaide zich om en wilde opstaan. Ze moest Tang zoeken en haar waarschuwen.

Lecroix kneep in haar hand. Zijn lippen vormden het woord 'blijf'.

De adem stokte Jo in de keel. Zijn intense pijn stond zo monsterlijk duidelijk in zijn ogen te lezen dat ze bijna dubbelsloeg.

'Dokter?' vroeg de verpleegkundige.

Lecroix hield haar vast. Ze was het enige waaraan hij zich kon vasthouden.

Jo knielde weer bij hem neer, legde haar hand op zijn hoofd en streelde zijn haren. Terwijl ze zich naar zijn oor boog, zei ze: '*Tis grace...*' Ze schraapte haar keel. '*... that brought me safe thus far.*'

Hij sloot langzaam zijn ogen en deed ze weer open. Zijn blik werd onscherp.

'*And grace will lead me home,*' zei Jo.

Zijn borstkas hield op met bewegen en hij liet haar hand los. Zijn ogen hielden op met staren en werden glanzende blauwe stenen die haar gezicht weerspiegelden, maar niets meer zagen.

'We raken hem kwijt,' zei de verpleegkundige. 'Dokter, we moeten hem beademen.'

Jo schoof onhandig achteruit. Ze ging met een plof op haar achterwerk zitten en keek toe terwijl de verpleegkundigen Lecroix intubeerden om lucht in zijn verstomde longen te pompen. Ze haalden de pads tevoorschijn en zetten de defibrillator aan.

Hij kwam niet terug.

Ze liet haar armen over haar knieën hangen. Ze kon geen woord zeggen. Ze kon niet tegen de verpleegkundigen zeggen dat ze ermee moesten stoppen. Ze moesten het blijven proberen. Ze keek naar haar handen, die tot aan de polsen glibberden van Searles bloed.

'Los,' zei de mannelijke verpleegkundige.

Jo kreeg een brok in haar keel. Ze krabbelde overeind en rende de kamer uit om Tang te waarschuwen.

40

Een van de beveiligers stond bij de gesloten deur van het trappenhuis. Hij draaide zich geschrokken om toen hij Jo op zich af hoorde rennen. Hij leek de deur met de bloederige handafdruk niet aan te willen raken.

'Hebt u tegen de politie gezegd dat de verdachte een wapen heeft?' riep Jo.

Hij zwaaide met zijn walkietalkie naar haar. 'Ik heb het geprobeerd – ik heb ze beneden laten weten dat ze de agenten in de lobby moeten waarschuwen.'

Ze rende naar de deur. 'Dus u weet niet of inspecteur Tang het bericht heeft gekregen?'

'We hebben de liften stopgezet. De verdachte is niet in de lobby verschenen en kan alleen maar via dit trappenhuis naar buiten.'

'Zit ze er nog in?' vroeg Jo.

Hij knikte. 'Dat moet wel. Alle liften zitten dicht en op elke verdieping naar de lobby worden de branddeuren door de beveiliging in de gaten gehouden, dus als de verdachte naar buiten komt, moeten we haar zien.'

'U hebt haar nog niet gezien?'

Hij gaf geen antwoord.

'Dan heeft ze het trappenhuis al verlaten,' zei Jo. 'Anders hadden ze haar al ingesloten.'

Ze wilde de klink beetpakken, maar de beveiliger stak zijn arm uit om haar tegen te houden.

'Misschien staat ze wel aan de andere kant van de deur,' zei hij.

'Misschien besluipt ze wel een paar politiemensen die niet weten dat ze een vuurwapen heeft.'

Achter hen hoorde Jo voetstappen en rammelende apparatuur. Een politieman kwam vanuit de suite van Lecroix op een drafje naar haar toe. Uit zijn portofoon klonken diverse stemmen. Hij gebaarde dat Jo en de beveiliger de branddeur moesten vrijmaken.

'Aan de kant.'

Via de portofoon zei een stem: 'Ze is het trappenhuis weer in gerend. Tweede verdieping. Ze komt naar boven.'

In het trappenhuis hoorde Jo snelle, lichte voetstappen die naar beneden gingen.

'Ik ben op de vijfde en loop in haar richting,' riep Tang.

Jo werkte zich langs de beveiliger en duwde de deur open. Tang rende met getrokken wapen langs haar heen en vloog de trap af.

'Amy, Petty heeft een pistool,' riep Jo.

Tang draaide haar hoofd. Eén seconde vonden haar ogen die van Jo, maar toen verdween ze in hoog tempo uit beeld.

De beveiliger pakte Jo's arm en trok haar terug. De deur ging met een zware klik dicht.

In het trappenhuis hoorden ze een vrouw gillen. Het lawaai echode door de branddeur – een hoge, versterkte schreeuw. En daarna hoorden ze een vuurwapen afgaan.

De beveiliger dook weg van de deur en wierp zichzelf naast een elegant tafeltje op de grond. Hij rolde zich om, raakte de tafel en stootte een dure lamp op de grond. De agent trok Jo weg van de deur en duwde haar tegen de muur.

Er weergalmde een tweede schot door het trappenhuis, lager dan het eerste. Daarna een knal, het geluid van het eerste pistool.

Nog meer schoten, gedempt door de deur en muren, het scherpe geluid van afketsende kogels. Geen geschreeuw meer.

De politieman trok zijn wapen. 'Blijf hier.'

Jo verroerde geen vin. De lucht in haar longen voelde zwaar aan. De politieman gooide de deur open en rende het trappenhuis in.

Voetstappen. Echo's. Er ging een seconde voorbij, daarna meer. 'De kust is veilig.'

Als een speer schoot Jo het trappenhuis in. Twee verdiepingen lager stond ze stil. Verder naar beneden stopte de politieman zijn wapen in zijn holster. Op de wenteltrap hoorde Jo metaal over beton stuiteren. Voetje voor voetje liep ze naar beneden tot ze kon zien wat er was gebeurd.

De ontzagwekkende, meedogenloze, morsdode gestalte van Noel Petty zat wijdbeens in een hoek van het trappenhuis. Bloed gutste uit een kogelwond in haar voorhoofd, over haar bril en langs haar kin. Een meter van haar af stond Tang, die haar wapen nog steeds op haar zwaartepunt gericht hield.

Jo legde haar hand tegen de muur.

Tang ontspande haar wapen en stopte het in de holster. Daarna droeg ze iedereen op om ruimte te maken en vroeg ze een politieman om de plek af te grendelen.

Haar schouders gingen op en neer toen ze een stap achteruitzette. Ze leek wel een vogeltje, piepklein vergeleken met het beest dat ze zojuist had afgeslagen, half doorgedraaid door de adrenaline en niet in staat om te kalmeren. Ze keek omhoog en zag Jo staan.

'Lecroix?' vroeg ze.

Jo schudde haar hoofd.

Heel even staarde Tang haar alleen maar aan, maar daarna draaide ze zich om. Ze baande zich een weg langs de andere politiemensen in het trappenhuis en vluchtte weg door de branddeur.

41

Jo vond Tang aan het einde van de gang op de tweede verdieping, waar ze met gestrekte armen tegen de muur leunde. Ze zag eruit alsof ze probeerde te voorkomen dat ze de hele wand op haar hoofd kreeg.

'Nu moet ik tien dagen bureaudienst draaien,' zei ze. 'Protocol voor politiemensen die bij een schietpartij betrokken zijn geweest.'

'Gaat het?' vroeg Jo.

'De hoofdattractie arriveert over een paar minuten. Moordzaken – ik moet mijn wapen inleveren en word naar een rustige politiepost gebracht, waar ze erachter proberen te komen of ik Petty uit zelfverdediging heb doodgeschoten of door het lint ben gegaan en me als Dirty Harry heb gedragen.'

'Ik hoorde een aantal schoten.'

Tang draaide zich opzij en boog zich over een plantenpot met een palm. Met haar handen op daar dijen probeerde ze de drang tot kokhalzen te onderdrukken.

'Heb je kauwgom?' vroeg ze.

'In de voorzak van mijn broek. Het lijkt me beter als jij het pakt.'

Tang zag de plakkerige bloedvegen op Jo's handen. Jo draaide haar heup naar voren en Tang viste het pakje kauwgom uit haar spijkerbroek.

'Ze willen niet dat ik met iemand praat, dus ik heb ongeveer twee minuten om te vertellen wat er daarnet is gebeurd.' Zonder het snoep zelf aan te raken, drukte ze boven haar mond een kauwgumpje uit de strip. 'Het komt erop neer dat ze zich door mij overhoop wílde laten schieten.'

'Opende zij het vuur?'

'Ja. Ze besefte dat ze in het nauw zat. Vanuit de lobby renden er agenten in uniform de trap op. Ik rende van boven af naar haar toe. Alle liften waren afgesloten. Ze stond stil op het trapbordes, schreeuwde en begon te schieten. Ik schoot terug.'

'Dan word je dus van alle blaam gezuiverd,' zei Jo.

'Klopt. En ik word zover uit de buurt van deze zaak gehouden dat ik hem niet eens meer achter de horizon zie verdwijnen.'

'Wat bedoel je?'

'Ik had al orders gekregen om jou terug te fluiten en een manier te zoeken om de zaak zo onopvallend mogelijk af te ronden.'

'Je hebt daarnet een moorddadige stalker doodgeschoten. Deze zaak kan onmogelijk onopvallend worden afgerond.'

'Ik ben hier op jouw verzoek gekomen. Dit viel niet onder de orders van mijn superieuren. Daar zullen ze niet blij mee zijn. Als mijn bureaudienst erop zit, zetten ze me op andere zaken.'

'Dat zal Chuck Bohr niet...'

'Het kan Chuck Bohr geen fluit schelen. Hij heeft al genoeg aan zijn hoofd.'

'Wat dan?'

'De belastingdienst komt zijn boeken controleren.' Tang maakte een wegwuivend gebaar, alsof ze iets onbeduidends wegsloeg.

'Nee, Amy. Jij hebt de zaak zojuist beëindigd.'

'Niet snel genoeg.'

Op dat moment verloor de harde roofvogel de moed. Tang liet het hoofd hangen en leunde verslagen tegen de muur.

Jo legde een arm om haar heen. Tang verstijfde onmiddellijk en schudde Jo van zich af. Ze draaide zich om en beukte met haar vuist op een ingelijst olieverfschilderij. Haar hand sloeg er dwars doorheen en mepte het canvas tegen de muur.

'Shit.' Ze greep haar hand beet. 'Jezus, dat doet pijn.'

Ze schudde met haar vuist en knipperde, alsof haar ogen prikten. Jo was ervan overtuigd dat de tranen haar hoog zaten. Zelf moest ze in elk geval vechten tegen een huilbui.

'Je was hier niet te laat. Ik kwam te laat,' zei Jo.

'Lecroix nam de telefoon niet op. Hij heeft Petty binnengelaten. Daar kon je niets aan doen.'

'Wist de pers dat Lecroix in dit hotel logeerde? Want als dat niet zo is, hoe wist Petty het dan?'

Ze hoorden de ping van de lift. Twee mannen in blauwe pakken stapten uit en keken om zich heen.

'Daar gaat-ie dan,' zei Tang.

De politiemannen in burger waren even grimmig en grauw als dode vis. 'Inspecteur Amy Tang?'

Ze haalde haar pistool uit de holster en bood het hun met de kolf naar voren aan. 'Ik heb het fatale schot met dit wapen gelost. Toen ik eenmaal had vastgesteld dat de plek was afgegrendeld en dat iedereen in veiligheid was, heb ik het wapen weer in de holster gestoken. Niemand anders heeft eraan gezeten.'

Ze knikten en vertelden dat er een crisisteam werd samengesteld om haar te debriefen. 'Deze kant op, inspecteur.'

Ze liep achter hen aan, maar keek halverwege de gang om naar Jo. 'Gaat het?'

'Ja,' antwoordde Jo.

De leugen van de middag. De eerste van vele.

Tang schudde haar hoofd. 'En dan te bedenken dat ik onderweg hierheen nog dacht dat mijn dag niet beroerder kon worden.'

Jo keek haar bevreemd aan. 'Wat is er dan?'

'Mijn ouders hebben een inval van de opsporingsdienst ATF gehad.'

De gehuurde zilverkleurige Volvo SUV reed stapvoets door Noe Valley. De buurt was netjes en een beetje vervallen – een prettige omgeving voor gezinnen die het niet zo breed hadden, dacht Edie Wilson. Rijen dicht bij elkaar staande huisjes aan glooiende straten. Vrolijke kleuren. Blijkbaar hielden de mensen in San Francisco van huizen die eruitzagen als M&M's.

'Merkwaardige buurt,' merkte ze op.

Van achter het stuur keek Tranh ronduit onvriendelijk naar haar. Het duurde maar een fractie van een seconde, maar ze ving zijn blik op. Ze was erg gespitst op stemmingen van anderen. En ze kwam uit een voorstad van Dallas, dus ze wist veel beter dan een Californiër als Tranh wat het verschil tussen normaal en merkwaardig was.

Op de achterbank zei Andy: 'Hier is het.'

Tranh ging langzamer rijden. Ze keken allemaal naar het compacte, groen geschilderde houten huis uit het begin van de twintigste eeuw, dat in de schaduw van een groenblijvende eik stond.

'Zijn auto staat niet op de oprit,' zei Andy.

'Maar er is wel iemand thuis.' Edie wees op een Honda Accord. 'Stop eens.'

Tranh parkeerde de auto. Edie stapte uit. 'Andy, kom mee.'

Terwijl ze naar de voordeur liep, bestudeerde ze het huis. Aan de veranda wapperde een Amerikaanse vlag. Naast de voordeurmat stonden tennisschoenen in een kindermaat. Ze klopte op de deur.

Toen het meisje opendeed, hield Edie haar hoofd glimlachend een beetje schuin. Ze kon goed met kinderen opschieten, zelfs met merkwaardige kinderen uit San Francisco.

'Dag, jongedame. Is je papa thuis?'

Het kind had levendige bruine ogen en een lange, glanzende vlecht. Ze zou zo op tv kunnen. Edie wist altijd meteen wie er op het scherm goed uitzag.

'Nou?' vroeg ze. 'Hoor je me?'

'Sorry, hij kan nu niet naar de deur komen.' Het kind draaide zich om en riep: 'Tante Regina, er is iemand aan de deur.' Ze draaide zich weer naar de deur. 'Mag ik vragen wie u bent?'

'Ach, wat klink je ernstig,' zei Edie. Ze zag het kind langs haar heen naar Andy en zijn apparatuur kijken. Ze glimlachte. 'Heb je wel eens een televisiecamera gezien?'

Er verscheen een vrouw in de deuropening. Midden dertig, stevig, Latijns-Amerikaans. Ze zag eruit alsof ze op school waterpolo had gespeeld en wist hoe ze een elleboogstoot moest uitdelen. Ze tikte het kind zachtjes op de schouder.

'Dank je wel. Laat het verder maar aan mij over.' Haar blik was behoedzaam. 'Kan ik iets voor u doen?'

'Edie Wilson. Is Gabriel Quintana thuis?' Ze trok een wenkbrauw op. 'Bent u mevrouw Quintana?'

'Hij is niet thuis, en nee, ik ben mevrouw Quintana niet. Maar ik zal zeggen dat u bent geweest.' De vrouw, tante Regina, keek kalm maar met een dodelijk ijzige blik over Edies schouder naar Andy. Ze wilde zeker weten dat de camera niet liep.

Altijd een goed teken. Deze mensen hadden iets te verbergen.

Edie gaf de vrouw haar kaartje. 'Vraag of hij me belt. We willen hem graag spreken.'

'Waarover?'

'Zeg maar dat een telefoontje in zijn belang is. Hij zal blij zijn dat we hem de kans geven zijn kant van het verhaal te vertellen.'

De vrouw duwde de deur voor hun neus dicht.

Edie draaide zich om. 'Heb je dat, Andy? Dat de deur werd dichtgegooid?'

'Ja.'

Edie liep bijna huppelend het trappetje naar het trottoir af. 'Ze leren het ook nooit.'

Ze stapten weer in de huurauto om terug naar de studio te rijden, maar ze waren de straat nog niet uit toen er een rammelende Kever voorbijscheurde. De auto kwam voor het groene huis tot stilstand en er stapte een vrouw uit.

'Wacht,' zei Edie.

Tranh zette de auto aan de kant. Ze keken door de achterruit.

De vrouw uit de Volkswagen zag eruit alsof ze door een tijdportaal van de Summer of Love naar het heden was gevallen. Tijdens haar val was ze volgens Edie tegen een paar goths uit Bollywood aan gestuiterd, en misschien was ze uiteindelijk wel in een stapel wodkaflessen beland.

Ze klopte op de voordeur van Quintana. Even later deed die Latijns-Amerikaanse tank open. Ze praatten met elkaar. De vrouw uit de Kever ging niet naar binnen. De deur werd weer dichtgeduwd.

'Jeetje, tante Regina gooit wel graag met deuren,' zei Edie.

De vrouw van de Kever stond voor de gesloten deur en stak woedend beide middelvingers naar tante Regina op.

'Rij eens terug,' zei Edie tegen Tranh.

Ze reden terug naar het huis en Edie sprong uit de auto. De vrouw bleef naast haar Volkswagen staan, met haar hand op de portierkruk.

Met opgeheven kin keek ze naar Edie. 'Wat is er aan de hand?'

'Merkwaardig' was niet de juiste term voor deze vrouw. Nee, de juiste term voor deze vrouw was 'prachtprimeur'.

'Edie Wilson, *News Slam*. Ik ben op zoek naar Gabriel Quintana. Kunt u me iets over hem vertellen?'

De vrouw liet een blaffende lach horen. Ze krabde over haar armen en veegde haar fluweelzwarte haar achter een oor waarin wel tien zilveren knopjes zaten. Een paarse lok viel steeds voor haar ogen.

'U bent niet de enige die hem zoekt,' zei ze.

Op haar arm stond met onregelmatige gotische letters het woord sophie getatoeëerd. Edie zei: 'U bent Sophie...'

'Sophie is mijn dochter. Wat heeft Gabe uitgespookt?'

Edie deed haar best om haar opwinding te verbergen. 'Mevrouw Quintana?'

Weer een blaf. 'We zijn niet getrouwd geweest. Die stap heeft hij nooit gezet.'

Edie hoorde dat Andy achter haar stond en de camera op zijn schouder hees. 'Daar wil ik graag over praten.'

'Echt waar? Over Gabe?' De vrouw verplaatste haar gewicht op haar andere been en hield nieuwsgierig haar hoofd schuin. 'Wat wilt u weten?'

'De waarheid,' antwoordde Edie.

Dawn knikte naar de televisiecamera. 'Staat dat ding aan?'

42

'Het kan geen werknemer van het hotel zijn geweest. Uitgesloten.'

In de lobby van het St. Francis hield een hotelmanager vol dat ze niet hadden laten uitlekken dat Searle Lecroix bij hen logeerde. Niet aan de media, niet aan familie of vrienden, aan niemand.

Jo wendde zich tot de rechercheur van Moordzaken, die met haar was komen praten over de dood van Lecroix en de schietpartij waarbij Noel Michael Petty was omgekomen.

'Misschien heeft hij wel gelijk. Misschien heeft Lecroix het zelf tegen iemand gezegd, of zijn management, of wie dan ook. Het was uitgelekt. Eerder vandaag zag ik een fotograaf aan de overkant op Union Square staan.'

De politieman schreef het op en zette er nonchalant een streep onder. Hij was klaar met zijn debriefing.

'Bedankt, dokter.'

Voor de hoofdingang werd de portier geflankeerd door geüniformeerde politieagenten. De pers en paparazzi waren naar de overkant gestuurd en stonden nu op Union Square. Het leek er wel een scrum van mensen, camera's, lampen, microfoons, busjes van nieuwszenders en microgolfantennes.

Jo gaf de rechercheur haar kaartje. 'Voor het geval u me nog nodig hebt.'

Hij stopte het in zijn jaszak. 'Volgens mij hebt u al het mogelijke voor Lecroix gedaan.'

Jo probeerde niet te fronsen. De man deed wel heel hard zijn best om haar gerust te stellen. 'Dank u. Ik wou dat het verhaal een ander einde had gekregen.'

Ze stond op om weg te gaan. Haar blik viel op twee mannen die vanaf de andere kant van de lobby op haar af kwamen: het wonderlijke politiekoppel Donald Dart, de persvoorlichter, en Chuck Bohr, de kale, forse superieur van Tang.

Bohr had kauwgom in zijn mond en zag eruit alsof zijn kaken al jaren maalden. Hij had zo'n dikke nek dat de kraag van zijn overhemd bijna scheurde.

'Dokter Beckett. Hier blijven,' zei hij.

Darts snor was geborsteld tot hij een zilverachtige glans had gekregen, misschien wel met een pannensponsje. Zijn pilotenzonnebril zat in de zak van zijn jasje. Hij knikte naar het geduw en het getrek aan de overkant.

'We moeten een persverklaring afleggen.'

Jo was uitgeput en wilde weg uit het hotel. Ze wilde naar huis en zich wassen onder een douche die zo hard aan stond dat niemand haar kon horen huilen, zelfs zij niet.

'Hebt u ook soundbites van mij nodig?' vroeg ze.

Bohrs kaken maalden. 'Kijk niet zo terneergeslagen. U had gelijk. U had het bij het rechte eind.'

'Pardon?'

'En het is voorbij. U kunt uw rapport schrijven en de zaak achter u laten.'

'Een stalker,' zei Dart. 'U had het door.'

'U sloeg de spijker op de kop,' zei Bohr. 'Kijk niet zo verbaasd. Ere wie ere toekomt.'

Jo's schouders deden pijn. Hoewel ze haar handen met zeep en gloeiend heet water had schoongeschrobd, had ze het gevoel dat het bloed van Searle Lecroix er nog van afdroop.

'Sorry, maar ik heb geen zin in opschepperij.'

'Dat hoeft ook niet,' zei Dart. 'Gaat u maar gewoon naast hoofdinspecteur Bohr staan terwijl ik een persverklaring afleg. U hoort bij het team.'

'En dan kunt u een streep onder de zaak-McFarland zetten,' zei Bohr.

Jo voelde hoofdpijn opkomen. 'Ik moet mijn gesprekken afronden en de medische dossiers van mevrouw McFarland bestuderen voordat ik mijn rapport kan afmaken.'

Het was niet duidelijk of Darts blik ongeloof of ongerustheid uitdrukte. 'Maar we hebben Petty te pakken gekregen. We hebben haar op heterdaad betrapt.'

De hoofdpijn kroop over Jo's hoofdhuid. 'Misschien.'

Bohr nam haar bij de elleboog en leidde haar mee naar de hoofdingang. 'Deze zaak was ingewikkeld en onaangenaam. U hebt er vast geen zin in om nog meer ingewikkelds en onaangenaams over u heen te krijgen. Hou het eenvoudig. Ga naast me staan terwijl Dart iedereen het nieuws vertelt.'

'Maar...'

'U bent een heldin, dokter. U bent erachter gekomen hoe het zat. U hebt de politie gewaarschuwd dat Petty gewapend was. U probeerde Lecroix te redden.' Hij keek even naar haar. 'Ik maak geen geintje, ik meen het.' Hij kwam bij de deur. 'Maak een buiging en verdwijn dan met geheven hoofd van het toneel.'

Dart liep langs hen heen. Hij fatsoeneerde zijn das en streek zijn Ronald Reagan-haar glad. Bohr dreef Jo bijna letterlijk naar buiten.

Toen ze op het trottoir verschenen, zwermden de persmuskieten de straat over. Ze ontweken het verkeer, renden om een kabeltram heen en vlogen als een zandstorm op hen af. Dart stak zijn hand op. Bohr nam zijn positie in en Jo ging een stukje achter hem staan. Op Union Square had zich een menigte verzameld. Boven hun hoofden hingen drie helikopters. De lawaaierige, pijnlijke dreun van hun rotoren beukte tegen de muren van de gebouwen om hen heen. De zon stond nog steeds fel aan de hemel, de lucht was onschuldig blauw. Jo's hoofd bonkte.

Had Noel Michael Petty Tasia McFarland vermoord?

Dart en Bohr wilden dat graag geloven. Ze wilden dat Jo het ook geloofde en het in haar psychologische autopsierapport opschreef. Dat kon ze niet. Nog niet. Ze wist niet of Petty Tasia had vermoord.

Ze had sterk het gevoel dat het scenario niet klopte.

Ze boog zich over naar Bohr. 'Hebben ze u gevraagd om me te vertellen dat ik mijn rapport moet afronden?'

Zijn kaken bewogen door de kauwgom. Zijn alerte, behoedzame ogen keken haar net een seconde te lang aan.

De zwevende helikopters dreunden boven hun hoofd. De hoofdpijn kroop over haar schedel, en de verslaggevers verdrongen zich. Dart hief beide handen op en gebaarde dat hij stilte wilde.

'Dames en heren,' begon hij. 'Om kwart voor vier vanmiddag ontving het alarmnummer een telefoontje met het verzoek om politie en een ambulance naar het St. Francis Hotel te sturen.'

Jo wilde het liefst in het trottoir wegzakken. Ze zag de ogen van Lecroix, die haar smeekten om hem te vertellen dat hij het zou redden.

'Toen de politie arriveerde, troffen ze een blanke man met meerdere steekwonden aan. Het was Searle Lecroix, die vanmiddag om vier uur aan zijn verwondingen is bezweken.'

Er brak een enorm kabaal uit. Verslaggevers schreeuwden. Fotocamera's klikten. Mensen op het plein gilden. Een jonge vrouw liet zich huilend op het trottoir vallen. Camera's en lampen leken het tafereel op te bleken.

Jo dacht: voorbij? Nog lang niet. En het mediacircus was nog maar net begonnen.

De president kwam naar de stad.

'Laat dat nog eens zien.' Edie Wilson zat achter in de Volvo suv en boog zich naar Andy, de cameraman. 'Geweldige opnames. We hebben dit verhaal volledig in onze klauwen.'

De telefoon van Tranh ging. Vijf tellen nadat hij had opgenomen, trapte hij op de rem en maakte hij abrupt een bocht van honderdtachtig graden op Castro Street. Hij hield een hand aan het stuur en drukte met zijn andere hand zijn telefoon tegen zijn oor.

Edie pakte de handgreep in de deur beet om niet om te vallen. 'Wat is er aan de hand?'

Tranh trapte het gaspedaal verder in. 'Steekpartij in het St. Francis. Searle Lecroix is dood.'

'Is dat een geintje?'

'De verdachte is door de politie doodgeschoten. De politie geeft een persconferentie.'

Hij scheurde door Castro in de richting van Market Street.

Edie greep zijn stoel beet. 'Nu? Op dit moment?'

'Op dit moment, ja. Shit.'

'En ik ben er niet bij? Goddomme.' Ze stompte op de achterkant van Tranhs stoel. 'Godverdegodverdegodver.'

Ze haalde haar telefoon tevoorschijn en belde de nieuwszender. Tegen de tijd dat ze Union Square bereikten, zat ze nog tegen haar producer te schreeuwen. Ze hing op.

'Onze plaatselijke afdeling heeft de persconferentie. Maar ik was er niet bij. Tranh, waarom wist jij hier niets van?'

'Ik gok dat ik het heb gemist omdat ze het pas hebben aangekondigd toen de persvoorlichter het hotel uit kwam,' antwoordde hij.

In de verte zag Edie de zijingang van het St. Francis. 'Zet de auto aan de kant. Als er nog mensen binnen zijn, gaan ze niet door de hoofdingang weg. We onderscheppen ze aan de achterkant.'

Jo liep door de weergalmende lobby van het St. Francis naar de achteruitgang, weg van de klikkende camera's, de meute elkaar verdringende verslaggevers, de snikkende fans en het gelikte praatje van inspecteur Dart. Ze probeerde Ferd te bellen en sprak een bericht in om hem te bedanken voor alles wat hij had gedaan. Ze zei dat ze hem het hele verhaal wel zou vertellen als ze thuis was. Met het gevoel dat ze nauwelijks nog een stap kon verzetten liep ze de deur uit en wandelde ze in de richting van de straat.

Toen ze haar hand opstak om een gele taxi aan te houden, viel haar blik op Edie Wilson, met haar dikke bos blond haar en haar roofdierglimlach.

'Dokter Beckett.'

Het leek net of Wilson niet naar haar toe liep. Misschien was het een optische illusie, veroorzaakt door de vreselijke hoofdpijn, maar het was alsof Wilson in een oogwenk naar haar toe schoof, als een bezeten etalagepop. Ze hief een microfoon op.

'Waarom was de politie niet op tijd in het hotel om Searle Lecroix te redden?' vroeg ze.

Jo vocht tegen elk instinct om te vechten of te vluchten. Ze had geen reserves meer over. Je mag niet instorten, zei ze tegen zichzelf.

'Daar ga ik u niets over vertellen,' antwoordde ze.

'Waarom reageerde de politie zo traag op de dreiging?' De microfoon werd nog dichter onder haar neus geduwd.

'Ik meen het, ik kan nu niet met u praten. Neem me niet kwalijk.' Ze probeerde weg te lopen. Wilson en haar cameraman versperden haar de weg.

'Waarom wilt u niet met ons praten? En Searle Lecroix dan? Verdient hij geen antwoord?'

'Toe.'

'Wie spreekt er namens Searle? Waarom was de politie niet op tijd? Wat hebt u gedaan?'

De gele taxi stopte bij het trottoir. De chauffeur staarde met open mond naar het tafereel op straat, alsof Godzilla zojuist was verschenen om zich aan de auto's, vrachtwagens en psychiaters in San Francisco te goed te doen.

'Hebt u gezegd dat de politie weg moest blijven?' vroeg Wilson. 'Hebt u hen op het verkeerde been gezet?'

'Het spijt me, maar ik moet weg.'

Jo knipperde haar tranen weg. Als ze kwaad werd, zou ze het verpesten. Ze stapte in de taxi en trok het portier met een klap dicht. De chauffeur staarde haar via de achteruitkijkspiegel verbluft aan.

'Kearny and Sutter. Rijden,' zei ze.

'Is dat...'

'Ja. Gas erop.'

De taxi reed weg. Wilson schreeuwde: 'En hoe zit het met Gabe Quintana?'

Razendsnel draaide Jo zich om om door de achterruit te kijken.

Wilsons ogen schitterden. 'Quintana, dokter Beckett.'

Shit. Jo besefte dat ze een grote fout had gemaakt. De taxi trok op naar Union Square, buiten bereik van Wilsons spervuur. Maar ze wist dat het niet lang zou duren voordat het vuur weer werd geopend.

43

Jo deed haar voordeur achter zich op slot en ging op de trap zitten. Het licht in de gang leek groen en gebarsten, alsof ze door de verschrikkingen van die middag in een met kapotte flessen bekleed lachpaleis was beland. In haar hoofd werd 'Amazing Grace' eindeloos herhaald.

En ze kon zichzelf niet meer wijsmaken dat ze zich paranoïde gedroeg. Door Tang en hoofdinspecteur Bohr wist ze zeker dat haar vermoedens klopten. Bohr had problemen met de belastingen. Het bedrijf van Tangs ouders was doorzocht door het ATF, het Bureau of Alcohol, Tobacco, Firearms and Explosives. Allebei overheidsinstellingen.

De Air National Guard.

Gabes gewijzigde plaatsing was een boodschap aan haar. Hij werd bij zijn dochtertje weggerukt en in een verhitte strijd neergepoot om haar te dwingen haar onderzoek naar Tasia McFarlands dood te staken.

Ze haalde haar telefoon uit haar zak en toetste een nummer in. 'Bier. Ik trakteer.'

'Ik ben niet in de stemming,' zei Tang.

'Ken je Mijita, vlak bij het honkbalstadion? Ik zie je daar.'

De Giants waren op pad, een reeks van drie wedstrijden tegen de Cubs. Op het plein voor de ingang blonk het bronzen standbeeld van Willie Mays in de zon. De blauwe, heldere hemel maakte een steriele indruk. Toen Jo Mijita binnen liep, zat Tang tegen de muur met een flesje Corona. Jo bestelde een Sam Adams en ging bij haar zitten.

'Vraag alsjeblieft niet hoe ik me voel,' zei Tang.

'Was ik niet van plan.'

'Want moordzaken heeft mijn dienstwapen. Als ik wil voorkomen dat je me analyseert, moet ik je doodslaan met een Mexicaans bierflesje, en dat is rommelig en vermoeiend. Bovendien zijn we helden. Zo voelen we ons dan ook. Heldhaftig.'

Tang probeerde in een stekelig pantser te leven, waar niemand haar zwakke plekken kon zien, laat staan aanvallen. Maar op dat moment zaten er barsten in het pantser, en Tang keek beschaamd.

Jo vermoedde dat ze zich geneerde omdat ze zo haastig en opgelucht bij Lecroix was vertrokken. Ze had niet geweten hoe ze met een stervende man moest omgaan. Ze had de verantwoordelijkheid in Jo's handen gepropt, en dat besefte ze maar al te goed.

Tang schoof een stapel foto's naar haar toe. 'Ook al zit ik nu achter een bureau, ze hebben me deze foto's toegestopt. Rechercheurs vonden een sleutel in Noel Petty's zak. Een goedkoop hotel-pension in de Tenderloin.' Ze spreidde de foto's uit. 'Zo zag haar kamer eruit.'

Toen Jo de foto's bestudeerde, kroop er een ijzige kilte door haar heen. Petty's kamer was behangen met foto's van Searle Lecroix en Tasia McFarland. De muren met Lecroix waren bedekt met kleurenfoto's die uit glossy tijdschriften waren gescheurd. De muur met Tasia bestond uit foto's waarop de ogen waren weggekrast, hoorns waren getekend of andere gezichten waren geplakt. Miss Piggy, Margaret Thatcher, een gekke koe. De koe kwam het meest voor.

'Deze lagen naast het bed,' zei Tang.

Het waren foto's van *Bad Dogs and Bullets*-concerten: Searle op het midden van het podium, zijn gitaar in zijn handen. Op de voorste rij, bijna verpletterd tegen het dranghek dat de menigte van het podium scheidde, was Petty's fronsende gezicht duidelijk herkenbaar.

'Seattle en Tucson,' zei Tang. 'Ze volgde hem.'

'Ace Chennault had het over een incident tijdens het concert in Tucson.'

'Petty had wat geld omdat ze na een val een schikking van een werkgever had gekregen. Blijkbaar gebruikte ze dat bedrag om Searles fanatiekste groupie en stalker te worden.'

'Kende hij haar? Had hij haar ontmoet?' vroeg Jo.

'Dat is de volgende fase van het onderzoek. We hebben nog niet eens haar computer gekraakt of haar telefoonspecificatie bestudeerd.'

'Was ze ook bij het concert waar Tasia stierf?' vroeg Jo.

'Er is een kaartje op haar bureau gevonden, dus het antwoord is ja.' Tang leunde achterover. 'Maar dat vind je toch geen sluitend bewijs?'

'Nee. Het lijkt me onwaarschijnlijk dat Noel Michael Petty Tasia heeft doodgeschoten.'

225

Tang schoof een foto naar Jo toe, waarop Tasia's gezicht was vervangen door een guernseykoe met een wilde blik.

'Ze had een bloedhekel aan Tasia,' zei Jo. 'Maar tenzij je collega's kunnen bewijzen dat Petty in de seconden voor Tasia's dood vlak bij haar wist te komen, wil ik er niet aan. Haat is niet hetzelfde als actie.'

'Nee. Het is een motief.'

'Oké, Petty was geobsedeerd door Lecroix. Misschien had ze het waanidee dat zij en Lecroix een relatie hadden. Ik weet bijna zeker dat ze door haar "liefde" voor hem het recht dacht te hebben hem als zielsverwant te claimen. Maar ik geloof niet dat ze Tasia heeft vermoord.'

'Waarom niet?' vroeg Tang.

'Tasia's dood was heel anders dan die van Lecroix.' De herinnering verscheen weer op haar netvlies. 'Petty heeft hem rechtstreeks en met een mes aangevallen. Je weet heel goed dat aanvallen met een mes intiemer zijn dan aanvallen met een vuurwapen. Ze heeft een smoes verzonnen om in zijn suite te komen, maar toen hij opendeed, viel ze hem meteen frontaal aan. Ze heeft hem meerdere keren gestoken, terwijl hij haar recht in het gezicht staarde.'

Tang sprak haar niet tegen.

'Tasia's dood is veel ondoorzichtiger. Dat is juist de reden waarom je me bij dit onderzoek hebt betrokken. Als het een eenvoudige zaak was geweest, zou Petty die avond zijn gezien en in het stadion zijn gearresteerd,' zei Jo. 'Maar áls Tasia is vermoord, is de moord onopvallend en doortrapt gepleegd. Een moordenaar moest toegang tot Tasia's wapen zien te krijgen, of anders tot die delen van het stadion waarvoor je een uitnodiging of een toegangspasje nodig had. Petty kon nergens bij. En die avond heeft niemand die zich in een straal van honderd meter rond Tasia bevond een persoon gezien die ook maar enigszins op Noel Petty leek, want anders had je van het begin af aan al jacht op haar gemaakt.'

Tang bromde. 'Daar heb je helemaal gelijk in.'

'Het fatale schot is afgevuurd met de loop tegen Tasia's huid en was afkomstig uit de colt .45 die ze in haar hand had toen ze het balkon opliep. Maar Petty bevond zich niet in de skybox van het stunt-team. Ze was ook niet aanwezig in de omliggende skyboxen, waar besloten feestjes werden gehouden. Op de beelden van het concert is ze ook niet te zien op balkons in de buurt. De kans dat Petty Tasia heeft vermoord is minuscuul.'

Tang staarde haar lang en aandachtig aan. 'Je kunt er donder op zeggen dat alle boosaardige e-mails van Petty door de politie worden vrijgegeven.'

'Met andere woorden: ze wijzen Petty aan als degene die Tasia heeft vermoord.' Jo hield haar bierflesje in haar hand. 'Iemand zet Bohr onder druk om het onderzoek stop te zetten.'

Tangs ogen schoten vuur. 'Dat heb ik je vanaf het begin gezegd.'

'En iemand zet jou onder druk. Via je ouders.'

'Beckett, dat is...'

'Krankzinnig? Nee hoor. Vertel eens wat er is gebeurd.'

De mond van Tang bleef een seconde halfopen hangen. 'Het ATF kreeg een tip dat mijn vader en moeder illegale wapens smokkelden. Ze deden met speurhonden een inval in hun import- en exportbedrijf en dwongen iedereen om met de handen op het achterhoofd op de grond te gaan liggen. Mijn vader en moeder.'

'Afschuwelijk.'

'Jo, ze verkopen vuurwerk – ze zijn Chinezen. Natuurlijk vonden die speurhonden sporen van explosief materiaal. Kruit. Pyrotechnische spullen. Jezus.' Ze drukte haar vingertoppen tegen haar slapen. 'Een anonieme tip.'

'Zijn je ouders van de schrik bekomen?'

'Die zijn zo taai als wat. Ik denk dat die agenten van het ATF de echo van mijn moeders scheldkanonnade nog horen.' Ze wreef over haar slapen. 'Foutje, zeiden ze.'

'Ze zetten mij ook onder druk.' Jo's gezicht voelde koud aan. 'Gabes plaatsing is gewijzigd. Hij wordt uitgezonden naar Afghanistan.'

Tangs mond zakte langzaam open. 'Zie jij dat zitten?'

Jo liet een hysterisch lachje horen. 'Nee, natuurlijk zie ik dat niet zitten. Zelfs met een telescopisch nachtvizier zie ik dat niet zitten. Het zijn allemaal federale beslissingen, Amy. Ze raken ons zo persoonlijk en ze zijn zo angstaanjagend dat het geen toeval meer kan zijn. En ik weet niet wat ik moet doen. Ik weet ook niet of ik het aan Gabe moet vertellen.'

Tang leek wel versteend. 'Dat kunnen we nooit bewijzen.'

'Dat weet ik.' Jo's ogen begonnen te prikken. 'Dus ik ga mijn rapport inleveren en zeggen dat ik ermee ophou.'

Tang leunde achterover.

'Als ik niet meer bewijsmateriaal krijg, kan ik niet vaststellen wat Tasia's geestestoestand was. En ik krijg geen materiaal. Geen psychiatrische dossiers. Geen interview met de eigenaar van het wapen dat haar heeft gedood. Ze hebben me gedwarsboomd.' Haar ogen begonnen steeds heviger te prikken. 'En Gabe betaalt de tol.'

Tang liet haar schouders hangen. 'Ik kan het je niet kwalijk nemen. Het spijt me, Beckett.'

'Schaakmat,' zei Jo. 'De klootzakken winnen.'

Tang ging daar niet tegenin. Met haar stilte stierf Jo's laatste sprankje hoop. Er was geen manier om te zorgen dat dit zinkende schip zich weer oprichtte. Ze had zin om haar bierflesje door de bar te smijten.

'Voordat ik hierheen kwam, heb ik het kantoor van de chef-staf van het Witte Huis gebeld. Ik heb een bericht voor K.T. Lewicki achtergelaten en gevraagd of hij me terug wil bellen. Nu weet ik wat ik tegen hem ga zeggen. We zijn klaar.'

Bij de bar begon een groep mannen vrolijk te lachen. Tang keek even naar hen.

'Ik zal tegen Vienna Hicks zeggen dat ik de zaak afrond,' zei Jo. 'Ik vind het afschuwelijk om haar teleur te stellen, maar... Wat is er?'

Tang keek alsof ze een glas vol spelden had doorgeslikt. 'Het nieuws.'

Op de televisie boven de bar domineerde het bloedbad in het St. Francis het nieuws. Helikopterbeelden van Union Square. De gekste speculaties over Noel Michael Petty. De laatste videoclip van Lecroix werd steeds herhaald. Maar nu was er een onderbreking van het Cirque du Searle.

Op het scherm was een triomfantelijke Edie Wilson te zien. 'Er is schokkende nieuwe informatie aan het licht gekomen over psychiater Johanna Beckett.'

Ze schakelden over op nieuwsbeelden: Jo in Gabes 4Runner, wegrijdend van de menigte dringende verslaggevers voor haar huis.

'Ik heb ontdekt dat dokter Beckett ongure kennissen heeft. Deze politiepsychiater heeft een vriendje met een duister verleden.'

228

Jo stond op. 'Jezus christus.'

Er verscheen een korrelige foto van Gabes gezicht in beeld, genomen door het raam van de 4Runner. Zijn blauwe oog was zichtbaar.

'Bronnen wisten me te vertellen dat Gabriel Miguel Quintana, momenteel een burgerwerknemer van de California Air National Guard, zich in het verleden schuldig heeft gemaakt aan mishandeling en geweldpleging.'

Jo schopte haar stoel tegen de dichtstbijzijnde tafel en liep naar de televisie.

'Ik heb begrepen dat Quintana's strafblad onder meer bedreiging met een dodelijk wapen bevat,' zei Wilson.

Dawn Parnell verscheen in beeld. Jo dacht dat haar haren vlam zouden vatten.

'Misschien is het dossier om een of andere reden officieel verzegeld,' zei Dawn. 'Misschien kwam het leger tot de conclusie dat ze iemand met zijn neigingen wel konden gebruiken. Ik heb er geen verklaring voor. Het enige wat ik wil, is mijn dochter beschermen.'

Tang greep Jo beet. 'Niet doen.'

'Ik klim op die bar en ruk die tv van zijn standaard,' zei Jo.

Op een split screen verscheen een nieuwslezer in beeld. Zijn uiterst serieuze, zalvende blik suggereerde dat hij tot dat moment nooit iets belangrijkers had onderzocht dan de vraag of de paashaas behalve chocoladehaasjes ook hardgekookte eieren in de mand achterliet.

'Wat zijn de gevolgen voor de openbare veiligheid, Edie?'

Edie knikte. 'Dat is de grote vraag. Het gerucht houdt aan dat de politie pas hoorde dat Searle Lecroix in gevaar was toen het al te laat was om hem te waarschuwen.'

'Het gerucht...' Jo liep naar de bar. Tang trok haar terug.

'Heeft deze psychiater de politie ten onrechte de indruk gegeven dat het met het gevaar wel meeviel? Dat is de vraag die niemand hardop lijkt te durven stellen. En moet het leger de achtergrond van zijn burgerwerknemers beter doorlichten? Quintana werkt op Moffett Federal Airfield, in de nabijheid van een aantal *Special Forces*-eenheden.'

'Dat is knap angstaanjagend, Edie.'

Er volgde een reclameblok. Jo rende naar buiten en belde Gabe.

'Heeft Sophie dat gezien?'

'Ik kan nu niet praten. Ik bel je terug.'

'Ik vind het heel erg.'

'Dat weet ik.'

Hij hing op. Jo liet haar hand zakken en de telefoon ging weer.

'K.T. Lewicki.' De chef-staf van het Witte Huis klonk alsof hij zojuist nieuwe energie had opgedaan. 'U had gebeld?'

44

De deuren zaten op slot. De ramen waren vergrendeld en sloten de vervallen wijk Daly City buiten. Geel licht sijpelde door de jaloezieën de woonkamer in. Keyes stond voor de televisie, gebiologeerd door Edie Wilsons verslag. Ivory ijsbeerde door het vertrek. Er bungelde een sigaret tussen haar vingers, waarop een askegel van ruim twee centimeter zat.

'Ze hebben haar neergeschoten,' zei ze. 'Eerst hebben ze Searle gedood en daarna hebben ze haar neergeschoten. Ze hebben haar doodgeschoten, Keyes.'

'Ik weet het. Het is op het nieuws.'

Ivory's sneeuwwitte haar was vuil en geklit en stak als gescheurde vogelveren omhoog. Het zat in de war sinds ze het nieuws had gehoord en schreeuwend aan haar haren was gaan trekken. Haar witte nagellak zag er in het licht dof uit. Ze liep op blote voeten, met tatoeages die blauw als ijs waren, en boven haar slipje was de getatoeëerde schorpioen op haar onderrug zichtbaar.

'Searle wist te veel over Tasia. Het kon niet uitblijven dat hij zijn mond voorbij zou praten. Daarom hebben ze hem vermoord. De politie...' Ze wees op het televisiescherm. 'De politie heeft hem vermoord en daarna schoten ze haar goddomme dood en gaven ze haar de schuld.'

Keyes staarde naar de televisie. 'Oswald. Ze maken een zondebok van haar, net als van Lee Harvey.' Hij schudde zijn hoofd. 'En Mc-Farland heeft agenten in de National Guard, zoals die vetkuif Quintana, die op Moffett werkt. Een Mexicaanse naam, wat een toeval.'

Ivory's mascara was over haar wangen uitgelopen. Haar witte lippenstift was uitgesmeerd. Haar hand schokte toen de sigaret haar vingers brandde. Ze liet hem vallen, doofde hem onder haar hak en zoog op haar vingers.

'Ze hebben haar doodgeschoten. Wat doen we nu?' vroeg ze.

'Je weet wat we gaan doen.'

Op de keukentafel lag het Desert Eagle-pistool dat hij op een wapenbeurs in Yuma had gekocht. Daarnaast lagen het MAC-10 machinepistool en de Glock die hij en Ivory van de vrouw van een drugshandelaar hadden afgepakt toen ze haar huis in de buurt van El Paso beroofden. Allemaal betrouwbare wapens, niet te traceren en klaar voor gebruik.

Ivory liep naar het raam, stak haar vinger tussen de jaloezieën en tuurde naar buiten. Ze zag gebarsten beton, een dode yucca en het harmonicagaas. Hoe lang zou het duren voordat de politie kwam?

'Ze hebben haar doodgeschoten, Keyes.'

'Zeg nou niet steeds hetzelfde.'

'Een kogel in haar hoofd. En ik ben de volgende.'

Keyes liep door de kamer en greep haar bij de arm. 'Hou je mond. Je bent hysterisch.'

Ivory rukte zich los. 'Natuurlijk ben ik hysterisch. Ze was mijn zus.'

Ze duwde hem opzij, haalde haar vingers weer door haar haren en liep door de kamer. 'Wat moet ik nu? Op al mijn legitimatiebewijzen staat haar naam. Rijbewijs, werknemerspasje, die stomme rekening van de kabelmaatschappij: overal staat Noel Michael Petty op.'

Ze draaide zich om. Keyes' blik was mat. Hij wist dat ze in het nauw zaten. Hij kon het niet ontkennen.

'Straks hoort Blue Eagle haar naam op het nieuws en vragen ze zich verdomme af waarom een van hun chauffeurs ook zo heet, en dan bellen ze mij om het te vragen. En als ik niet opneem, bellen ze de politie.'

Op hun werk dacht iedereen dat Ivory gewoon een bijnaam was. Ze wisten niet dat hun sneeuwwitte chauffeur de identiteit van haar zonderlinge zus, Noel Michael Petty, had overgenomen. Haar zus, die alleen maar om countrymuziek gaf en dankzij een schikking na een valpartij geld had, maar geen cent met Ivory wilde delen, zelfs niet toen Ivory net uit de gevangenis was gekomen en geld nodig had. Haar zus Noel, die geen greintje genade verdiende.

'Jezus, ze hebben haar neergeschoten. Een kogel in haar hoofd.'

'Ze was een aardworm. Een griezel.'

'Wat maakt dat nu nog uit? Ze was mijn zus.' Ivory keek naar hem. 'Neem contact op met Paine.'

Ze staarden elkaar aan. Dit was het moment waarop Keyes er nog onderuit kon, als hij dat wilde.

'"Als wij elkaar niet trouw blijven, zijn we reddeloos verloren," zei Thomas Paine. Mee eens of niet?' vroeg ze.

Een aantal lange, ijzige seconden bleef hij stilstaan. Daarna liep hij langs haar heen en ging hij achter de computer zitten. Hij logde in op het webmailaccount dat Paine voor hem had geopend en schreef een nieuw conceptbericht. Ze keek toe terwijl hij typte.

'Gebruik je dat citaat?' vroeg ze.

'Nee. Iemand anders. Iemand die meende wat hij zei.'

Ivory leunde over zijn schouder. Hij tikte: *Is het niet angstaanjagend dat één man zo'n hel kan aanrichten?*

Timothy McVeigh. Ze zakte op haar knieën, liet haar vingers in het overhemd van Keyes glijden en drukte een dankbare kus op zijn nek. Haar hart vulde zich met een heilig vuur.

45

Jo ijsbeerde door de lobby van Waymire & Fong bv. De werkdag was bijna ten einde en de receptieruimte was leeg. Ze staarde naar de Wyeth-reproducties aan de muur. Twee advocaten liepen gezellig kletsend voorbij en keken niet eens naar haar.

Ze zagen niets aan haar. Kennelijk liep je geen zichtbare schade op als de chef-staf van het Witte Huis je telefonisch alle hoeken van de kamer had laten zien.

Ze draaide zich om, ijsbeerde langs de ramen en probeerde te bedenken wat ze tegen Vienna Hicks moest zeggen. Op de vensterbank landde een mus, die zijn vleugels inklapte.

De deur achter het bureau van de receptioniste vloog open en Vienna Hicks liep gejaagd het vertrek in. Ze had rode vlekken op haar wangen. Door de fladderende zwart-met-goudkleurige sjaal om haar hals zag ze eruit als een gigantische, felle monarchvlinder. Ze verpletterde Jo bijna met haar omhelzing. 'U bent een engel. Arme ziel, u bent een engel.'

Jo stribbelde verbijsterd tegen toen ze tegen een reusachtige, felgekleurde boezem werd gedrukt.

'Mijn god, het moet afschuwelijk zijn geweest.' Vienna drukte haar dicht tegen zich aan. 'U hebt het geprobeerd, dokter. U hebt geprobeerd hem te redden.'

Jo hapte naar adem. Heel even had ze zich bijna aan Vienna's stroom van medeleven overgegeven, maar ze moest voorkomen dat de dood van Lecroix haar minder alert maakte en dat ze werd gevloerd. Ze mocht haar pantser niet afleggen, want dat zou onprofessioneel en zelfdestructief zijn. Ze draaide de opwellende bron van verdriet dicht.

Vienna ademde uit. 'Neem me niet kwalijk, dokter, ik ben erg geëmotioneerd. Dit was een verschrikkelijke dag.' Ze nam Jo bij de elleboog en leidde haar door de hal. 'Een stalker – niet te geloven. Arme Searle.' Ze liep vlug haar werkkamer in en ging met een plof zitten. 'De mensen die in een samenzwering geloofden, hadden half gelijk.'

Jo zette de neutrale blik op die ze zichzelf had aangeleerd, maar die wilde niet op haar gezicht blijven staan.

'De politie zei dat ze het onderzoek naar de dood van mijn zus waarschijnlijk afsluiten. Ze zijn het met alle idioten eens: ze denken dat Tasia is vermoord. En ze zoeken waarschijnlijk niet verder naar de dader. Ze hebben Petty.'

'Ze zijn ervan overtuigd dat de zaak van uw zus kan worden gesloten. Daarom ben ik hier. Ik wilde met u praten over de psychologische autopsie.'

Vienna fronste haar wenkbrauwen. 'Laat me raden. De politie vindt het niet nodig om u nog langer voor uw diensten te betalen. Ze willen dat u uw rapport in de ijskast zet.'

'De politie wil dat ik samenvat wat ik tot nu toe weet, maar ze willen niet dat ik mijn onderzoek voortzet.'

'Houdt u ermee op?'

Jo gaf geen antwoord.

Vienna verschoof op haar stoel. 'Wat staat er in uw rapport?'

'Als ik het vanavond zou inleveren? Dan zou het geen duidelijke conclusies bevatten. Ik heb geen gelegenheid gehad om de medische en psychiatrische dossiers van uw zus te bestuderen of alle mensen op mijn lijst te ondervragen.' Ze zorgde dat ze kalm bleef klinken. 'Op dit moment kan ik geen conclusies trekken over Tasia's doodsoorzaak, en dat vind ik erg jammer.'

'U hebt geen antwoord gegeven op mijn vraag. Hadden de aanhangers van de samenzweringstheorie gelijk?'

'U bedoelt: heeft Noel Petty uw zus doodgeschoten...'

'... of sluit de politie de zaak wegens politieke druk?'

'Ik weet het niet.'

Vienna leunde naar voren. 'Rob loog over het feit dat hij Tasia een paar dagen voor haar dood had gezien. Ze schreef verdomme een nummer waarin ze wordt vermoord. Ik wil dat de politie de zaak pas afrondt als ze daarnaar hebben gekeken. Volgens mij wilt u de zaak ook openhouden.'

'Wat ik wil, interesseert de politie op dit moment niet,' zei Jo.

'Wat zit u dwars?' Vienna spreidde haar handen. 'Hetzelfde wat mij dwarszit. Ja toch? Petty heeft Searle vermoord. Maar ik heb het akelige gevoel dat de politie de zaak overhaast afrondt en te vroeg juicht. Ze beweren dat alles is opgelost en dat iedereen moet doorlopen omdat er niets meer te zien valt.' Ze trommelde met haar vingers op haar bureau. 'Hoe kijkt u tegen deze zaak aan?'

'Eerst wil ik een opmerking maken, daarna heb ik een vraag,' zei Jo. 'Vertrouw niet te veel op mijn vermogen om al uw vragen te beantwoorden. Soms kan ik alleen maar mijn mening geven over de vermoedelijke geestestoestand waarin een slachtoffer vlak voor zijn dood verkeerde. Ik heb geen kristallen bol.'

'Verdomme nog aan toe. Houdt u ermee op?'

Jo hief haar hand op. 'Nu volgt mijn vraag. Tasia's ghostwriter zei dat haar autobiografie onthullingen over haar huwelijk bevat die als een bom zullen inslaan. Klinkt dat als een marketinghype, of denkt u dat het waar is?'

234

Geschrokken zette Vienna grote ogen op. 'Wat voor onthullingen?'

'Dat wilde hij niet zeggen.'

Vienna onderdrukte haar emoties en schudde haar hoofd. 'De enige tikkende bom in dat huwelijk was Tasia. Ze ontplofte voortdurend. Het was onmogelijk om met haar samen te leven. Zal ik u de treurige waarheid vertellen? Ze hielp Rob de vernieling in. Hij dacht dat ze stapelgek op hem was, omdat ze zo vrolijk, bruisend, uitbundig blij was als ze hem zag. In werkelijkheid was ze manisch. Ze vond het heerlijk om in het middelpunt van de aandacht te staan. Het ging niet om hem. Het draaide allemaal om haar.' Vienna ging zachter praten. 'Ze brak zijn hart.'

Jo knikte. Al waren mensen met een bipolaire stoornis vaak nog zo charismatisch en charmant, vaak bleven hun relaties oppervlakkig.

Vienna sloeg haar armen over elkaar. 'Uw beurt. Geeft u uw onderzoek uit handen?'

'Integendeel,' antwoordde Jo. 'Ik kwam u vertellen over het gesprek dat ik zojuist met de rechterhand van uw ex-zwager heb gehad.'

De afgemeten, nasale, stomp-in-de-maag-toon van K.T. Lewicki's stem had deze keer heel anders geklonken. Jo had de verandering niet goed kunnen duiden.

'Ik hoorde wat er in het St. Francis is gebeurd,' zei hij. 'Hoe gaat het met u? Bent u ongedeerd?'

Jo stond op dat moment huiverend in de bries voor Mijita en antwoordde: 'Mij mankeert niets. De betrokken politiemensen ook niet.'

'Ik heb het een en ander over de verdachte gelezen. Petty klinkt als een schoolvoorbeeld van een geobsedeerde fan die een beroemdheid stalkt.'

'Er bestaat geen schoolvoorbeeld, maar laat ik mijn nek uitsteken door te zeggen dat ze geobsedeerd was door Searle Lecroix en dat ze hem in een moorddadige woedeaanval heeft doodgestoken. Het was erg akelig om te zien, meneer Lewicki.'

'Nogmaals, ik ben blij dat u en de betrokken politiemensen ongedeerd zijn.'

De bries, die naar de baai waaide, verkilde haar gezicht. Ze hield haar mond. Alles wat ze wilde uitschreeuwen, hield ze voor zich. Ze wilde het spelletje meespelen, luisteren wat hij te zeggen had.

Dat was niet veel goeds.

'Bedankt dat u vandaag de tijd hebt genomen om mij te bellen. Op een bepaalde manier moet het een opluchting zijn,' zei hij.

'Wat bedoelt u?'

'Dat de verdachte zo openlijk te werk ging. Ook al lijkt het tegen onze intuïtie in te druisen, er is een last van uw schouders afgenomen.'

Jo zei niets.

'U hebt nu geen enkele reden meer om uw onderzoek voort te zetten.'

Op dat moment besefte Jo welke nieuwe boventoon ze in zijn stem hoorde. Nu wist ze hoe hij klonk.

Opgetogen.

'Ik vind het geen opluchting,' zei ze.

'U bent erachter gekomen dat de dader een stalker was. Ik moet u feliciteren.'

Ze had gedacht dat ze het smeulende vuur dat haar haren in brand dreigde te steken had gedoofd. Ze had gedacht dat ze zichzelf weer in de hand had. Nu besefte ze dat dat niet zo was.

'Feliciteren?'

'U hebt contact opgenomen met de geheime dienst en met mijn kantoor. Achteraf blijkt dat we ons geen zorgen hoefden te maken over de veiligheid van de president, maar uw bezorgdheid dat er misschien een gevaarlijke stalker rondliep was gerechtvaardigd, al werd er te laat acht op geslagen. U verdient alle eer.'

'Searle Lecroix is dood. Hij is meerdere keren met een vlijmscherp mes gestoken. Ik hield zijn hand vast toen zijn bloed over de vloerbedekking van het hotel gutste. Ik zag zijn lippen blauw worden en zag lucht ontsnappen uit een wond die zijn halve long doormidden had gesneden. Bewijst u mij alstublieft geen eer.'

Lewicki zweeg.

'Ik weet dat u de politie van San Francisco zover hebt gekregen dat ze het onderzoek naar Tasia's dood hebben gestaakt. Ik weet niet op welke manier u de politietop onder druk hebt gezet. Waarschijnlijk zal ik daar ook nooit achter komen. Ik kan alleen maar kijken naar de druk die op mij en op anderen is uitgeoefend, en die was zwaar klote.'

Op dat moment wist ze dat ze een grommende pitbull had ontketend, die ze pas onder controle kon krijgen als ze haar telefoon in de baai gooide en haar hoofd in een emmer ijs stak.

'De boodschap is duidelijk, meneer Lewicki. De politieke les is overgekomen. Ik geef me gewonnen. Maar was het nu werkelijk nodig om het ATF naar een klein familiebedrijf te sturen? Die boekencontrole bij hoofdinspecteur Bohr is een cliché. Daar spreekt gebrek aan fantasie uit. Het verrassingsbezoek van het ATF was misschien een poging tot iets nieuws en origineels, maar ik vind zo'n inval zo lomp dat ik me niet kan voorstellen dat de mensen die de touwtjes in handen hebben er veel waardering voor krijgen.'

'Let op uw woorden, dokter.'

'Die nieuwe plaatsing van Gabe Quintana was trouwens wél een handige zet. Het succesnummer. Sluw. Een indirecte aanval. Er zitten waarschijnlijk een stuk of vijf schakels tussen het idee en de uitvoering.'

De pitbull blafte, hapte en viel aan. Ze gaf zich over aan haar woede.

'En uiteindelijk is het niet eens nodig. U stuurt een man naar een oorlog en laat zijn kind eenzaam achter – heel gehaaid. En ik zal het waarschijnlijk nooit kunnen bewijzen. Maar wie weet, misschien loop ik het podium wel op als de *Bad Dogs and Bullets*-tournee een herdenkingsconcert voor gestorven artiesten houdt. Dan pak ik misschien wel de microfoon om iedereen te vertellen hoe efficiënt de gekozen regering van ons land burgers aanmoedigt om nog eens héél goed naar hun burgerplicht te kijken.'

Ze haalde adem. Haar hart roffelde in haar borstkas en ze had het gevoel dat de grond onder haar voeten begon te smelten. Het duurde even voordat Lewicki reageerde.

Toen zei hij: 'Moet ik de term "projectie" gebruiken, dokter? Een paar minuten geleden heb ik het verslag van Edie Wilson bekeken, en ik neem aan dat u het ook hebt gezien. Ze sprak met de ex-vriendin van meneer Quintana, toch? Klopt dat?'

Nu was het Jo's beurt om te zwijgen.

'Effectieve reportage, zou ik zeggen, te oordelen naar uw reactie. Al bestaat er geen verzegeld strafblad. Alleen een arrestatie, elf jaar geleden. Quintana heeft bij een caféruzie een man half doodgeslagen met een zilveren gesp. Ik weet niet waarom hij niet is vervolgd – misschien omdat hij ermee instemde om zich onmiddellijk daarna bij de luchtmacht aan te melden.'

Jo sloot haar ogen.

'Ik heb niet alle details gehoord, maar als ex-militair denk ik dat meneer Quintana geluk heeft dat hij als parareddingswerker mag dienen en geen gevangenisstraf hoeft uit te zitten.'

Jo deed haar ogen niet open. Dat kon ze niet.

'Het is vervelend dat zijn dochter dit waarschijnlijk allemaal voor het eerst hoort terwijl hij zijn uitzending voorbereidt. Maar misschien heeft het leger of het Californische rechtssysteem nog meer documenten die openbaar gemaakt kunnen worden. Misschien ook niet.'

Jo klemde haar kaken op elkaar. Ze wilde iets zeggen, maar ze wist dat ze zou gillen als ze haar lippen bewoog – in de telefoon, in de lucht, tegen God.

De opgewekte toon waarmee Lewicki het gesprek was begonnen, kwam weer terug. 'Maar zoals ik in het begin al zei, hoeft u niet meer bij dergelijke zaken betrokken te worden. En omdat u uw rapport kunt afronden, zal de media-aandacht ook wel afzwakken.'

Haar omgeving leek te pulseren, en ze zei afgemeten: 'Begrepen. Luid en duidelijk.'

'Prima. Het was verhelderend om met u te praten. Goedenavond, dokter.'

Hij hing op en Jo bleef op het trottoir achter, starend naar het verkeer en de meeuwen die als aaseters boven haar hoofd zweefden, wachtend tot ze het vlees van haar botten konden pikken.

Vienna leunde naar voren. 'De arrogante klootzak.'

'Een uur geleden had ik besloten om me terug te trekken, naar huis te kruipen en mijn mond te houden om te voorkomen dat ik de zaak nog erger maakte. Toen kwam dat telefoontje van Lewicki,' zei Jo.

'Dat misselijke stuk stront. Op de bruiloft van Rob en Tasia heb ik met hem gedanst. Ik heb tequila met hem gedronken tot we alles dubbel zagen. Stomme eikel. En ik vind die ellendeling zelfs aardig.'

Vienna vouwde haar armen over elkaar. 'Als u niet achter de waarheid kunt komen, doe ik het wel. Dan huur ik een privédetective in. Ik zoek zelf wel een forensisch psychiater. U hebt toch wel collega's? Hebt u geen beroepsvereniging, of een bowlingcompetitie, dat soort dingen?'

'Zou u tot het uiterste gaan?'

'O, zeker. We hebben het over mijn zus.'

'Het zal niet plezierig zijn.'

'Zie ik eruit alsof dat me afschrikt?'

'Mooi zo. Want ik doe mee.'

'Echt?'

'Ja. Want als ik wegloop, zal Lewicki me niet met rust laten. Hij gaat proberen me te ruïneren. Ja toch?'

Vienna knikte langzaam. 'U hebt gelijk. Hij laat niet los, hij zet nog een tandje bij. Kel wil dat u ermee ophoudt voordat u iets ontdekt wat de president zou kunnen schaden. Dat is het enige wat telt. Het is niets persoonlijks, het is een instinct. Het is zijn missie.' Ze fronste. 'Als u zich terugtrekt, ziet hij u als een gewonde prooi. Hij zou kunnen proberen uw professionele reputatie te beschadigen. Op langere termijn. Als u later dan nog meer bewijsmateriaal zou vinden, zou niemand u nog geloven.'

'Als ik wil voorkomen dat mijn dierbaren en ik klappen krijgen, moet ik Lewicki te snel af zijn. Dat is de enige manier. Ik moet bewijsmateriaal vinden dat onomstotelijk vaststelt hoe uw zus is gestorven. Ik moet terugvechten.' Ze stond op. 'Daar gaan we dan.'

Vienna zoog haar longen vol lucht. Het was een indrukwekkend gezicht. 'Als Noel Petty Tasia niet heeft gedood, heeft een ander haar dan vermoord?'

'Als dat zo is, was het een gewaagde, wanhopige moord. Dan is ze gedood door iemand die een groot risico heeft genomen, misschien omdat er heel veel op het spel stond.'

'U bent bang dat er sprake is van een samenzwering. Waar of niet? Goddomme nog aan toe.'

'Ik ben bang dat we een serieuze bedreiging over het hoofd zien als het Witte Huis het onderzoek stillegt. Ik ben bang dat er iets gevaarlijks broeit.'

'Wat bent u van plan?'

'Air Force One vliegt morgen rond het middaguur hierheen. Kunt u Lewicki overhalen om bij u op kantoor te komen voordat hij naar de gedenkdienst gaat?'

Paine wiegde peinzend op zijn bureaustoel heen en weer. De boodschap van Keyes knipperde op zijn computerscherm. *Is het niet angstaanjagend dat één man zo'n hel kan aanrichten?* Maar dat interesseerde hem op dit moment niet. Zijn aandacht was gericht op het nieuws in Edie Wilsons laatste verslag, en hij speelde het filmpje nog eens af.

Haar oververhitte, schreeuwerige aanpak liet hem koud. Ze was een kermisattractie, een pekinees met twee koppen die de top had bereikt en haar positie alleen maar kon behouden door steeds harder te blaffen. Insinuaties, roddels, anonieme bronnen – en wie was die uitzinnige hippie die met een beschuldigend vingertje naar haar ex wees? Bewaar dat maar voor een realityshow voor aandachtsjunkies!

Het filmpje was begonnen. Hij zette het geluid van Edies idiote zeehondenstem uit en drukte op pauze.

Hij boog zich naar het scherm. 'Interessant.'

Op het stilstaande beeld zag hij dokter Beckett bij Wilson en haar collega-verslaggevers wegrijden. Beckett zat in de auto van Gabriel Quintana, de man over wie de hippie zo minachtend had gesproken en over wie Wilson nu zo hysterisch deed. Paine zoomde in. Hij sloeg het beeld op, knutselde wat aan de foto en vergrootte hem om alles nog duidelijker te maken.

Er gleed een glimlach over zijn gezicht.

Edie Wilsons kermisattractie was niets anders dan afleiding, de waarheid zoals je die via de breking van een discobal zag. Maar kermisattracties boden een dekmantel, en dekmantels boden een verzekering. Op het strijdtoneel konden misleiding en verkeerde informatie bondgenoten zijn. Beckett en Quintana waren glinsterende vierkantjes op de draaiende discobal. Daar kon Paine gebruik van maken. Geruchten, angst, zinspelingen op geweld in het hart van de zaak-Tasia McFarland – die dingen konden zijn vijanden tegen elkaar opzetten.

Hij sloeg de foto op en printte hem.

Daarna tikte hij een bericht aan Keyes. *Ik weet dat je begrijpt wat er mis is met de wereld: de jakhals leeft nog. Alles is gerechtvaardigd om Robert McFarland een halt toe te roepen. En wij verkeren in de unieke omstandigheid dat we dat zowel willen als kunnen. Een tiran doden is geen moord. Het is een bevrijding.*

De foto werd geprint. Toen Paine er nog eens naar keek, was hij gerustgesteld. De kentekenplaat van Gabriel Quintana's suv was duidelijk zichtbaar.

46

In Noe Valley was de schemering ingevallen. In de huizen werden lampen aangeknipt. Op straat oefenden kinderen lachend skateboardtrucs terwijl de nacht naderde. Jo klopte op de deur.

Toen Gabe de voordeur opendeed, bleef ze doodstil staan. Zijn blik was vermoeid. Hij keek van haar gezicht naar de oprit en naar de straat erachter.

'Mijn auto staat twee straten verder. Hij valt niemand op,' zei ze.

Hij gebaarde met zijn hoofd dat ze binnen mocht komen en sloot de deur. De jaloezieën waren dicht. Uit de stereo klonk een Hannah Montana-cd, en in de woonkamer zat Sophie in kleermakerszit op de vloer te kleuren. Ze keek op. Haar blik was ook vermoeid.

Jo stak haar hand op. 'Hallo, meisje.'

'Hallo.'

Jo volgde Gabe naar de keuken. Hij schonk een mok koffie voor haar in en liep door naar de achtertuin. Jo volgde hem en ging aan de tuintafel zitten. Het grasveld lag vol afgevallen eikenbladeren, alsof er een windvlaag door de tuin had geraasd.

Gabe stond bij de tafel naar de horizon in het westen te staren, die was doordrenkt met karmozijnkleurig licht. Boven hun hoofd, waar de kleur geleidelijk overging in blauw, was de hemel bezaaid met sterren.

'Ik heb het contact met de buitenwereld aan banden gelegd. Geen tv, geen computer, ik neem de telefoon op. Alles wat Sophie hoort, moet uit mijn mond komen.'

'Het spijt me,' zei Jo.

Eindelijk keek hij naar haar. 'Je hoeft je nergens voor te verontschuldigen. Je doet je werk. Ik heb me er vrijwillig mee bemoeid en ik ben door het slijk gehaald.' Maar zo eenvoudig lag het niet, dat wisten ze allebei. Hij had haar gewaarschuwd dat de zaak uiterst smerig kon worden. Toch had ze het werk aangenomen, zonder goed te beseffen wat die smerigheid kon inhouden. Zijn instinct om haar te beschermen, zijn altruïsme en zijn enigszins arrogante machismo hadden ertoe geleid dat hij samen met haar in het diepe was gesprongen. En nu zwommen ze in snelstromend water, nauwelijks in staat om het hoofd boven water te houden.

En dat was nog lang niet alles. Ze voelde spijt, maar ze was evenzeer kwaad en gekwetst. Ze voelde zich buitengesloten. Overrompeld.

'Vertel me alsjeblieft wat er aan de hand is,' zei ze.

'Dawn hoorde van haar advocaat dat ik word uitgezonden. Ze scheurde woedend hierheen en arriveerde net toen Edie Wilson wilde wegrijden. Toen besloot ze alles op alles te zetten.'

'Wil ze de voogdij?'

'Ze zegt van wel. Dat betekent dat ze in de rechtszaal spelletjes wil spelen en Sophie gebruikt om te onderhandelen. Ze kan de voogdij helemaal niet aan, dat weet ze best.' Hij draaide zich om. 'Wil je het hele verhaal horen?'

Jo's borstkas verkrampte. Ze wilde dat hij zijn schouders zou ophalen en zou zeggen dat er niet veel te vertellen viel, maar dat deed hij niet.

'Alsjeblieft,' zei ze.

Hij knikte en zette zich schrap, alsof hij zich voorbereidde op een strijd. 'Tijdens mijn tweede studiejaar was Dawn mijn vriendin. Vroeger was ze anders dan nu. Ze was lief. Ze had een geweldige lach.'

'Iedereen heeft in zijn verleden anderen gekend. Je hoeft je niet te verontschuldigen voor je relatie.'

'In de zomer na dat studiejaar voelde ik me ellendig. Ik had genoeg van mijn opleiding. Ik moest er niet aan denken om in de herfst

242

terug te gaan naar San Francisco State. Ik nam dienst bij de lucht-macht. En toen vertelde Dawn dat ze zwanger was.'

Onder het eindeloze gewelf van de schemerige hemel voelde Jo een gewicht op haar schouders zakken.

'Ik bood aan met haar te trouwen. Ik zei dat we het als een avon-tuur moesten beschouwen en dat we een huis, sociale zekerheid en medische zorg zouden krijgen omdat ik bij de luchtmacht zat. Maar Dawn wilde geen echtgenote van een militair worden. Ze wilde dat ik me aan mijn verplichtingen zou onttrekken.'

'Maar hoe dan?' vroeg Jo.

'Ze wilde dat ik tegen de luchtmacht zou zeggen dat ik van ge-dachten was veranderd. Gewoon iets als: "Sorry, jongens, ik zie het niet meer zitten."'

'Dacht ze echt dat je kon...' Jo maakte haar zin niet af. Het had geen zin.

'Ik vertelde dat ik in de gevangenis gegooid zou worden als ik me niet meldde. Ze werd razend. Ze zei dat ze alleen bij me zou blijven als ik tegen de luchtmacht zou zeggen dat ze konden doodvallen. Ik moest kiezen tussen haar en het leger. Ze wilde niet... Ik kon haar maar niet duidelijk maken dat...' Hij spreidde zijn handen. 'Ik zei dat ik geen keuze had, maar dat ik met haar zou trouwen en dat ze bij haar ouders kon blijven wonen. Ik zei dat ik zo vaak mogelijk thuis zou komen. Dat wilde ze niet. Ze wilde dat ik in San Francisco zou blijven.'

'Wat gebeurde er toen?'

'In het weekend voordat ik me voor mijn basistraining moest mel-den, hadden we afgesproken om met vrienden uit te gaan, een soort afscheidsfeestje. Ik was danig in de war. Ik had geen idee hoe ik de problemen moest oplossen. Als ik eerlijk ben, was ik opgelucht dat ik weg kon. De luchtmacht haalde me van het probleem weg.' Hij trok een lelijk gezicht. 'In elk geval voor negen maanden. Ik kon me niets bij het vaderschap voorstellen. Ik wist alleen dat ik er een enor-me puinhoop van had gemaakt. Ik was bang en was stiekem blij dat Dawn niets voelde voor mijn nobele Mexicaans-katholieke idee om het probleem met een ring en een priester op te lossen.'

Hij stopte zijn handen in zijn achterzakken. 'De avond was een ramp. Dawn zat te mokken en te huilen tot ze uiteindelijk naar buiten rende, naar de auto. Toen ze niet terugkwam, ging ik haar zoeken. Op de parkeerplaats hoorde ik haar mijn naam roepen.' Hij draaide zich om en keek Jo aan. 'Ze schreeuwde om hulp. Ik zag dat een man haar meesleurde naar de achterkant van het restaurant.'

'Mijn god.'

'Hij sleepte haar mee naar de bosjes. Ik ging door het lint en viel hem aan.'

'O, Gabe.'

'Ik tackelde hem en schreeuwde dat Dawn moest vluchten en de politie moest bellen. Op dat moment sprongen de vrienden van die kerel op mijn nek,' zei hij. 'Drie tegen één, ik wist dat ik niet meer overeind zou komen als ze me tegen de grond wisten te werken. Ik koos de kerel die er het agressiefst uitzag. Ik bedacht dat de anderen zich misschien zouden bedenken en zouden vluchten als ik hem iets aandeed.' Hij zweeg even. 'Ik heb hem helemaal verrot geschopt.'

Jo wachtte. Er gingen seconden voorbij. 'Gabe?'

'Ik had eerder moeten ophouden, maar ik dacht dat hij Dawn te grazen zou nemen als ik gas terugnam. Tja, en toen zag ik niet dat een van die andere kerels een fles uit de afvalcontainer haalde. Hij sloeg hem stuk en stak me ermee. Twee keer.'

Zijn kalmte leek op de rust die ontstaat als al het bloed uit een lichaam is gestroomd, als er niets meer is om het hart te laten pompen. Jo's blik gleed van zijn gezicht naar zijn heup, naar de onregelmatige littekens onder zijn shirt en zijn spijkerbroek.

'Daarna gingen die twee kerels ervandoor. Ze renden weg en lieten me bloedend naast hun vriend op de grond liggen.'

Jo stak haar arm uit en pakte zijn hand. Dat stond hij toe, maar hij reageerde niet op het kneepje in zijn hand.

'Ik dacht, shit, die vent heeft me met een kapotte fles gestoken en ik zag het niet eens aankomen.' Hij likte over zijn lippen. 'Ik vroeg me af of dat het moment zou worden waarop ik uittrad en naar het tafereeltje op de grond zou kijken. Ik vroeg me af waar het licht bleef.'

Jo hield zijn hand vast.

'Ik kroop op handen en voeten naar het restaurant. De politie arriveerde, gevolgd door een ambulance. Ze brachten me naar het ziekenhuis en lapten me op.'

Jo had een droge keel. Ze wist dat 'oplappen' een eufemisme was. Het bleef even stil. Jo dacht: was dat alles? Het was een afschuwelijke aanval geweest, maar hoe had Gabe hierdoor in de problemen kunnen raken? Hij was een held. Hij had zijn zwangere vriendin van een stel verkrachters gered.

'Maar?' zei ze.

'Niemand had het gevecht gezien. Dawn was gevlucht. Ze zagen alleen mij en die vent die ik verrot had geslagen, en hij spuwde zijn tanden uit en zei tegen iedereen dat ik hem had willen vermoorden. Niets over die twee andere kerels. Niets over het feit dat hij Dawn had meegesleurd.' Hij haalde zijn schouders op. 'Dus ja, de politie arresteerde me in het ziekenhuis. Ze zeiden dat ze me zouden vervolgen voor mishandeling, misschien zelfs voor poging tot doodslag.'

Jo boog zich een stukje naar hem toe. 'Maar dat hebben ze niet gedaan.'

'Ze vonden de kapotte fles. De vingerafdrukken kwamen niet overeen met die van de man die ik had aangevallen. Ze kwamen overeen met die van zijn maatje, die een strafblad had.'

'En?' Jo begreep het niet. 'Was dat het einde van het verhaal?'

Hij staarde naar de grond. Een angstig gevoel nestelde zich op Jo's schouders.

'Dawns ouders dwongen haar naar de politie te gaan,' zei hij. 'Daar vertelde ze dat ze een streek met me had willen uithalen, maar dat de situatie uit de hand was gelopen.'

'Mijn hemel.'

'Ze wilde me zo ongerust maken dat ik in San Francisco zou blijven om haar te beschermen. Ze kende die drie kerels. Ze had het allemaal gepland.'

Woede, een glanzende, scherpe stalen punt, leek door het schemerdonker te snijden. Jo stond op en liep naar het midden van het grasveld, in een poging om zich te vermannen. Na een minuutje liep ze terug en zette ze haar handen op Gabes schouders.

'Ik begrijp waarom je het me niet hebt verteld. Ik zal echt niet ontploffen, het komende jaar blijven zeuren dat Dawn een vals kreng is of je raar aanstaren.' Ze zorgde dat hij haar aankeek. 'Maar hou nooit meer iets voor me verborgen.'

Zijn lippen weken een stukje uiteen. Geen glimlach, geen frons. Misschien was het een gebaar waaruit verbazing sprak. 'Weet je dat zeker?'

'Ja.'

'Heel zeker?'

Ze hadden het nu over de oorlog. Ze knikte. 'Vertrouw me.'

Het was een smeekbede, een plechtige belofte en een manier om hem te vertellen dat hij haar had gekwetst. Hij haalde haar handen van zijn schouders, bedekte ze met zijn vingers en drukte zijn lippen op haar knokkels.

'Begrijp je waarom ik niet wilde dat dit verhaal bekend zou worden? Hoe zal Sophie verdomme reageren als ze hoort wat haar moeder heeft gedaan?' zei hij.

'Ik begrijp het.'

'Ik ben Dawns ouders eeuwig dankbaar. Zij hebben er het ergst onder geleden. Ik bedoel, ik ben hersteld. De politie kreeg beelden van een beveiligingscamera achter het restaurant, en toen ze die eenmaal hadden gezien, maakten ze mijn boeien los en werd er niet meer over een arrestatie of een vervolging gesproken.'

'Maar je wilt zeker niet dat ik dit aan iemand vertel?' vroeg Jo.

'Nee. De vent die ik het ziekenhuis in heb geslagen, kwam eruit met vastgezette kaken en pinnen in zijn knie. Ik denk dat hij altijd met zijn been zal blijven trekken.'

Jo hield zijn handen vast. Zijn schaduwen kregen diepte.

'Je had dit niet voor me verborgen hoeven houden,' zei ze.

'Niet iedereen vindt het makkelijk om te praten. En praten helpt ook niet altijd als er problemen zijn,' zei hij. 'Ik moet de dingen op mijn manier doen. En ik wil niet dat anderen zich zorgen maken over zaken die mijn verantwoordelijkheid zijn.'

'Dat begrijp ik, maar geheimen bewaren is niet de enige manier om alles in de hand te houden.'

'Weet je het zeker? Stel dat ik mijn hart bij je lucht. Zou je dan geen oordeel vellen? Zou je niet proberen mijn beslissingen te beïnvloeden?'

Jo's keel kneep weer samen. Hij had haar iets ongelooflijk moeilijks en pijnlijks verteld, maar toch kon ze haar boosheid niet helemaal van zich afzetten. Hoewel ze had gezegd dat ze wilde weten wat er was gebeurd, had hij zoiets essentieels lange tijd voor haar verborgen gehouden. Maar hij had haar ook zojuist beloofd dat hij in de toekomst geen geheimen meer voor haar zou hebben. En zij had hem niets verteld over haar eigen angst, haar eigen duistere geheim: zijn uitzending was bedoeld als boodschap aan haar. Ze verzamelde al haar moed.

In de keuken ging de telefoon. Gabe kneep even in haar hand en liep op een drafje naar binnen om op te nemen. Jo legde haar hoofd in haar nek en staarde naar de sterren. Een minuutje later ging ze naar binnen, waar Gabe nog steeds in gesprek was. Ze liep naar de woonkamer en ging naast Sophie op de vloer zitten.

De neus van het meisje raakte bijna het knutselpapier waarop ze met kleurpotloden een tekening maakte. Haar blik was geconcentreerd.

'Ik vind die appaloosa mooi,' zei Jo.

'Dank je.'

'Vechten de paarden tegen de vampiers?'

'Alleen tegen de slechte vampiers. En de weerwolven staan aan de kant van de paarden.' Sophie pakte een karmozijnrood kleurpotlood en kleurde een wond op de flank van een wolf. 'Papa denkt dat ik niet weet dat er iets aan de hand is.'

'Hij weet dat je het weet.' Jo pakte een potlood en een vel papier. 'Mag ik?'

Sophie knikte.

Jo begon te tekenen. 'Wat heeft hij je verteld?'

Sophie hield op met kleuren, en haar ogen stonden bezorgd. 'Hij wordt vrijdag uitgezonden.' Haar lippen deden hun best om niet te trillen. 'Maar niet naar Afrika. Naar Afghanistan.'

Ze staarde Jo aan met een blik als een vlam, waarbij ze haar uitdaagde om het te ontkennen. Daarna knipperde ze met haar ogen en haalde ze schokkerig adem.

'Ik wil dat hij hier blijft,' fluisterde ze. 'Ik wil dat ze iemand anders sturen, maar dat mag je niet tegen hem zeggen.'

Gabes voetstappen kraakten op de hardhouten vloer. Sophie wendde haar gezicht af om haar tranen te verbergen, maar hij kwam binnen en zag wat ze deed. Verdrietig hurkte hij bij haar neer om haar te omhelzen. Langzaam, als een verkrampte spier, beefde ze en draaide ze zich naar hem toe.

Jo liet haar handen losjes op haar knieën rusten. Haar telefoon ging en ze zag de naam Tang op het schermpje staan. 'Neem me niet kwalijk.' Ze liep weg om op te nemen. 'Amy?'

'Trouwens, Tasia's medische dossiers uit de tijd dat ze met Robert McFarland was getrouwd zijn verdwenen.'

'Dat zal best.'

'Ik bedoel niet dat ze niet beschikbaar zijn. Ik bedoel dat ze via het leger toegankelijk zouden moeten zijn, maar ze zijn in het niets opgelost. Goh, wat was ik verbaasd.'

Jo liet die woorden even op zich inwerken. 'Bedankt.'

'Dit is het soort nieuws dat veel stof zou doen opwaaien als het openbaar werd.'

'Daar is het nog te vroeg voor. Maar het zou van pas kunnen komen.'

'Bel me als je hulp nodig hebt.'

'Doe ik.' Jo hing op.

Even later ging de telefoon weer. Het was Vienna. 'Lewicki heeft ja gezegd.'

Jo spitste haar oren. 'Wanneer en waar?'

'Mijn kantoor, morgenmiddag één uur. Hij komt van het vliegtuig rechtstreeks hierheen. Kennelijk heb ik nog steeds overredings-kracht. Of misschien is dat onderdeurtje gewoon bang voor forse vrouwen.'

Even voelde Jo de hoop weer opvlammen. 'Ik zal zorgen dat ik er ben. Bedankt.'

Gabe kwam aanlopen met Sophie aan de hand. Ze veegde haar ogen af.

'We moeten weg. Ik heb een afspraak met mijn advocaat. Ik zet Sophie bij Regina af.'

Jo knikte. Ze deed haar mond open om hem haar angsten te ver-tellen, maar deed hem vervolgens weer dicht. Verkeerd moment, ver-keerde plaats.

'Wat is er?' vroeg hij.

'Het kan wel wachten.'

Alsof het daardoor minder erg zou worden.

47

De volgende ochtend liep Jo om halfzeven op blote voeten haar keuken in. Er scheen een scherpe streep zonlicht door het huis. Terwijl ze haar slordige krullen achter haar oor veegde, zette ze haar koffiezetapparaat aan. De lucht was koel, de hemel kobaltblauw. Ze schatte dat Air Force One vierenhalfduizend kilometer ten oosten van haar op Andrews Air Force Base naar zijn startpositie taxiede.

Terwijl de koffie pruttelde, spreidde ze haar aantekeningen uit op de keukentafel. Dit was alles wat ze wist, alles wat ze nodig had en wat ze met vleierij en harde woorden aan chef-staf Kelvin T. Lewicki wilde ontlokken.

Drie zaken voelden aan als roodgloeiende brandstempels. Ten eerste was er haar angst dat de dood van Tasia McFarland geen op zichzelf staande gebeurtenis was. Ten tweede was ze bang dat de naderende komst van de president nog meer mensen in gevaar zou kunnen brengen. Ze bleef maar de opgenomen waarschuwing van Tasia horen: 'Alles is uit de hand gelopen... Als ik sterf, is het aftellen begonnen.'

Ten derde was ze ervan overtuigd dat Lewicki, of de politieke machinerie van de president, verantwoordelijk was voor de veranderde plaatsing van Gabe.

Ze moest erachter zien te komen of Tasia McFarland was vermoord. En ze wilde Lewicki op zijn knieën dwingen, kreunend als een zieke baviaan.

Ze las haar aantekeningen nog een keer door en probeerde de laatste dagen van Tasia's leven als een stuk touw te ontwarren. Tasia was gestopt met de medicijnen die haar stemmingen reguleerden. Ze verlangde naar de kick van een manische periode, maar in plaats daarvan had ze in de lente aan een zware depressie geleden. Vervolgens had een arts haar prozac voorgeschreven, en door dat middel was ze waarschijnlijk in een gemengde episode beland. Een paar dagen voor haar dood had ze in een hotel in Virginia met Robert McFarland afgesproken. Ze was geagiteerd, van streek en bang naar San Francisco teruggekeerd. De avond vóór het concert in het stadion van de Giants had ze twee nummers geschreven, die moesten worden beluisterd als ze werd vermoord. De avond daarna was ze met McFarlands colt .45 doodgeschoten.

Het was nooit de bedoeling geweest dat 'The Liar's Lullaby' en 'After me' hits zouden worden. De liedjes waren raar en somber, meerduidig en onvolledig. Maar wel effectief: het waren nummers die onder je huid kropen. In Tasia's huis had Jo foto's van de bladmuziek gemaakt. Ze drukte ze af en spreidde de muziek uit op de keukentafel.

You say you love our land, you liar
Who dreams its end in blood and fire
Said you wanted me to be your choir
Help you build the funeral pyre.

Behalve de onheilspellende tekst zaten er wanluidende akkoordenschema's en dwangmatige motieven in de muziek.

But Robby T is not the One
All that's needed is the gun
Load the weapon, call his name
Unlock the door, he dies in shame.

Herhaalde melodische progressies en akkoordenschema's die in combinatie met de teksten nogal raadselachtig waren.

Bijna letterlijk raadselachtig.

Jo dacht terug aan haar studie en de colleges die ze over het brein en muziek had gevolgd. Ze liep naar haar werkkamer en zocht in de archiefkast. Na een kwartiertje vond ze wat oude aantekeningen. Toen ze die doorlas, ging haar hart sneller slaan.

Mensen met een bipolaire stoornis konden in manische periodes ingewikkelde woordspelletjes spelen en geobsedeerd raken door woordgrappen. En manisch-depressieve musici konden hun composities in raadsels veranderen.

Dat deden ze door beroemde melodieën te samplen en stiekem naar het werk van andere componisten te verwijzen, of door codes in hun eigen melodieën en arrangementen te verbergen.

Jo pakte Tasia's bladmuziek op. Ze besefte hoe een componist een code in een nummer kon aanbrengen: met de noten uit de toonladder. C, d, e, f, fis, enzovoort.

De muziek was geschreven in de vioolsleutel en de bassleutel. Geen kruisen of mollen. De noten op de balk schommelden rondom de centrale c. Bovenaan had Tasia 'Contrapunt/canon' gekrabbeld.

Jo tikte met haar voet. Volgens Rez Shirazi, Tasia's stuntcoördinator, had Tasia hem platgewalst met verhalen over martelaarschap en samenzweringen – en muziek. Ze had volgehouden dat haar muziek haar kon beschermen en dat de waarheid erin te vinden was. Melodie, harmonie, contrapunt, tekst. Ze doorspekte haar manische monoloog met muzikale verwijzingen. 'Rond, rond, steeds weer opnieuw. Do ree mi fal dood, stelletje klootzakken.'

Er werd aangebeld.

Jo liep naar het raam van haar werkkamer en tuurde tussen de jaloezieën door. Het was rustig op straat. Ze zag geen verslaggevers, alleen Ahnuld de robot die over het trottoir racete. Meneer Peebles rende met ontblote tanden achter Ahnuld aan. Daarna kwam Ferd, die hen allebei achtervolgde. Ze liep naar de voordeur en tuurde door het kijkgaatje.

Buiten stond haar zus Tina op haar tenen met een zak muffins te zwaaien. Jo deed open en trok haar naar binnen.

Tina droeg een zwarte Java Jones-bloes en een spijkerbroek, haar werkkleding voor haar baan in de koffiebar. Bruine krullen stroomden uit een paardenstaart boven op haar hoofd. De zilveren ring in haar neus blonk in de zon toen ze zo onverwachts naar binnen vloog.

'Jouw cafeïneprobleem is veel erger dan ik dacht,' zei ze.

'De media maken jacht op me.'

'Dat weten we. De hele familie heeft het erover hoe je eruitzag op tv.'

Jo ging haar voor naar de keuken. 'Wat zeiden ze?'

'Tante Lolo vindt dat je een dikke kont hebt als je voor de pers wegrent.'

Met grote ogen draaide Jo zich naar haar om.

Tina gaf haar de muffins. 'Hier, dat helpt tegen de spanning.'

Met een kreun legde Jo haar hoofd in haar nek.

'Ik meen het. Ga zitten en neem een hap voordat je je vleugeltjes verschroeit als een mot die door een kaarsvlam vliegt,' zei Tina.

Jo raapte haar aantekeningen bij elkaar, plofte op een stoel en maakte de zak open. 'Bedankt.'

'Was je gisteren echt in het St. Francis toen...'

'Ja. Het was een nachtmerrie. Maar dat verwerk ik later wel.'

Tina ging tegenover haar zitten. 'Hoe noem jij dat? Verdringing? Ontkenning?'

'Repressie.' Jo liet haar ogen op de muizen van haar handen rusten. 'Zolang ik blijf bewegen, voel ik het niet als ik door pijlen wordt geraakt.'

Tina zei niets. Jo keek op. Het opgewekte gezicht van haar zus was betrokken.

'Ik heb een zwaar etmaal achter de rug.' Jo probeerde haar stem rustig te houden, maar ze hoorde dat er een hapering in kroop. 'Gabe vertrekt over twee dagen.'

'O god.' Tina legde een hand op haar arm. 'Ik wil alles horen.'

Jo legde het verhaal uit. 'Vandaar mijn verlangen om al die pijlen te laten afschampen.'

'Wees alsjeblieft niet zo hard voor jezelf. Dit is iets heel ernstigs.'

Jo wreef in haar ogen. 'Ik ben compleet de kluts kwijt.'

Tina hield haar hoofd schuin. Haar blik was wrang en peinzend. 'Ben je verliefd op Gabe?'

Jo keek op. 'Ja.'

Langzaam gleed er een brede grijns over Tina's gezicht. 'Sodeju. Dat is geweldig.'

Jo begon te blozen en moest ook glimlachen. 'Ja, vind ik ook.'

Tina stak haar beide vuisten in de lucht en gooide haar hoofd in haar nek. 'Ze schiet, ze scoort. Yesss!'

Jo lachte.

Tina liet een arm zakken en wees met haar wijsvinger naar Jo, als de toorn van God. 'En het is onvermijdelijk.'

'Wat bedoel je daarmee?'

'Doe maar niet of Gabe een donderslag bij heldere hemel is. Je bent verslaafd aan adrenaline.'

'Krijgen we dat weer?'

'Op zoek naar kicks.'

'Ik luister de hele dag naar pratende mensen.'

'Je staart ze van negen tot vijf aan en beklimt bergen om je te ontspannen.'

'Rotsen. Die zijn zo lekker zwijgzaam.'

'Ze smijten je naar beneden als je iets doet wat ze niet bevalt. Eén foutje, de kleinste ergernis en pats, er zit niets meer tussen jou en de grond. Klimmen is meedogenloos. En daar geniet jij van. Je bedwingt oppervlakken die geen duimbreed toegeven.'

'Je vergist je. De rotsen vormen een probleem dat je kunt oplossen. Zo omschrijven andere klimmers het ook.'

'Jo, geef het nu maar toe.'

'Ik meen het. Bij klimmen draait het erom dat je de verborgen waarheden in de rots en jezelf ontdekt. Je verkent het terrein tot het zijn geheimen onthult en je toestaat de top te halen.'

'Ben je je er echt niet van bewust?' vroeg Tina.

'Natuurlijk is het een lekker gevoel. En veel klimmers nemen te veel risico's. Ik niet. Je kent het gezegde.'

'Je hebt oude klimmers en boude klimmers, maar er bestaan geen oude, boude klimmers.' Tina staarde naar haar alsof ze naar een stomme steen keek. 'Het gaat niet alleen maar om problemen oplossen.'

'Natuurlijk niet. Ik krijg een enorme kick van klimmen.'

'Jij krijgt een kick van risico's nemen in je privéleven.'

'Je overdrijft.'

'Met mannen.'

Jo zat doodstil. 'Dat is een belediging. Dat is... Tina, dat is belachelijk, en een smet op... Welke mannen? Gabe? Daniel?'

Tina wuifde met haar handen om Jo's wrokkigheid af te weren. 'Je houdt van opwinding. Je bent een denker die niet op zoek is naar rust, dat weet ik zeker.'

'Wil je alsjeblieft zeggen wat je bedoelt voordat ik je hoofd onder de kraan hou?'

'Na het verlies van Daniel heb je je weer opengesteld voor andere mannen. Je hebt geen dekbed over je hoofd getrokken.' Tina haalde adem. 'Gabe is een geweldige man. Maar besef je wel dat je iemand hebt uitgekozen die een heel grote kans maakt om op dezelfde manier te sterven als Daniel?'

Het licht in de keuken leek te veranderen.

'Je bent je echtgenoot kwijtgeraakt bij een helikopterongeluk. Nu heb je een relatie waarin het risico op een herhaling levensgroot is. Je hebt iets met een man die voor zijn werk in een helikopter stapt en doelbewust naar brandhaarden vliegt.'

Jo probeerde adem te halen. Ze probeerde het petsende geluid in haar hoofd te dempen, het geluid van inzicht dat haar recht tussen de ogen stompte. Stop nog een kogel in de revolver, Jo. Draai aan het magazijn, haal de trekker nog een keer over.

'Zo, ik heb het gezegd,' zei Tina. 'Maak me alsjeblieft niet dood.'

Jo stond op, liep naar de openslaande deuren en keek naar de magnolia, heldergroen in de ochtendzon.

Ze had al heel lang geweten dat Gabe op een bepaalde manier gewond was. Diep begraven, onder een litteken, maar nog altijd pijnlijk, nog altijd schadelijk. Inmiddels wist ze dat hij drie aanvallers had afgeslagen, een steekpartij had overleefd en daarbij een man voorgoed had verminkt.

Zocht hij een manier om dat goed te maken? Was hij daarom parajumper geworden?

Als mensen hem naar zijn werk als lid van een opsporings- en reddingsteam vroegen, zei hij: 'Ik vind mensen en haal ze terug.'

Dat deed hij ook met zichzelf.

De adem stokte haar in de keel. Hij moest het alleen doen zonder daarbij zelf het leven te laten.

Mijn hemel, wat vormden ze een fraai stel.

'Heb je een papieren zak nodig om in te ademen?' vroeg Tina.

'Gooi die zak met muffins maar leeg.'

Ze kwam naar haar zus toe en legde een hand op haar schouder. 'Kijk niet zo geschokt. Lieve zus, op de meeste gebieden sta je je mannetje en heb je alles in de hand, maar als het op je liefdesleven aankomt, ben je net zo hulpeloos als wij allemaal.'

Jo gooide haar hoofd in haar nek. Ze probeerde serieus te blijven, maar ze moest lachen.

'Onze sessie is voorbij. Mijn secretaresse zal je de rekening sturen,' zei Tina.

Jo hield haar halverwege de voordeur tegen. 'Pas opendoen als ik heb gekeken of er buiten vraatzuchtige sprinkhanen zitten.'

Toen ze tussen de jaloezieën van haar werkkamer door naar buiten tuurde, schoot haar bloeddruk omhoog. Aan de overkant van de straat stapte Edie Wilson uit een Volvo suv.

Tina kwam naast haar bij het raam staan. 'In het echt ziet ze er niet zo heldhaftig uit.'

'Heldhaftig?' herhaalde Jo. 'In de intro van haar programma zie je haar in de ravage van een tornado staan en in een scherfvest met de Groene Baretten rondrijden, alsof ze het Vrijheidsbeeld is.' Tina tuurde naar haar. 'Wat een gigantische bos haar.'

Edie Wilson nam een slok uit een Starbucks-beker en wees waar haar producer en cameraman hun spullen moesten neerzetten. Daarna liet ze op haar gemak een peinzende blik over Jo's huis glijden. Dan kan ik je beter opeten, liefje.

Jo beende naar de keuken en zette de televisie aan. Het ochtendjournaal op Edies nieuwszender meldde dat er een Lhasa Apso in een wasmachine was beland. Edies programma, *News Slam*, zou over vijf minuten beginnen, op het hele uur.

'Kun je nog vijf minuten wachten voordat je naar je werk gaat?'

'Ik weet niet wat je van plan bent, maar ik wil meedoen. Waar denk je aan?'

'De vraag is of ik het durf.'

Tina zette een hand op haar heup. 'Waar hadden we het daarnet nu over?'

Op zoek naar kicks. Juist. Haar voorliefde voor levensgevaarlijke stunts.

'Kom mee.'

Ze trok Tina mee de achterdeur uit. Ze renden over het grasveld naar het hek. Jo gaf Tina een zetje, klom zelf over het hek en haastte zich met haar naar Ferds keukendeur.

'Ben je een goede actrice?' vroeg ze.

'Ik doe auditie voor de nationale tournee van de musical *Spamalot*.'

Jo keek even opzij, maar draaide haar hoofd vervolgens nog een keer verbaasd naar haar zus. Meende ze dat?

In de keuken zat meneer Peebles ineengedoken boven op Ahnuld uit een espressokopje te drinken. Alsof híj behoefte aan een stoot cafeïne had. Toen Ferd Jo in de gaten kreeg, begon hij bijna te huppelen van blijdschap. Hij haastte zich naar de deur en streek met beide handpalmen zijn haar glad.

Van achter zijn brillenglazen keek hij haar opgewonden aan. 'Dat is toch Edie Wilson?'

'Het is oorlog.' Jo wees op Ahnuld. 'En híj trekt ten strijde.'

48

Voor de laatste keer nam Edie Wilson haar aantekeningen nog eens door. Tijdens het lezen dronk ze haar koffie op en stak ze de lege beker uit. Toen niemand hem aannam, keek ze op.

'Andy.'

De cameraman was bezig om de televisiecamera in te stellen. 'Gooi hem straks maar in de papierbak.'

Edie liet een zucht van ergernis horen. Door haar oortje hoorde ze de stem van haar regisseur in New York.

'We schakelen over twee minuten over naar jou.'

'Begrepen.' Ze controleerde de microfoon die aan haar bloes was geklemd en werkte in de zijspiegel van de Volvo haar lippenstift bij. Achter haar spiegelbeeld zag ze een busje naderen.

'Verdomme.'

Er reed een andere televisiemaatschappij de heuvel op. Ze wilden haar primeur bederven en de 'heldhaftige' dokter filmen als ze naar buiten kwam. Maar Edie wilde haar eigen draai aan het verhaal geven.

Ze keek nog eens naar de onderwerpen waarover ze wilde praten en knipte met haar vingers naar Tranh. 'Moffett Field, die basis van de National Guard – werken ze daar met mensen van de NASA? Spionagesatellieten, opsporen van terreur? Hebben ze, zeg maar, dienst bij een bommelding of een aanval op Air Force One?'

Tranh haalde zijn BlackBerry tevoorschijn. 'Volgens mij niet.'

'Zoek het eens uit.'

In haar oor zei de regisseur: 'Live naar jou over één minuut.'

Het nieuwsbusje van de concurrent werd geparkeerd en er stapten mensen uit. Deze buurt was nog merkwaardiger dan de meeste andere. Ze was gewend aan bewonderende blikken, maar de joggers die hier voorbijkwamen, keken onvriendelijk naar haar. Een paar mensen met honden stonden stil om naar hen te kijken, en een groepje mensen dat op de kabeltramhalte wachtte, ging op de achtergrond staan in de hoop dat ze op tv naar hun moeder konden zwaaien. Terwijl de andere nieuwsploeg een soundcheck deed – waren het Europeanen? Russen? – ging een tiental pottenkijkers op het trottoir achter Tranh en Andy staan. Een paar van hen maakten met hun telefoon foto's van Edie.

Een man stond gespannen tegen een buurtgenoot te mompelen. 'De politie is al twee keer bij Jo thuis geweest. Met honden.'

Edie keek naar hem. Hij had vet haar en droeg een bril en een t-shirt van een computerzaak. Zijn blik was zeer verontrust.

'Speurhonden. Ik weet dat het idioot klinkt, maar...'

In haar oor zei de regisseur: 'Dertig seconden, Edie.'

Ze gooide haar haren naar achteren en keek weer naar de computerverkoper.

Hij schudde zijn hoofd. 'Nee, als ze undercover opereren, heb je nooit in de gaten dat het agenten zijn.' Turend naar de daken ging hij zachter praten. 'Volgens mij zochten die speurhonden explosieven.'

Ze hoorde het geluid uit de studio. De presentator van het ochtendprogramma zei: 'Edie Wilson vertelt ons live het laatste nieuws over de situatie in San Francisco.'

Andy had de camera op zijn schouder gezet. Edie zette haar nieuwsstem op.

'Terwijl de president naar deze stad vliegt om de gedenkdienst voor Tasia Hicks McFarland bij te wonen, blijven er onduidelijkheden over de aanval die Searle Lecroix het leven heeft gekost, en dan vooral over de manier waarop de politie op die aanval heeft gereageerd. Ik sta nu bij het huis van dokter Jo Beckett, de psychiater die er gisteren niet in slaagde om Lecroix te reanimeren toen hij als gevolg van zijn vele steekwonden doodbloedde.'

Ze zwaaide met haar aantekeningen naar het huis. 'Er is ook ernstige bezorgdheid ontstaan over dokter Becketts relatie met een werknemer van de Air National Guard, die een strafblad blijkt te hebben. Nu de sfeer in het land gespannen is na de dood van twee geliefde zangers, en de president niets onderneemt om de geruchten over zijn rol in deze kwestie de kop in te drukken, is de vraag...'

'Nou? Wat is de vraag?' vroeg iemand in de menigte.

'... is de vraag...' Shit, waar wilde ze eigenlijk naartoe? Niet verstijven. Praten. Grote woorden. '... waarom de politie een adviseur met criminele connecties zo nauw heeft betrokken bij het onderzoek. Per slot van rekening was het ook al duidelijk dat het politie- en veiligheidskordon rond de ex-echtgenote van de president zo lek als een mandje was. De vriend van dokter Beckett...' Ze keek even naar haar aantekeningen. '... heet Gabriel Quintana en is werkzaam op Moffett Field, ten zuiden van San Francisco. Hij heeft toegang tot de wapenkamer van de National Guard en misschien zelfs tot de satellieten van de NASA en de luchtverkeerscontrolesystemen. De gevolgen voor de veiligheid kunnen onvoorstelbaar zijn.'

Tranh staarde haar met een uitgestreken gezicht aan. Oké, ze was van haar script afgeweken, maar dit was nieuws. Een nieuwe kijk.

'Sommige mensen beweren dat de regering achter Tasia's dood zat. Vermoedelijk is dokter Beckett ingehuurd om aan die geruchten een einde te maken. In plaats daarvan is er olie op het vuur gegooid. En of men Tasia nu het zwijgen heeft opgelegd of pogingen heeft gewaagd om mij en mijn collega's de mond te snoeren nu we de zaak voor het voetlicht willen brengen...'

De menigte keek om zich heen en er klonk geroezemoes. Een vrouwenstem klonk boven het gemompel uit. 'Hij komt hierheen.'

Andy hield de camera op Edie gericht, maar zoomde uit. Ze zag dat zijn hand het beeld aanpaste en dat hij haar niet meer close-up in beeld nam. Ze had zin om hem een klap te verkopen.

In haar oor zei de regisseur: 'Blijven praten, Edie.'

'Het is...'

'Wat is dat? Het kwam van de oprit van de psychiater.'

Een jonge vrouw in de menigte wees met haar vinger. Ze droeg haar haren in een krullende paardenstaart boven op haar hoofd. Ze droeg een zwarte spijkerbroek en een zwarte bloes met het logo van een of ander restaurant erop.

'Hij komt hierheen,' zei ze.

Edie keek opzij. 'Er is iets aan de hand.'

Over de straat reed het raarste ding dat ze ooit had gezien naar haar toe. Een kleine... Wat was het in godsnaam, een speelgoedautootje met acht wielen?

'Blijven praten, Edie,' zei de regisseur.

'Het is een soort... Het lijkt wel een minitank met een motortje, en...'

Het ding was bedekt met waarschuwingssymbolen tegen straling en explosieven.

'Er staan bomsymbolen op,' zei Edie. 'Het is een robot die naar bommen speurt.'

In de studio vroeg de presentator van het ochtendprogramma: 'Wat zit erop? Is dat een aap?'

De Europese nieuwsploeg richtte een camera erop en babbelde in het Grieks of het Frans. Het meisje met de paardenstaart liep achteruit.

'Er is iets met die aap.' Terwijl het meisje centimeter voor centimeter naar achteren schoof, zei ze: 'Dit staat me helemaal niet aan.'

Een man met een hond zei: 'O, nee...' Hij tilde zijn terriër op en liep weg. De hond begon te janken. De Paardenstaart sloeg haar hand voor haar mond, en een jogger zei: 'Dit is niet best.' Hij draaide zich om en sprong over een heg het park in. Er sloegen nog meer toeschouwers op de vlucht.

Op de vlucht? Wat was er aan de hand?

De Paardenstaart wees. 'O god, wat is er met dat beest?'

De minitank reed vanaf de andere kant van de straat steeds harder op Edie af. De aap zat er schrijlings op, als Slim Pickens op de H-bom in *Dr. Strangelove*, en hij gilde en beet en leek het ding uit elkaar te willen rukken. Een automobilist kwam de hoek om, zag de tank over de weg zoeven en trapte abrupt op zijn rem. De kleine tank reed er met een boog omheen.

'Jezus christus, hij is bestuurbaar,' zei Edie.

De automobilist toeterde en reed in de richting van het trottoir. De mensen renden weg. Iemand gilde. Banden piepten. Er vloog koffie door de lucht.

Edie gooide haar aantekeningen op de grond en nam de benen.

Ze rende tegen Andy aan en stootte haar gezicht tegen de lens van zijn camera. 'Wat ben je aan het doen?' schreeuwde de regisseur in haar oor.

'Rennen!' schreeuwde ze. 'Aan de kant. Wegwezen!'

Ze gooide Tranh omver en rende over het trottoir, waarbij ze toeschouwers aan de kant schoof. Het gevaarlijke voertuigje bleef achter haar aan rijden.

Ze rende de weg op. Een vrachtwagenchauffeur toeterde en moest vol op de rem gaan staan om haar niet te raken. In de verte rende de Paardenstaart de straat over, op de voet gevolgd door andere mensen. Edie holde langs een vrouw die met boodschappentassen wegrende. De Paardenstaart stoof een pad tussen twee huizen in, zwaaide en schreeuwde: 'Deze kant op.'

Achter zich hoorde Edie piepkleine wieltjes, een zoemende motor en klikkende apengeluidjes. Ze rende achter het meisje aan.

'Waar komt die aap verdomme vandaan?' gilde ze.

De Paardenstaart rende over een smalle stoep tussen twee huizen naar een hek. 'Geen idee. Misschien had Jo hem voor psychiatrisch onderzoek.'

'Hoe heeft hij een explosievenopruimingsrobot te pakken gekregen?'

'Explosieven? O jezus, het is een zelfmoordaap. Waarschijnlijk heeft ze hem getraind. O god, wat is hij van plan?'

Edie draaide zich om. De robot scheurde over de smalle stoep naar hen toe.

'Hij komt eraan. Harder lopen.'

De Paardenstaart kwam bij het hek en rukte eraan. 'Op slot,' riep ze. 'We zitten in de val.'

Daar kwam hij. De dood ratelde op piepkleine wieltjes over het pad naar hen toe. De ogen van de aap waren uitzinnig. Edie vroeg zich af waarom hij zo dreigend naar haar keek.

Het meisje duwde haar rug tegen het hek. 'Als dat ding vol semtex zit, zijn we er geweest.' Ze draaide zich naar de vuilnisbak van de huiseigenaar. 'Zoek dekking.'

Ze trok het deksel eraf en begon er spullen uit te trekken. Edie schoof haar aan de kant, draaide de vuilnisbak om en strooide de inhoud uit over de grond. Daarna liet ze de vuilnisbak vallen en kroop ze erin. Haar hand graaide naar het deksel, maar ze kon er niet bij.

Terwijl ze ineengedoken in de stinkende vuilnisbak zat, hoorde ze een elektrisch motortje zoemen. Ze keek op. De minitank stond vlak bij haar. De aap zat er met ontblote tanden boven op.

'Wat krijgen we...'

De aap sprong naar haar toe.

Het uitzicht vanaf de andere kant van de straat was prima. Het kon zelfs niet beter. Naast Jo liet Ferd opgewonden piepgeluidjes horen. Jo liet de hand met de afstandsbediening langs haar lichaam hangen. Ahnuld hoefde op dit moment nergens anders naartoe.

Op het pad naast Ferds huis zagen ze de vuilnisbak stuiteren en rollen. Er werd schril gegild.

'O, ik hoop dat hij niets mankeert,' mompelde Ferd.

'Dat is meneer Peebles niet, dat is Edie,' zei Jo.

Tina zat op haar hurken bij de vuilnisbak en tuurde naar binnen. Haar ogen zochten naar Jo, die haar schouders ophaalde.

Tina stond op, zette haar voet op de vuilnisbak en gaf hem een flinke zet. De bak rolde langzaam over de stoep en liet duidelijk zijn inhoud zien.

De cameraman van Edie Wilsons ploeg was nog steeds aan het filmen. De van oorsprong Aziatische producer verkeerde in een shock en stond met open mond te kijken. Een tweede filmploeg schreeuwde in het Duits en rende de straat over om alles beter te kunnen zien.

'Zet hem uit, Andy,' zei de producer.

Andy bleef filmen.

'Stop. Stop!' De producer rende naar de vuilnisbak. Jo wandelde op haar gemak naar Andy.

Hij bleef filmen, maar keek even opzij. 'Hebt u dat ding daarheen laten rijden?'

'Het is een prototype voor een wedstrijd voor robotvoertuigen. Gaaf karretje, hè?'

De producer kwam bij de vuilnisbak en sleepte Edie eruit.

'Ultrasoon navigatiesysteem,' zei Jo. 'Dieren worden er gek van.'

'Dat verklaart waarom hij haar aanviel. Waarschijnlijk pikte haar microfoon het geluid op en gaf hij het terug via haar oortje,' zei Andy.

Edie lag op de grond te schoppen en met haar handen naar meneer Peebles te slaan. Met zijn piepkleine handjes klemde hij zich aan haar blonde lokken vast en schudde hij haar hoofd heen en weer, als een doorgedraaide kapper in kapsalon Apenhuis.

'Wordt dit live uitgezonden?' vroeg Jo.

'Zeker weten.'

Aan de andere kant van de straat draaide de producer zich om naar Andy; hij maakte een snijdend gebaar langs zijn keel. 'Stoppen.' Andy liet zijn camera zakken. De producer zwaaide met zijn armen naar de Duitse ploeg om hen weg te sturen.

'YouTube?' vroeg Jo.

'Natuurlijk.'

Jo leunde achterover tegen de bumper van de Volvo. Andy kwam naast haar staan. Hij stak een sigaret op en bekeek de gratis attractie met een grijns van oor tot oor.

In de koffiekamer van de afdeling moordzaken in de Hall of Justice schaterden twee rechercheurs het uit. Amy Tang kwam binnen. Een politieman in uniform staarde hoofdschuddend naar de televisie. Een van de rechercheurs schudde gemorste koffie van zijn hand. Hij pakte een servetje en veegde zijn das schoon. Tang keek naar het scherm.

Ze zag een vuilnisbak, Jo's zus Tina en een Aziatische man die volledig over zijn toeren was en een aap uit Edie Wilsons haar probeerde te trekken.

'Zo, nu ben ik wakker,' zei ze.

Gabe trok een T-shirt over zijn hoofd, deed zijn duikhorloge om en maakte de jaloezieën open. Beneden hoorde hij in de keuken de televisie aangaan.

'Sophie,' riep hij.

Op zijn blote voeten liep hij de trap af. Hij hoorde een nieuwslezer razendsnel praten en iemand heel hoog gillen.

Hij liep de keuken in. 'Wat had ik nou gezegd? Eerst vragen of je tv mag kijken.'

Sophie droeg haar schooluniform en had een kom cornflakes in haar hand. Met open mond zat ze naar het ochtendnieuws te staren. Hij stak zijn hand uit om de televisie uit te zetten, maar hield zijn hand halverwege stil.

Ze zagen meneer Peebles als een piepkleine kamelenjockey op Edie Wilsons hoofd rijden.

Sophie keek naar hem. 'Ik wist wel dat er gorilla-oorlogen bestonden.'

49

Amy Tang duwde de deur van de krappe delicatessenzaak open. Jo
stond bij de toonbank. De Hall of Justice leek door de etalageruiten
wel van glanzend albast en torende in de straat boven de borgsom-
verstrekkers en winkels met auto-onderdelen uit.

Tang zette haar zonnebril af en bekeek Jo van top tot teen. 'Moet
je voor het Congres getuigen?'

'Ik probeer de chef-staf van het Witte Huis in een hinderlaag te
lokken.'

'Beckett de veroveraar.' Ze onderdrukte een glimlach. 'Dan heb
je wel het recht om je als een sm-meesteres te kleden.'

Zelf vond Jo haar zwarte pakje aan de conservatieve kant, al om-
sloot de lange broek haar als een latex handschoen en hadden haar
schoenen stilettohakken.

Ze kreeg haar bagel en ze gingen aan een tafeltje zitten. 'Ik heb
mijn rapport niet afgerond,' zei ze. 'Ik ben van gedachten veranderd.'

Tang trommelde met haar vingers op de tafel. 'Heb je vanochtend
soms de hele doos cornflakes leeggegeten?'

'Noem het maar een professioneel verantwoordelijkheidsgevoel.'

Tang probeerde cool te lijken, maar weer zag Jo haar verborgen
glimlachje.

'Prima,' zei Tang. 'Even buiten de boeken om: dit is wat we inmiddels over Noel Michael Petty weten. Ze had een strafblad met
kleine diefstallen, voornamelijk dingen die te maken hadden met
popsterren en filmsterren met wie ze dweepte. Posters, dvd's, t-
shirts. Ze leverde bijdragen aan een aantal internetfora over Tasia
McFarland en Searle Lecroix. Bijna alles in de zoekgeschiedenis van
haar computer had met Searle Lecroix te maken.'

'Maar? Ik hoor dat er een "maar" is.'

'Ze staat op geen enkele beeldopname van het concert waar Tasia is gestorven. Geen enkele.'

Jo knikte, niet omdat ze het met haar eens was, maar van opwinding. 'En?'

'Ze heeft Tasia's huurauto bij het stadion niet vernield. De beveiligingscamera's hebben iemand geregistreerd die de auto met een sleutel beschadigde, maar dat was Petty niet. De vandaal droeg een zonnebril, handschoenen en een sweatshirt met een capuchon, maar hij had een aanzienlijk slanker silhouet.'

'Wie was het?'

'Goede vraag. Hier is iets wat niet klopt. We hebben in Petty's hotelkamer en in Tasia's keuken luciferboekjes gevonden.'

'Wat is daar vreemd aan?'

'Het waren dezelfde. Van Smiley's Gas 'n' Go in Hoback, Wyoming, in de buurt van Grand Teton National Park.'

'Laat me raden: ze zijn geen van beiden ooit in Hoback gesignaleerd.'

'Petty was zelfs nog nooit in Wyoming geweest.'

'Dat is niet veel.'

Tang boog zich naar haar toe. 'Het luciferboekje in Tasia's keuken lag naast een envelop. Een met een zelfklevende flap, dus geen DNA. Gepost in Herndon, Virginia – vlak bij het hotel waar Tasia een afspraak had met de president. Afgestempeld op de dag na hun ontmoeting.'

'En het luciferboekje van Petty?'

'We hebben een aanvraag ingediend om haar huis in Tucson te mogen doorzoeken.'

'Ik heb een vraag. Petty heeft meer dan veertienhonderd berichten gestuurd naar een e-mailadres dat Tasia niet openbaar had gemaakt. Hoe kwam ze aan dat adres?'

'Daar zijn we nog mee bezig.'

'Bedankt, Amy.' Jo stond op. 'Duim voor me. Ben jij straks in de Hall of Justice?'

'Nee, ik neem een middag vrij. Ik ga mijn ouders helpen om hun winkel weer op te bouwen.' Ze stak haar handen in de lucht en bewoog haar vingers heen en weer. 'We gaan vuurwerk bestellen. Het kon wel eens een zware dag worden.'

Ivory zat aan een tafeltje in een vestiging van Hi-Way, zo'n anderhalve kilometer ten zuiden van San Francisco International Airport. Ze had haar broodje steak half opgegeten. De serveerster kwam weer langs met de koffiepot.

'Nog een warm kopje, meid?'

Ivory had al vier koppen van de walgelijke koffie gedronken, maar ze stak haar mok omhoog. De serveerster mocht niet denken dat ze hier doelloos rondhing. Ze sloeg de krant open. Alleen maar berichten over het buitenland, dat bomaanslagen pleegde, gore dingen at en manieren bedacht om de Verenigde Staten te vernietigen. De serveerster liep weg. Ivory's blik gleed door de grote ramen die over de baai uitkeken. Het kon nu elk moment gebeuren.

De aanvliegroute naar de luchthaven van San Francisco liep over de baai. Doorgaans kwam er om de twee minuten een toestel over, maar het afgelopen kwartier was er niet één voorbijgekomen. Het luchtruim werd bewust ontruimd.

Ivory dwong zichzelf een druipende hap van haar broodje steak te nemen. Ze had het rode vlees nodig, maar in gedachten zag ze alleen maar bloed uit het hoofd van haar zus Noel stromen.

Ze had zich vandaag niet gemeld op haar werk. Blue Eagle Security kon de pot op met zijn baantje en zijn illegale, idioot hoge belastingen. Na vandaag kwamen zij en Keyes niet meer terug. Als ze straks op pad gingen, namen ze de voorraad contanten van die dag mee. Als ze zestien uur flink doorreden, waren ze waarschijnlijk wel in de bergen van de staat Washington, vlak bij de Canadese grens. In dat afgelegen gebied woonde een groep blanke antiregeringsgezinden, en zij en Keyes waren van plan om zich bij hen aan te sluiten.

Na vandaag werd het tijd om San Fran-pisco te verlaten. Ze moesten op de vlucht slaan voordat de bruggen werden geblokkeerd of opgeblazen. Ze konden zich maar beter ergens gedeisd houden en wachten tot de branden waren uitgewoed.

Ze haalde diep adem. Het ging nu echt gebeuren.

Aan een tafeltje bij het raam duwde een kind zijn neus tegen het glas. 'Ik zie het vliegtuig van de president.'

Zijn moeder keek ongeïnteresseerd op. 'Dat is gewoon een 747.'

'Er staat "United States of America" op de zijkant. Kijk dan, mam.'

Zijn moeder keek weer, en alle andere gasten in het restaurant ook. Ivory verstijfde en hield haar blik strak op de lucht gericht.

In de verte zweefde de blauw-witte 747 naar de landingsbaan, het landingsgestel uitgeklapt als de klauwen van een aanvallende roofvogel. Mensen haastten zich naar de ramen. Een paar van hen haalden camera's en telefoons tevoorschijn en maakten foto's.

'Echt vet,' zei het jongetje.

Het broodje viel uit Ivory's hand. Het gebrul van de motoren, de schreeuw van de dood, vloog buiten langs, nog te ver om aangeraakt te worden. Nu nog wel.

Ze belde Keyes terwijl ze naar buiten liep. 'Het toestel landt over een halve minuut. Ik ga nu weg en meld me als de stoet auto's in zicht komt.'

Paine haalde zijn brieven uit de postbus op het postkantoor. De envelop was dun, het handschrift kriebelig. Geen retouradres. Dat had Keyes goed begrepen. Tot nu toe ging alles nog goed.

Paine scheurde de envelop open en schudde er een garderobe- en bagagekaartje van het Hilton bij Union Square uit. Een van de drukst bezochte hotels in de stad – twee punten voor Keyes. Twintig minuten later gaf hij het kaartje af bij de garderobe van het Hilton. De man achter de balie haalde een grijze sporttas en vroeg: 'Moet hij voor u in de auto worden gezet?'

'Nee.' Paine nam de tas van hem aan. 'Het gaat zo wel.'

Hij zette de tas neer en viste twee dollar uit zijn zak. De man achter de balie vond hem al opvallend, en als hij nu geen fooi gaf, werd hij 'die klootzak'. Fooien waren een manier om niet op te vallen. Hij hing de sporttas om zijn schouder en wandelde weg.

Buiten liep hij heuvelopwaarts, en drie straten verder wandelde hij een ander hotel van een grote keten binnen. Het was een duur, druk bezocht hotel, maar het was niet zo chic dat het personeel op iedereen af schoot die binnenkwam of – zoals Paine – naar het herentoilet liep. Mooi zo: geen toiletjuffrouw. Niemand zou hem zien en zijn gezicht onthouden.

Hij deed de deur van een wc achter zich op slot en maakte de sporttas open. Een beetje onhandig trok hij in de krappe ruimte het uniform van Blue Eagle Security aan dat Keyes voor hem had achtergelaten. Hij kon de marineblauwe broek nauwelijks dicht krijgen. Hij prutste aan de knopen van het overhemd en hield zijn buik in. Het korte jasje was wat wijder. Hij ritste het half dicht. Vandaag werd de machinerie in werking gezet. Deze dag werd de bekroning. Vandaag werd het vuur aangestoken.

Het feit dat er een taak voor hem lag die al zijn doelen met elkaar verenigde, een taak die bij zijn overtuigingen paste en hem rijk beloofde te maken, vervulde hem met ontzag. Zijn opdracht was gerechtvaardigd en mooi. En angstaanjagend. Als hij faalde, ging hij dood. Er zou meedogenloos jacht op hem worden gemaakt, en hij hoefde niet te rekenen op een arrestatie en een proces. Federale agenten zouden misschien hun best doen om hem gevangen te nemen, maar zijn opdrachtgever zou er heel veel geld voor overhebben om ervoor te zorgen dat hij niet levend werd gepakt. Zijn opdrachtgever zou alles op alles zetten om hem te doden voordat hij hem kon verraden. Als hij dit verprutste, was er geen uitweg meer. Hij kon niet meer terug. Hij moest slagen.

Hij zou slagen.

Vandaag werd de boodschap doorgegeven. Zoals gewoonlijk zou hij op slinkse wijze aan zijn taak beginnen, maar de boodschap zou vandaag ondubbelzinnig zijn. Vandaag zou hij zijn bedoeling met bloed en vuur duidelijk maken.

Tasia McFarland was ook een boodschap geweest. Haar dood moest als onbedoelde, bijkomstige schade worden beschouwd. De schade van vandaag zou nog harder aankomen, nog meer mensen raken. De schade van vandaag was méér dan nevenschade of een harde slag voor iemands gezin, al was dat zijn specialiteit. Trouwens, 'gezin' was ook geen goede term voor de relatie tussen de Veroveraar en de nieuwe hoer die zijn bed deelde. Vandaag zou de schade rechtstreeks en onherroepelijk zijn. Het vuur zou worden aangestoken, de grote brand, het vuur dat het land zou desinfecteren en zuiveren.

Terwijl hij zijn eigen kleren in de sporttas propte, liep hij het herentoilet uit. Hij keek strak voor zich uit. Een man in bedrijfskleding, rustig, onopvallend – hij kon versmelten met het meubilair, met de achtergrond, met een menigte. Hij zou onzichtbaar worden. Dus als hij toesloeg, zouden ze denken dat de aanval uit het niets kwam.

5 0

Jo stond stil voor het art-decogebouw van Waymire & Fong. Ze schopte een van haar hooggehakte schoenen uit om er een steentje uit te schudden. Ze zette een hand tegen de zijkant van het kantoorgebouw en wenste even dat dit geen straat in een stad was, maar een berg, dat deze wind tussen bergtoppen door blies en haar wenkte om te komen klimmen.

Het enige wat de bergen konden doen, was haar doden. Ze zouden niet lachend bij haar graf staan, toosten op hun succes en haar naam door het slijk halen. Ze zouden haar minnaar niet straffen. Ze zouden haar niet met de schouder opzij duwen als ze anderen wilde waarschuwen dat er gevaar dreigde.

Ze trok haar schoen weer aan, streek haar haren glad en liep het gebouw binnen om de confrontatie met K.T. Lewicki aan te gaan.

Bij de luchthaven van San Francisco had Ivory haar auto onder een fly-over geparkeerd. Ze had een wegenkaart in haar handen en praatte in haar telefoon, al was er niemand aan de andere kant van de lijn. Boven haar hoofd sleepten buitenlandse jumbojets zich de lucht in, met brullende motoren die haar toch al getergde zenuwen enorm irriteerden.

Een kleine kilometer verderop ging een hek in de omheining van de luchthaven open. Op het tarmac zag Ivory zeemeeuwen, vliegtuigen van de kustwacht, privéjets, en, in de verte, de blauw-witte lak van de 747 met de woorden UNITED STATES OF AMERICA op de zijkant.

Door het hek kwam een stoet van politiemotoren en zwarte auto's van het type Chevrolet Suburban. Ze schakelden op en scheurden voorbij, drie voertuigen, vier – hoe moest je nou weten in welke auto de klootzak zat? Met hoge snelheid reden ze de snelweg op. Ze liet de kaart vallen, startte de auto en reed achter hen aan.

De receptioniste van Waymire & Fong, Dana Jean, bood Jo een stoel aan, maar Jo kon niet stil blijven zitten. Ze ijsbeerde langs de ramen en hoorde onder zich het geroezemoes van het verkeer, dat in het glanzende daglicht op Sacramento Street reed.

Een gestage stroom mensen liep in de richting van de liften. Het kantoor liep leeg. Iedereen ging naar de gedenkdienst.

Haar telefoon ging. Toen ze de naam Gabe op het schermpje zag staan, ging er een schok door haar heen en kreeg ze het warmer. 'Hallo.'

'Jo Beckett, kenau-killer. Ik weet niet hoe je het voor elkaar hebt gekregen, maar ik wil alles horen. Tot in elk sarcastisch detail.'

Ze grinnikte. 'Ik heb een afspraak in de stad, kan ik...'

'Ik haal je wel op. Ik heb vandaag drie kwartier vrij, en in die tijd wil ik met jou op mijn schouders rondlopen. Je mag schreeuwen als een heldhaftige koningin die met een zwaard en een harnas haar troepen aanvoert. Of je naam veranderen in Boudicca. Waar ben je?'

De grijns stond nog op haar gezicht toen ze hem het adres gaf. 'Tot straks,' zei ze, de verbinding verbrekend. Ze had zich in dagen niet zo prettig gevoeld.

'Dokter Beckett.'

Vienna beende de lobby in, gekleed in een zwart pak waarvan de jas als een peignoir tot op haar kuiten kwam, en een rode zijden bloes met ruches als ontploffende rozen. Op haar zwarte laklaarzen was ze een meter vijfentachtig. Ze zag eruit als de nieuwe sheriff uit het land van de amazones, die de stad binnen reed om bandieten op te pakken.

Haar glimlach was weemoedig. 'Tasia zou niet willen dat ik me als een grijze muis kleedde. We gaan in stijl vieren dat we haar hebben gekend.'

Ze haakte haar arm door die van Jo en nam haar door de hal mee naar haar werkkamer. 'Het wordt prachtig. Muziek, bloemen – de concertpromotor heeft het geluidssysteem betaald, en die goeiige sul Ace Chennault heeft de begrafenisondernemer een uur lang met de bloemstukken geholpen.' Ze glimlachte. 'Bent u klaar voor Kelvin?'

'Reken maar.'

'Ik geloof u. Wilt u misschien een prozacje?' Ze lachte. 'Grapje. U zou uw gezicht moeten zien.'

Ze haalde een stapel papieren van een stoel, zodat Jo kon gaan zitten. 'Lewicki is een poesje. En dan bedoel ik dat hij bloederige halen op uw arm kan achterlaten. Maar om mij een plezier te doen, is hij bereid te luisteren. Tien tellen. Daarna is het u geraden om zijn aandacht vast te houden.'

Jo veegde haar handen af aan haar broekspijpen. 'Ik ben er klaar voor.'

In het centrum van de stad moest Ivory tweehonderd meter achter de presidentiële stoet voor een verkeerslicht wachten. De armada van suv's en politiemotoren was de snelweg op gescheurd en langs het water gereden – een showtje voor het publiek, gillende sirenes, El Presidente die het voetvolk liet weten dat het verdomme voor hem aan de kant moest gaan. Ivory stak haar hoofd uit het raam om langs het verkeer te kijken en zag de stoet naar het Hyatt Regency in het Embarcadero Center rijden. Dus daar verbleef Legioen tot de gedenkdienst begon. Luxueuzer kon bijna niet.

Ze belde Keyes. 'Het Hyatt Regency. Ze zijn net de garage in gereden.'

'Ik ben onderweg,' zei hij.

Het licht sprong op groen. Ze stuurde naar een andere rijbaan en racete voor het andere verkeer uit, maar tegen de tijd dat ze bij de afslag naar het hotel kwam, was die door de politie afgezet. Vloekend trapte ze op haar rem.

Op dat moment zag ze dat een van de auto's niet naar de parkeergarage van het hotel was gereden, maar aan de kant van de weg stond. De portieren gingen open. Twee jongemannen in pakken sprongen uit de auto en haastten zich naar het hotel. Daarna volgde de regeringsauto een politiemotor naar het hart van het zakendistrict.

'Een van de auto's is net weggereden. Stel dat hij het is,' zei Ivory.

'Was het er maar eentje?'

'Met een escorte.'

Keyes was even stil. 'Volg hem.'

'En als hij het nu niet is? Rijdt het Beest niet in een speciale auto?'

'Die leugen verspreidt de geheime dienst met opzet. Niemand weet in welk voertuig hij zit. Maar het punt is dat hij ofwel in die auto zit, ofwel...'

'... in het Hyatt verblijft. Maar als hij net is weggereden...'

'... zijn we hem een stap voor.'

Ze gaf flink gas en reed om het Hyatt heen naar het zakendistrict. Toen ze de hoek om kwam, reed de zwarte Chevrolet vijftig meter voor haar.

Vienna bracht Jo een kop instantkoffie, die verbrand smaakte. 'Wat is dit?'

Jo had kopieën van Tasia's laatste nummers op Vienna's bureau uitgespreid. 'Uw zus heeft raadsels in deze nummers verwerkt. Kunt u me helpen ze te ontcijferen?'

Vienna boog zich over de muziek. Precies op dat moment ging Jo's telefoon. Het was Ferd Bismuth.

'Wilt u me even excuseren?' Ze nam op. 'Is meneer Peebles hersteld van zijn rol als Mad Max?'

'Meneer P. zag een herhaling van het incident op de televisie en gooide een kom havermout naar het scherm. Ik ben bang dat hij nu een blondjescomplex heeft. Mijn hemel, wat ging dat mens tekeer.'

Ja hoor, meneer Peebles was degene met het complex.

'Ik heb online rondgesnuffeld en Aartsengel x nagetrokken,' zei hij.

'Waarom?' vroeg ze. 'Wat heb je ontdekt?'

'Vreemde verbanden. Aartsengel gaf haar mening op politieke fora die Tasia's link met de president bespraken. Om precies te zijn: het ging om uiterst rechtse fora waarop Searle Lecroix neerbuigend een "verrader van de goede zaak" werd genoemd omdat hij met "de vijand" naar bed ging. Je weet wel, omdat Tasia ooit getrouwd is geweest...'

'Ik begrijp het. Aartsengel zocht op internet naar sites waarop Searle werd genoemd en verdedigde hem in cyberspace.'

'Daar komt het wel op neer. En ze kreeg tegengas van ene Thomas Paine. Jo, die man is niet zomaar een internettrol. Hij heeft volgelingen. En hij is extreem. Hij runt een website die Tree of Liberty heet.'

'Die site ken ik. Tasia had hem bezocht. Uiterst onaangenaam.'

'Ik heb er indigestie en een ernstige kortademigheid aan overgehouden. Ik overdrijf niet, die kerel is een goeroe voor een aantal fanatieke antiregeringsgezinden. En op die fora sloeg hij Aartsengel op een brute manier om de oren. Er is ook een e-mail van haar, een reactie op een mailtje van hem. Ze stuurden elkaar persoonlijke berichten.'

Fronsend keek Vienna naar Jo. 'Wat is er?'

'Ik zal de e-mails naar je doorsturen,' zei Ferd. 'Maar dat is nog niet alles. Aartsengel dacht dat ze een e-mailcorrespondentie met Searle Lecroix onderhield.'

Opeens stond Jo kaarsrecht. 'Wát?'

'Ik eh... Tja, ik ben erin geslaagd om een blik op haar Hotmailaccount te werpen. Vraag me niet hoe, want dan krijg ik overal rode bulten. Maar ze stuurde e-mails aan iemand die volgens haar Lecroix was. Iemand die haar liefdesbriefjes schreef en haar verzocht om hun relatie stil te houden.'

'Ferd, die moet je aan de politie laten zien.'

'Dat weet ik. Ik ga ze zo bellen, maar dit moet je even weten. Ik denk dat de e-mails van "Lecroix" afkomstig waren van een adres dat in verband stond met Tom Paine.'

Jo zei niets. Ferd begon over ip-adressen en trace-routes en x-originating e-mails. Het duizelde haar.

'En dan nog iets. Petty verwees naar iets wat ik ronduit... griezelig vind. Aartsengel schreef in een mailtje aan Paine iets over een luciferboekje.'

Jo stond doodstil. 'Wat was daarmee?'

'Ze schreef: "Dat luciferboekje kwam van jou, hè? Wil je me soms in vlammen laten opgaan?"'

Jo probeerde de informatie in de puzzel in te passen. 'Bedankt, Ferd. Bel meteen hoofdinspecteur Bohr.'

Vienna keek naar haar. 'Goed nieuws?'

'Misschien wel iets heel belangrijks.' Had Tom Paine Noel Petty opgehitst met nepliefdesbrieven? Wat was er aan de hand?

Vienna pakte Tasia's bladmuziek. 'We hebben niet veel tijd. Wat wilde u weten?'

Jo richtte haar aandacht op de vellen papier. 'Tasia zei tegen Lecroix en de stuntman dat de waarheid in haar muziek te vinden was. Dit moet een bepaalde betekenis hebben.'

Ze bogen zich over de bladzijden en lazen de teksten. *After me what will you do?* Wat doe jij als ik er niet meer ben? De nummers waren geschreven in vierkwartsmaat. Geen kruisen of mollen. De akkoorden stonden zo dicht bij elkaar dat Jo ze niet meteen op het eerste gezicht kon ontcijferen. Ze pakte een potlood, zocht een stukje kladpapier en schreef het akkoordenschema op. C-e-a-c... d-e...

Alles hoorde bij elkaar. Onafhankelijk van elkaar bevatten de tekst en de melodie nog onduidelijkheden, maar de compositie kreeg pas echt betekenis als je hem in zijn geheel bekeek: woorden, melodie, harmonie, arrangement.

After me...

Het refrein begon op de eerste tel. De melodielijn zweefde rondom c met een rif eronder in de begeleiding.

He wants me...

Ze probeerde het akkoord te ontcijferen. 'Mevrouw Hicks?'

'Dat is een d.'

Jo begreep er nog steeds niets van, tot ze zich Tasia's manische monoloog herinnerde. Niet alleen a, b, c, maar ook do-re-mi.

'Als je do-re-mi speelt, waar begint dat dan op?' vroeg ze. 'Centrale c?'

'Nee. Hangt van de toonsoort af. Het begint op de eerste noot van de toonladder. D als het in d is. G als het in g is.'

'En dit nummer staat in c, toch? Geen kruisen of mollen.'

Vienna schudde haar hoofd. 'A mineur.' Haar telefoon ging en ze nam op. Nadat ze even had geluisterd, zei ze: 'Bedankt.'

Jo krabbelde op haar papiertje:

Do = a
Re = b
Mi = c
Fa = d
Sol = e
La = f

Ti = g
Do = a
Vienna hing op. 'De tijd is om, puzzelaar. Lewicki is er.'

Ivory zag de zwarte Chevrolet zo'n tachtig meter verderop bij een gestroomlijnd kantoorgebouw in het zakendistrict stoppen. Zelf reed ze op dat moment over een drukke eenrichtingsweg. Een stadsbus blokkeerde een deel van haar uitzicht. Er stapte iemand uit de stilstaande Chevrolet, maar ze kon niet zien wie.

Ze belde Keyes. 'Sacramento Street. Groot, grijs stenen gebouw. De regeringsauto is daar gestopt.'

'Weet je het zeker?' vroeg Keyes.

'Heel zeker. Ik kan niet goed zien wat er gebeurt omdat er een bus in de weg staat, maar...'

Ze schrok door een korte gil van een sirene en keek in haar achteruitkijkspiegel. Achter haar reed een motoragent, wiens gezicht schuilging achter een spiegelende zonnebril. Zijn zwaailichten draaiden.

'Een juut. O god,' zei ze.

'Rustig blijven. Verbreek de verbinding. Misschien zit hij achter iemand anders aan.'

De agent wees naar haar.

'Hij moet mij hebben. Keyes, hij weet wie ik ben. Ik weet niet hoe, maar...'

'Geen paniek. Ivory, gedraag je als een brave burger en rij met het verkeer mee als het licht op groen springt. Ik ben onderweg. Gewoon blijven rijden. Kijk maar of hij achter iemand anders aan zit.'

'Nee, hij moet mij hebben. Als hij me aanhoudt en mijn rijbewijs ziet, weet hij het zeker. Dat moet ik voorkomen. Keyes, ik ben erbij. Ik ben er goddomme bij.'

'Ivory, nee...'

Ze liet de telefoon vallen. Het licht sprong op groen. Met piepende banden scheurde ze weg van het kruispunt en zoefde ze langs de stadsbus. Terwijl ze langs het grijze stenen gebouw reed, wierp ze snel een blik op de zwarte Chevrolet. De alarmlichten stonden aan, dus de auto was beslist van plan om voor het kantoorgebouw te blijven staan.

Achter haar zette de agent de achtervolging in. In haar achteruit-kijkspiegel waren zijn flitsende zwaailichten hysterisch rood en blauw. Zijn gezicht was een glanzend masker.

Ze wisten het. Ze waren erachter wie ze was en hadden de jacht op haar geopend. De agenten die Noel hadden vermoord, die Noel in het hoofd hadden geschoten. De regering en het systeem wilden haar te grazen nemen.

De agent zette zijn sirene nog eens aan – een felle gil. In de ver-te sprong het verkeerslicht op oranje. Ze trapte het gaspedaal in, racete het kruispunt over en reed heuvelopwaarts in de richting van Chinatown, maar na honderd meter liep het verkeer vast. Shit, shit, shit.

Ze had geen keuze en geen tijd. Ze moest iets doen. Ze remde en stuurde naar het trottoir. Ze balde haar handen tot vuisten om te voorkomen dat ze zouden beven. Achter haar parkeerde de agent zijn motor. In haar spiegel zag ze hem naderen.

Onder haar stoel zocht haar hand naar de Glock.

51

Vienna wenkte Jo. 'Denk erom, Lewicki duikt naar uw knieën. Zorg dat u hem voor die tijd bij de keel hebt.'

Jo pakte de bladmuziek van het bureau. Vienna nam haar mee naar een vergaderzaal aan het einde van de hal, waar het zonlicht door hoge ramen op een gepolijste teakhouten tafel scheen. Op een dres-soir onder een plasmatelevisie was een zilverkleurig dienblad met koffie klaargezet.

'Ik ga Kel halen,' zei Vienna. 'Laat uw zenuwen van u af glijden voordat we terug zijn.'

Jo spreidde de muziek uit op het tafelblad. 'After Me'. In de tekst stond: *What's next? Who's next?* Wat volgt? Wie volgt? Op haar klad-papiertje schreef ze de noten van de melodie op. B. G. C. D. F. A.

Do-re-mi. Op haar spiekbriefje, haar decoder, vertaalde ze wat ze had opgeschreven. Re-ti-mi-fa-la-do.

Betekende dat iets? Haar mond vormde de muzikale woordjes en liet er een korte pauze tussen vallen. Re. Ti.

De deur ging open en Vienna wervelde naar binnen. Toen ze opzij stapte, zag Jo de man die achter haar revolverheldenjas was schuilgegaan.

K.T. Lewicki's kleine bulterriërogen kregen Jo onmiddellijk in het vizier. Hij zag eruit alsof hij moeite moest doen om zijn lip niet op te trekken. Even dacht Jo dat hij een stoel door de ramen zou smijten.

Vienna had hem niet verteld dat Jo hier zou zijn. Ze keek veelbetekenend naar Vienna, maar Vienna haalde alleen maar adem en zei: 'Kel, dit is dokter Beckett.'

Jo stak haar hand uit. 'Fijn dat u even tijd wilde vrijmaken, meneer Lewicki.'

Bruusk gaf hij haar een hand. 'Vi weet hoe ze iemand moet overhalen.'

'Ik weet er alles van.'

Zijn kleine oogjes knipperden in zijn eivormige hoofd. Even leek hij ontwapend te zijn, maar toen keek hij op zijn horloge. 'Ik heb tien minuten.'

'Ik zal ze niet verspillen. Het enige wat ik moet benadrukken, is dat de veiligheid van de president volgens mij in gevaar is.'

'De geheime dienst is hier op volle sterkte aanwezig.'

'Op de avond van haar dood was Tasia bang. Misschien had ze zelfs moordneigingen. Dat zou u zorgen moeten baren.'

'Daar kan de president geen klaarheid in brengen.' Lewicki stak zijn handen in zijn zakken en liep naar de ramen.

'Dat kan ik niet zomaar van u aannemen. Tasia en Searle Lecroix zijn dood. En de president kan beslist uitleggen waarom Tasia gewapend met zijn colt .45 op het concert verscheen.'

'De media zijn daar natuurlijk weer bovenop gesprongen, maar redelijke mensen begrijpen dat de president dat wapen al twintig jaar niet meer had gezien.'

'De president had Tasia ook al bijna twintig jaar niet meer gezien, maar vorige week heeft hij haar in het geheim in Virginia ontmoet. Drie dagen later stuurde ze Searle Lecroix het bericht dat alles uit de hand was gelopen, dat haar leven gevaar liep en dat, ik citeer, "het aftellen was begonnen" als ze dood zou gaan.'

Lewicki ijsbeerde rusteloos langs de ramen, alsof hij een goede aanvalspositie zocht. Alsof andere mensen zijn tegenstanders waren. Of zijn lunch. Hij stond even stil, deed een raam open en snoof de frisse lucht op. De geluiden van het stadsverkeer dreven naar binnen. Hij staarde naar de straat.

'Bewijs me dat dat een bedreiging voor de president vormt. Geef me één goede reden,' zei hij.

In de zijspiegel keek Ivory naar de motoragent die haar auto naderde. Die helm en de spiegelende zonnebril, het strakke uniform – net de Gestapo.

Ze wisten dat ze haar zusters identiteitsbewijzen gebruikte. Op haar rijbewijs stond Noels naam. Haar walgelijke zus Noel, dikke, gestoorde Noel die alleen maar van muziek en zangers hield en daarvoor door het hoofd was geschoten door dezelfde politie die nu naar Ivory's auto stormde.

Ze legde de Glock op haar schoot en keek door de voorruit naar de straat. Het was druk, overal auto's, bestelbusjes, voetgangers, wolkenkrabbers. Geen enkele ontsnappingsroute. In de spiegel werd de agent steeds groter, tot zijn penning het beeld vulde.

Hij tikte op het raam.

Ze hief het wapen op, zette het tegen het glas en haalde de trekker over.

52

Jo werd kwaad. 'Eén goede reden? U wilt helemaal geen goede reden. U wilt een excuus om mij onderuit te halen.'

Lewicki draaide zich om en kwam met een vinnige blik naar haar toe. 'Tasia speelde spelletjes. Of het nu om liefde, het leven of een oorlog ging, het maakte haar niet uit. Ze speelde mensen tegen elkaar uit alsof ze poppen in haar manische poppenhuis waren. Dus ik wil op zijn minst een flintertje bewijs dat ze op de avond van haar

dood geen laatste spelletje speelde en met Robs .45 zelfmoord pleegde om zijn reputatie te ruïneren.'

'Poppen in haar poppenhuis? Wat...'

Vienna kwam als een scheidsrechter tussenbeide. 'Hou op.'

Jo wees naar hem. 'Leg alstublieft uit wat u bedoelt met...'

'Hou op.' Vienna stak haar hand op. 'Nu meteen.'

Jo deed haar mond dicht, maar ze vroeg zich af waar Lewicki's opmerking vandaan kwam. Vienna wendde zich tot hem.

'Zoiets moet jij nodig zeggen – de meester in de handige speltac-
tieken. Ontken het maar niet, liefje. Ik herinner me je toost op de
bruiloft van Rob en Tasia nog heel goed. Maar hier zijn geen win-
naars te bekennen. Tasia is dood.'

Lewicki stapte achteruit. De bries droeg straatgeluiden door het
open raam naar binnen. Abrupt draaide hij zich om, en het leek wel
of hij ergens naar luisterde.

Vienna's dreigende blik werd zachter. 'Kel, als je dit niet voor Tasia wilt doen, doe het dan voor mij.'

Zijn gezicht versteende als een gargouille en hij hief een hand op
om haar het zwijgen op te leggen.

'Wat is er?' vroeg ze.

Hij pakte zijn telefoon. Voordat hij een toets kon indrukken, ging
het toestel over. Hij ging met zijn rug naar Jo en Vienna staan. 'Lewicki.'

Geërgerd zette Vienna haar handen op haar heupen. Verward en
nieuwsgierig probeerde Jo haar aandacht te trekken, maar Vienna
maakte een wegwuivend gebaar.

'Ja, Bill. Ik zal zeggen dat ze me rechtstreeks naar Grace Cathedral moeten brengen... Wat? Nee, ik...' Hij keek weer uit het raam.
'Ik dacht dat ik iets hoorde. Een knal. Verder geen problemen?'

Hij luisterde en liet een snuivend geluid horen. 'Bel haar senaatskantoor maar. Als ik terug ben, gaan we zelf wel naar de Hill.' Hij
wenkte Vienna. 'Misschien heb ik wat spullen voor een teleconfe-
rentie nodig. Kan er op die tv een kabel worden aangesloten voor
een videovergadering?'

Hij wees op de plasmatelevisie boven het dressoir. Vienna zag eruit
alsof ze hem dwars door de muur wilde slaan.

Er klonk een harde klop, en de receptioniste deed de deur open.

Doorgaans keek Dana Jean alsof ze makkelijk uit haar evenwicht te brengen was, maar nu was haar blik buitengewoon ernstig. 'Sorry dat ik stoor. Vienna, de auto staat klaar om je naar de gedenkdienst te brengen.'

'Goed.'

Dana Jean ging weg. Vienna liep naar het raam en staarde naar Lewicki tot hij de telefoon liet zakken.

'Ik laat jou en dokter Beckett achter met jullie meningsverschil. Ik moet naar de begrafenis van mijn zus.' Haar gelaatsuitdrukking was bijtend. 'Samen met jouw baas wacht ik in de kerk tot jullie dit hebben opgelost. En ik wil dat jullie het oplossen.' Ze kwam dichterbij. 'Ik heb een baardrager te weinig. Ik weet dat je om Tasia gaf. Ik moet een man hebben die een zware last kan dragen.'

Ze bleef Lewicki aanstaren, en de man verschoot zowaar van kleur. Ze draaide zich om en stapte met grote passen de deur uit, de geur van rozen achterlatend.

Beschaamd keek Lewicki even naar Jo. Hij stak zijn vinger op, vormde met zijn mond de woorden 'één minuutje' en sprak in de telefoon. 'Bill?'

Hij draaide zich weer naar het raam en begon te ratelen.

Gestrest keek Jo naar de muziek op de vergadertafel. Ze was dichtbij, ze voelde het, alsof ze de boodschap bijna met haar vingertoppen kon aanraken. En Lewicki stond op het punt om weg te lopen.

After me...

Een akkoordenprogressie. A mineur. C majeur. Een derde akkoord kon ze niet op het eerste gezicht ontcijferen. Ze zette haar vingers op de noten.

E majeur.

Ze hield haar hand stil. 'O jezus...'

Ze keek naar de volgende regel. De melodie herhaalde de akkoordenprogressie. In de tekst stond: *He wants me...*

Daaronder stond een d-akkoord, gevolgd door een e.

Dead. 'Dood,' zei Jo.

Lewicki keek met een behoedzame blik opzij.

Ze pakte de bladmuziek op. 'Ik heb het raadsel opgelost.'

'Waar hebt u het over?'

'Tasia had een code in deze nummers verborgen. De woorden zijn de set-up, de vraag. De noten zijn het antwoord, datgene waar het om draait.' Ze legde haar wijsvinger op de notenbalk. '"After me." De akkoordenprogressie. Kijk.'

Lewicki deed wat ze had gevraagd. 'A mineur, c, e.' Hij keek haar doordringend aan. 'Wat betekent dat?'

'Ace.' Jo liet haar blik over de volgende woorden dwalen. '*He wants me.*'

'Ace? Waar hebt u het over? Ace Chennault? Tasia's ghostwriter?' 'Ja. Kijk.' Jo tikte met haar hand op de bladmuziek. 'De repetitieve akkoordenprogressie. Die is niet willekeurig. A-c-e, en dan, elke vierde maat, a-c-e...'

'Met een pauze, gevolgd door nog een c.'

'Ace C. Ace Chennault.'

'*He wants her...* Wil hij haar? Was hij verliefd op haar?' vroeg Lewicki.

'Nee. Kijk naar de akkoorden.' Jo's hartslag bonkte in haar aderen. 'D majeur, e majeur, a mineur, d,' zei Jo. '*He wants me d-e-a-d.* Hij wil me dood hebben.'

Verbluft keek Lewicki haar aan. 'Is dit de muziek die Tasia bij haar "als je dit leest, ben ik vermoord"-opname heeft achtergelaten?'

'Ja.'

Jo ging verder met het lezen van de tekst. *What's next? Who's next?* Wat volgt? Wie volgt?

De lucht leek helderder te worden. Ze herlas de aantekeningen die ze had vertaald van a-b-c naar do-re-mi.

Re-ti-mi-fa-la-do.

Re. Ti. 'R.T.'

Mi. Fa. La. Do. Als je wat minder scherp keek en wat met de spelling speelde, werd het 'M'Fa'la'd.'

'R.T. McFarland,' zei ze. 'Robert Titus McFarland.' Ze pakte de muziek. 'Eén ding? Eén reden – ik heb er een. Tasia zegt in dit nummer dat Ace Chennault haar wil doden en dat de president de volgende is.'

Lewicki keek naar Jo alsof er opeens slangen uit haar haren groeiden. 'Wacht even,' zei hij in de telefoon. Hij bedekte de hoorn met zijn hand. 'Is dit een grap?'

Ze hield de muziek omhoog. Hij zag dat ze geen grapje maakte, maar toch bleef zijn blik sceptisch. Ze pakte de muziek van 'Liar's lullaby'.

You say you love our land, you liar
Who dreams its end in blood and fire
Said you wanted me to be your choir
Help you build the funeral pyre.

But Robby T is not the One
All that's needed is the gun
Load the weapon, call his name
Unlock the door, he dies in shame.

Dat was ook een raadsel. Wat was de sleutel?

Jo keek naar de eerste maat, waarboven Tasia 'contrapunt/canon' had geschreven. Rond, rond, steeds weer opnieuw. Melodie, harmonie, contrapunt, tekst. De waarheid zit in mijn muziek.

Contrapunt was het toevoegen van een of meer stemmen bij een gegeven melodie, dat wist Jo nog van de muzieklessen van zuster Dominica. En rond...

'Jezus.' Een canon. Was het echt zo eenvoudig? Zo simpel als 'Vader Jacob'?

Ze krabbelde het eerste couplet op haar kladpapier en liet veel ruimte tussen de regels. Daarna schreef ze het tweede couplet uit op de witregels van het eerste. De regels van de verschillende coupletten raakten dooreengevlochten en er verscheen een nieuwe compositie: de tekst zoals die in een canon zou worden gezongen.

You say you love our land, you liar
But Robby T is not the One
Who dreams its end in blood and fire
All that's needed is the gun
Said you wanted me to be your choir
Load the weapon, call his name
Help you build the funeral pyre
Unlock the door, he dies in shame.

281

Nu zag ze wat Tasia had bedoeld. Je zegt dat je van ons land houdt, leugenaar, maar Robby T. is niet degene die van een einde in bloed en vlammen droomt. Het enige wat je nodig hebt, is het pistool. Je vroeg me jouw stem te zijn, het wapen te laden, zijn naam te roepen. Je wilde dat ik je zou helpen om de lijkstapel te bouwen en de deur te openen om hem in schande te laten sterven.

Jo keek naar Lewicki. 'Het was een moordcomplot. Tasia moest de president aan een moordenaar overdragen.'

Lewicki schudde zijn hoofd. 'Dat is belachelijk.'

'Lees dan goddomme wat er staat. Jouw stem zijn, een wapen laden, zijn naam roepen, helpen om een lijkstapel te bouwen... Jezus christus. En dan die deur openen, waarop hij in schande sterft – ze slaagde erin om McFarland naar een hotelkamer in Virginia te krijgen en hem onder vier ogen te spreken. Dat had een moordenaar de gelegenheid moeten geven om de president dood te schieten. En ze zegt dat de man die haar overhaalde om met McFarland af te spreken nog steeds vrij rondloopt.'

Lewicki schudde zijn hoofd, maar het gebaar was niet meer zo heftig. 'Volgens mij ziet u wat u wílt zien.'

'Nee.' Ze liep naar hem toe. 'Vienna Hicks is een formidabele vrouw. Dat weet u heel goed. Haar zus was al net zo. Haar bipolaire stoornis maakte haar niet minder intelligent of gedreven. En op de laatste avond van haar leven kwamen die eigenschappen in een stroom van creativiteit naar buiten.' Ze spreidde haar handen. 'Zou Robert McFarland ooit met haar zijn getrouwd als ze niet geweldig was?'

'Daar zit wat in.'

Hij pakte de muziek en het kladpapier van haar aan. Terwijl hij alles doorlas, ademde hij langzaam in. 'Waarom heeft ze alles in code uitgeschreven?'

'Dat geladen wapen zou naar de colt .45 kunnen verwijzen. Zou dit een bekentenis zijn dat ze onder invloed van een of andere Raspoetin stond die haar had overgehaald om met een geladen wapen naar haar afspraak met de president te gaan?'

'Wat betekent het refrein?' vroeg hij. 'Dat moet toch ook iets betekenen?'

Ze nam de bladmuziek van hem over. Ze was zo aandachtig aan

het lezen dat het een paar tellen duurde voordat het tot haar doordrong dat hij haar geloofde.

Look and see the way it ends
Who's the liar, where's the game
Love and death, it's all the same
Liar's words all end in pain.

Ze concentreerde zich. *Look and see the way it ends.* Kijk eens hoe het eindigt. Hoe het eindigt... Ze ging door naar het laatste couplet.

I fell into your embrace
Felt tears streaming down my face
Fought the fight, ran the race
Faltered, finally fell from grace.

Ze fluisterde de woorden. *Fell into your embrace... Ran the race... Face... Grace...*

All the same... Allemaal hetzelfde. 'Alle woorden eindigen op -ace,' zei ze. 'Ace Chennault.'

'Weet u het zeker?'

Liar's words all end in pain.

'Pain,' zei Jo. Opeens zag ze het. Tasia had het niet over pijn, maar over een naam. 'Jezus. Het is een verwijzing naar de man die zich op internet Tom Paine noemt.' Ze legde het uit. 'Iemand die feilloos alle grieven van ultrarechts weet te benoemen en extremisten opzweept. Tasia zegt dat hij in werkelijkheid Ace Chennault is.'

In gedachten zag ze Chennault weer in het ziekenhuis liggen, nadat Noel Petty hem met een kei tegen zijn hoofd had geslagen. 'Hij heeft een tatoeage rond zijn enkel. Semper T. Altijd...'

'Godver,' zei Lewicki. 'Godverdegodver. *Sic semper tyrannis?*'

'Wat is daarmee?'

Hij pakte zijn telefoon. 'Dat is wat John Wilkes Booth schreeuwde toen hij Abraham Lincoln had doodgeschoten.'

53

Ivory raakte in het voorbijgaan de zijkant van een geparkeerde Toyota, kaatste met gierende banden terug en stuiterde tegen een brievenbus. Door het gegil in haar hoofd kon ze nauwelijks iets zien. De juut was dood. Ze had hem neergeschoten. Ze had de klootzak recht in z'n gezicht geschoten.

Zonder zich om de geschampte Toyota en de brievenbus te bekommeren, scheurde ze een parkeergarage in. Binnen anderhalve minuut had ze met een jappenkar en een symbool van de regering afgerekend. Drie punten voor Ivory. Ze was in vorm.

Ze zette de auto ruw op een parkeerplaats voor gehandicapten, greep haar tas en sprong uit de auto. Ze rende het gebouw in, een of ander kantoor, en liep vlug door naar het damestoilet.

Ze trok haar met glas bezaaide trui uit en propte hem in de vuilnisbak. Daarna trok ze het shirt van haar Blue Eagle Security-uniform aan. Toen ze het wilde dichtknopen, trilden haar handen zo hevig dat ze zich net een oude vrouw voelde die in een folkloristisch bandje het wasbord bespeelde.

Ze had de juut neergeschoten. Dóódgeschoten.

Ze veegde stukjes veiligheidsglas uit haar magnifieke witte haar. Nu kon ze niet meer terug. Ze zette de helm en de zonnebril op en duwde met een klap de deur van het damestoilet open. Ze stormde het kantoorgebouw uit en liep de heuvel af, terug naar de wolkenkrabber op Sacramento waar de regeringsauto stond te wachten.

Ze stuurde Keyes een sms'je. *Groen licht.*

De nieuwe wereld stond op het punt geboren te worden.

Het sms'je kwam binnen toen Ace Chennault in de buurt van Union Square bij een druk filiaal van Hertz in de rij stond. Zijn windjack bedekte het shirt van Blue Eagle Security. In de ogen van de andere wachtenden was hij een man met een sporttas die voetje voor voetje naar de balie schoof. Hij zag er niet uit als een man die rondhing en op instructies wachtte. Hij was geen verdachte persoon, het soort man naar wie de aandacht van de geheime dienst zou uitgaan.

Hij las het berichtje van Keyes. *We hebben groen licht.*

Het adres stond eronder. Chennault voelde zijn wereld groter worden. Tasia had brieven ontvangen van Waymire & Fong, het advocatenkantoor op dat adres. Haar zus werkte er. In het begin had hij door die brieven gebladerd in de hoop dat hij flarden bruikbare informatie zou vinden. Hij verliet de rij en wandelde op zijn gemak naar buiten. Als mensen naar hem keken, als ze een glimp van zijn gezicht, kleren of wat dan ook opvingen, zouden ze hem snel weer vergeten. Waarschijnlijk waren ze alleen maar blij dat ze weer een halve meter in de rij konden opschuiven. Kuddedieren. Niemand had iets gezegd van het blauwe gips om zijn linkerpols. Met zijn wijde windjack was het ook bijna niet te zien. Hij liep met grote passen in de richting van Sacramento Street. De wind was verfrissend. Met zijn goede hand stuurde hij Ivory een sms'je. *Waymire & Fong. Vienna Hicks.* Hij ondertekende het met 'Paine'. Ace Chennault was een ghostwriter en een geest. Paine was Revolutie, de bezieling en de lont.

Hij ging harder lopen. Deze dag had geen deel uitgemaakt van zijn originele plan, maar hij had iets moeten verzinnen toen plan A was mislukt.

Tasia was plan A geweest, en haar dood moest als een offer worden beschouwd. Alle kuddedieren die naar praatprogramma's op de radio luisterden, naar Edie Wilson keken en de hyperbolische geschreven nectar op Tree of Liberty slikten, dachten dat Tasia's dood een politieke moord was.

Op een perverse manier was dat ook zo. De getrouwen zagen Tasia's dood als een kruisiging. Voor hen was ze een martelaar. Maar Tasia was geen Christus geweest. Ze was een judas.

De mensen die in een samenzwering geloofden, dachten dat Tasia was gedood omdat ze te veel wist van de regering-McFarland. In werkelijkheid was ze gedood omdat ze te veel wist van de plannen om de regering-McFarland omver te werpen.

En vandaag stonden de meest verbeten Ware Amerikanen klaar om op Paines teken de regering te bestormen. Hij haalde adem. God, wat was het lekker om macht te hebben.

Hij boog zich voorover tegen de wind en zette het vriendelijke, ietwat dommige gezicht op dat bij Ace Chennault hoorde. Het was het gezicht dat mensen had overgehaald om van zijn diensten als verzekeringsagent gebruik te maken. Het was de warme blik waarmee hij als freelancer opdrachten van muziek- en opiniebladen had binnengehaald. Het was de blije bewonderaarsblik die Tasia had overgehaald hem als muziekjournalist en uiteindelijk als ghostwriter te accepteren.

En hij was een geweldige schrijver. Hij had een serieuze carrière en publiceerde al jaren artikelen. Maar woorden konden zijn politieke performance-kunst nooit overtreffen. Zijn meest recente klussen waren onopvallende meesterwerken geweest. Hij had de gsm van een rechter van een federaal beroepshof gehackt om er sms'jes en foto's van minderjarige hoertjes in te stoppen. Dat had geleid tot een sepot van een zaak tegen een particulier militair bedrijf, dat van internationale wapensmokkel werd beschuldigd. Hij had krantenartikelen gestuurd naar een prominente onderzoeksjournalist wiens zoontje een leukemiebehandeling onderging – verhalen over tragische gevallen waarin zwakke ziekenhuispatiënten waren gestorven doordat ze de verkeerde medicijnen hadden gekregen. Daardoor had de journalist zijn onderzoek naar verbanden tussen een fundamentalistische megakerk en paramilitaire organisaties in Midden-Amerika gestaakt.

Soms was subtiliteit een zeer geschikt middel.

Maar subtiliteit was vooral geschikt om geld op de bank te krijgen. Politiek geweld was poëzie, en Chennault was misschien wel de rijkste dichter van Amerika omdat zijn werk veel geld opleverde – geld waarmee hij kon ontsnappen naar een zonniger klimaat, waar hij zich na vandaag waarschijnlijk een jaar of tien zou moeten schuilhouden.

Hij voelde de angst door zijn maag sijpelen. Hij zou naar het buitenland gaan, net als Thomas Paine. Hij zou vluchten terwijl de patriotten van het Ware Amerika vochten om het land te zuiveren en te herstellen.

Maar hij zou geen lafaard zijn. Vandaag was er geen plaats meer voor subtiliteit. Die aanpak had hij al geprobeerd bij Tasia, maar liefst veertien maanden lang, goddomme, om vervolgens te ontdekken dat ze door de hypnotiserende macht van de Veroveraar was ingestort.

Plan A was mislukt. En als plan B vandaag mislukte, konden zijn voorzorgsmaatregelen en verzekeringspolissen hem niet meer redden. Hij kon bewijzen dat er tijdens een vergadering afspraken waren gemaakt over de doelstelling van zijn missie en zijn vergoeding. Hij had foto's en creditcardafschriften van zijn reis, en hij bewaarde een met een wachtwoord beveiligde opname van de vergadering op zijn computer en in een bankkluisje. Hij had luciferboekjes van dat truckerscafé in Hoback, Wyoming. Maar geen van die bewijzen kon hem nu beschermen. Hij had de helft van zijn honorarium als voorschot gekregen. Hij had het plan in werking gezet. Keyes en Ivory waren erbij betrokken. En wat het allerbelangrijkste was: hij wist alles. Als hij faalde, zouden ze hem voorgoed het zwijgen opleggen. Huurlingen, een huurmoordenaar, geheim agenten die in opdracht van de regering werkten – iemand zou hem doden.

Hoewel hij steeds bezorgder werd, bleef hij overdreven vrolijk kijken en liep hij verder naar Sacramento Street. Een dubbeldekker met een open bovenkant zoefde voorbij. Voor een menigte Chinese toeristen dreunde de chauffeur via een versterker alle bezienswaardigheden op. Die onzin hoefde Chennault straks niet meer te horen.

Veertien maanden lang had hij met Tasia gewerkt. Toen hij werd ingehuurd, had hij gedacht dat zijn opdracht onmogelijk was. De taakomschrijving was heel strikt geweest: Robert McFarland moest het Witte Huis verlaten, en wel op zo'n manier dat hij er nooit meer kon terugkeren. Zijn erfenis moest voor altijd bezoedeld zijn. Dat moest bewerkstelligd worden door hem bij een enorm schandaal rond zijn ex-vrouw te betrekken.

Chennault had geen instructies gekregen hoe hij deze doelen moest bereiken. Maar ze hadden hem verteld dat Fawn Tasia McFarland aan een bipolaire stoornis met paranoïde neigingen leed, dat ze soms hyperseksueel en soms suïcidaal was, en dat ze een pistool had dat officieel op naam van de president stond. De dichterlijke details hadden ze aan hem overgelaten, al was de term 'moord-zelfmoord' meer dan eens gevallen.

En dus had Chennault Tasia veertien maanden lang bewerkt. En ze was er zo gevoelig voor geweest, ze had zo gretig naar hem geluisterd dat hij de indruk had gekregen dat zij de aangewezen persoon was: een afvallige, een madonna die in de tent van de jakhals had gewoond en was ontsnapt om de waarheid te vertellen.

Véértien maanden! Hij had haar wijsgemaakt dat de farmaceutische industrie het volk in opdracht van de regering versuft hield, en daarom was ze met haar medicijnen gestopt. Daarna waren haar creativiteit en haar enorme, dierlijke energie razendsnel opgelaaid. Haar paranoia trouwens ook. Net als in de tijd dat ze haar manie nog niet onder de duim had, was het een eitje geweest om haar wijs te maken dat Robert McFarland haar gezondheid en geluk had geruïneerd – en dat hij daar nooit zijn excuses voor had aangeboden. En toen ze in het onvermijdelijke zwarte gat van de depressie was gevallen, had Chennault Tasia de naam van een arts gegeven. 'Laat die stemmingsstabilisatoren toch zitten – vraag om prozac. Leef met passie en toewijding, zonder die sombere buien,' had hij gezegd.

Het was Chennaults doel geweest om haar compleet in de war te maken. Ze moest nerveus en onrustig worden, want dan werd de kans op zelfmoord groter. Ze moest een manisch Duracell-konijntje worden. In die staat was Tasia bereid geweest de valse godheid die Washington verslond omver te werpen.

McFarland had Tasia tijdens hun huwelijk tot vreselijke keuzes gedwongen, en Chennault had haar ervan overtuigd dat de president die nu moest opbiechten. Bel hem, had hij tegen haar gezegd. Vertel hem dat je bezig bent aan een autobiografie. Hij is vast bereid je ergens te ontmoeten – hij zal dolgraag willen weten wat je allemaal opschrijft. En als je hem onder vier ogen spreekt, laat hem dan vergiffenis smeken voor het feit dat hij je eenzaam en depressief heeft achtergelaten terwijl hij op uitzending naar het buitenland was.

O, en reserveer twee hotelkamers met een tussendeur, had hij eraan toegevoegd. Dan kon hij, Chennault, via die deur alle bekentenissen van McFarland in helder stereogeluid opnemen.

'En als hij weigert om daarover te praten?' had Tasia gevraagd.

'Je weet hoe je hem kunt dwingen eerlijk te zijn,' had Chennault geantwoord. 'Neem het pistool mee. McFarland zal heus niet weigeren als je dreigt zelfmoord te plegen. Je bent een artieste, en de colt .45 is zo'n overweldigend deel van je toneelstukje dat hij echt wel zijn mond opendoet.'

Dus Tasia had in het Hyatt in Reston twee kamers met een tussendeur gereserveerd. Chennault verstopte zich in de tweede kamer. Hij zei dat ze de tussendeur pas van het slot moest halen als de geheime dienst de kamer had verlaten, want dan kon hij haar 'beschermen' als McFarland de agenten terugriep.

Daar had alles om gedraaid: ze moest de deur openmaken. Dat was de enige manier waarop hij toegang tot de kamer kon krijgen, McFarland en Tasia kon doodschieten en door het raam kon ontsnappen.

Ze was de perfecte zondebok geweest, maar ze had hem verraden. 'Kreng,' zei hij.

Tasia was een regelrechte koers naar zijn doel geweest, een subtiliteit uit zijn stoutste dromen. Tot zijn grote vreugde was ze woedend geweest op McFarland. Ze was uitzinnig geweest van pijn en had hem dolgraag willen dwingen zijn excuses aan te bieden voor hun huwelijk.

Maar ze had het plan niet uitgevoerd. Nadat McFarland was gearriveerd, had ze op het laatste moment besloten de tussendeur niet te openen. Chennault was machteloos geweest. Daarna had ze het Hyatt verlaten en was ze teruggegaan naar haar hotel in Washington. De volgende ochtend was ze in de tourneebus gestapt en had ze de *Bad Dogs and Bullets*-tournee vervolgd. En de jakhals was teruggegaan naar het Witte Huis en was doorgegaan met het land ondermijnen.

McFarland had Tasia betoverd en haar weer voor zich gewonnen. Waarschijnlijk was hij ook met haar naar bed geweest. Chennault slikte, misselijk geworden van dat beeld.

En daarna had Tasia hem buitengesloten. Ze had hem niet meer willen zien. Ze had zijn telefoontjes genegeerd. Toen hij op de avond voor het concert in San Francisco naar haar huis was gegaan, had ze het lef gehad om haar schoothondje Searle Lecroix te vragen hem weg te sturen.

Gelukkig had Noel Michael Petty in elk geval met Lecroix afgerekend. Er gebeurden dus ook positieve dingen.

Tasia had dus doorgehad dat hij de president kwaad wilde doen. Ze was een onvoorspelbare, lawaaierige, niet door medicijnen getemperde tijdbom geworden, die in zijn gezicht kon ontploffen. Het zou gevaarlijk zijn geweest om haar in leven te laten.

Maar er waren geen bewijzen dat hij naar Reston, Virginia, was gereisd. Al zijn discussies met Tasia waren één op één geweest, en buiten de microfoons die hij zelf had verstopt, was er geen opname-apparatuur aanwezig geweest. En hij had altijd een stoorzender gebruikt om afluisterapparatuur op te sporen en alle gsm-ontvangst te ontregelen. Hij had een schone lei.

En dat betekende dat hij vandaag ongehinderd te werk kon gaan. Hij had twee loyale soldaten in Ivory en Keyes. Ze zouden doen wat hij vroeg, daar twijfelde hij niet aan. Voordat hij dit project in werking had gezet, had hij dossiers over hen gekregen, omdat ze potentiële rekruten waren.

En allemachtig, wat had hij vandaag een perfect podium.

Hij liep de hoek om en kwam op Sacramento Street. Aan weerszijden van de straat stonden wolkenkrabbers van graniet en glas. Heuvelafwaarts zag hij duidelijk de kantoortoren achter de kruising met Montgomery. Hij ging langzamer lopen. Ondanks de voetgangers en het drukke tweerichtingsverkeer zag hij een zwarte Chevrolet bij de stoeprand staan. Het zonlicht weerkaatste op de voorruit.

Chennault stuurde Keyes een sms'je. *Nu.*

Hij ademde de uitlaatgassen van de ondergang van het land in. Rustig, zei hij tegen zichzelf. Hij bleef naar de auto voor het kantoorgebouw kijken.

Wacht eens even. Eén zwarte Chevrolet.

Hij ging sneller lopen en porde in het voorbijgaan een man met zijn elleboog in zijn zij. Het tweerichtingsverkeer ontnam hem het uitzicht, rode stadsbussen, gele taxi's, voetgangers in caleidoscopische kleuren.

Slechts één Chevrolet. Geen hele stoet. En er hing ook nergens een escorte van motoragenten rond. In de wind weerkaatste het geluid van sirenes tegen de gebouwen. Hij haastte zich door de straat.

Niet rennen, hield Ivory zichzelf voor. Ze was buiten adem en zag niets meer om haar heen. Het kantoorgebouw lag recht voor haar.

Aan de overkant van de straat, recht tegenover de zwarte regeringsauto, stond een gepantserde auto van Blue Eagle Security.

Keyes kwam achter het stuur vandaan.

Hij droeg de helm van zijn uniform, een soort motorhelm met een kleurloos vizier. Met een frons keek hij haar aan. 'Heb je gerend?' Hij keek de andere kant op. 'Waarom hoor ik sirenes?'

Ze drong zich langs hem heen en stapte in de auto. 'Ik heb alles op gang gebracht. We kunnen niet meer wachten.'

'Wat heb je gedaan?'

Ze trok de beveiligde aluminium koffer van de voorstoel.

Keyes pakte haar bij de arm. 'Ivory.'

'Eén juut minder die ons voor de voeten kan lopen.'

Ze gaf hem de beveiligde koffer, waarmee ze eruit zouden zien als werknemers van een waardetransportbedrijf die contant geld kwamen halen. Keyes staarde haar geschokt aan.

Daarna zette hij zijn schouders weer onder zijn taak. 'Als je berichten wilt versturen, moet je het nu doen, want de stoorzender maakt gehakt van sms'jes en telefoontjes.'

'Ik heb alles gezegd wat ik moet zeggen. Laat de sleutels in het contact zitten voor Paine. Hij komt hierheen en staat klaar om weg te rijden als we naar buiten komen.'

Keyes keek naar de overkant van de straat. 'Het is maar één regeringsauto.'

'De zus van Tasia werkt hier. De president is hier op familiebezoek. Wie kan het anders zijn?'

Ze staken de straat over naar het gebouw. Waymire & Fong zaten op de vierde verdieping.

5 4

Lewicki toetste een telefoonnummer in en keek Jo met felle ogen aan.

'Sic semper tyrannis. Dat schreeuwde Booth nadat hij in Ford's Theatre van de presidentiële box op het podium was gesprongen. Die Chennault is geobsedeerd door dat soort moorden.'

Hij sprak in de telefoon. 'Bill, we hebben een probleem. Het...'
Hij haalde de telefoon van zijn oor. 'Verdomme. Verbroken. Wat...'
Hij toetste het nummer nogmaals in.
Het gegil kwam uit de lobby.

Keyes kwam als eerste uit de lift, maar Ivory rende langs hem heen door de lobby van het advocatenkantoor, recht op de receptioniste achter de balie af.

De vrouw zat aan de telefoon. Toen ze opkeek, stond de verwarring in haar ogen te lezen. Ze zag een man en een vrouw van Blue Eagle Security, gekleed in de uniformen waarmee ze altijd in hun gepantserde auto zaten, compleet met de bijbehorende motorhelmen met kleurloos vizier. Ze droegen de zilverkleurige koffer die ze altijd bij zich hadden als ze een bank of makelaarskantoor binnengingen om contant geld op te halen.

Maar werknemers van Blue Eagle Security maakten de beveiligde koffer doorgaans niet open om er wapens uit te halen. En ze richtten die wapens nooit op receptionistes met ogen als schoteltjes en openhangende monden.

Keyes pakte extra munitie voor het MAC-10 machinepistool. Ivory stopte de Desert Eagle in haar tailleband en pakte de Glock.

Nog voordat de receptioniste kon opstaan, stoof Ivory op het bureau af en hief ze de kolf van het wapen als een club op. De receptioniste gilde als een mager speenvarken. Ivory sprong over het bureau heen en sloeg het meisje met de Glock uit haar stoel. Daarna legde ze de hoorn van de telefooncentrale naast de haak en zette ze alle lampjes aan, waardoor het systeem vastliep.

De receptioniste kroop schreeuwend weg, krabbelde overeind en rende door de hal.

'Zet de liften vast,' zei Ivory tegen Keyes. 'Staat de gsm-stoorzender aan?'

Ze voelde zich ontketend, voor het eerst sinds jaren volledig mens, klaar om een angstaanjagende hel op al deze kuddedieren los te laten.

Ze schoof de slede van de Glock naar achteren. 'Kom, we gaan hem zoeken.'

Jo draaide zich naar de openstaande deur van de vergaderzaal. Lewicki stond stil en hield zijn telefoon als een handgranaat vast. Nog meer gegil, een vrouwenstem. In de verte, gedempt door muren en vloerbedekking, schreeuwde een man: 'Op de grond.' Jo haastte zich naar de deur. In de hal hoorde ze mensen rennen. Lewicki kwam naast haar staan en ramde de deur dicht.

Vanuit de lobby schreeuwde de man: 'Dit is de Nieuwe Amerikaanse Revolutie. We geven de boom van de vrijheid water.' Opeens klonken er luide knallen van vuurwapens. Jo schrok. Schreeuwen doorploegden de lucht. Voetstappen dreunden door de hal.

Jo stak haar hand in haar zak. Haar telefoon zat er niet in. Ze had hem in haar tas laten zitten, en die stond in Vienna's kantoor. Ze rende naar het dressoir en pakte de hoorn van de vaste telefoon. Zo te horen was de lijn bezet.

Lewicki deed de deur een paar centimeter open. Jo zag advocaten en assistenten naar kantoren rennen en tegen muren, potplanten en elkaar botsen. Nog meer schoten, voller en dichterbij. Er werd vreselijk gegild. Lewicki deed de deur dicht en pakte een stoel. Voordat hij hem onder de klink kon rammen, vloog de deur open.

Hij haalde hard uit met zijn vuist en sloeg Dana Jean op haar neus. Ze stuiterde tegen de muur. Lewicki bracht zijn arm weer naar achteren, maar Dana Jean bedekte haar neus met haar ene hand en sloeg hem terug met de andere. 'Klootzak.'

Jo sprong tussen hen in. 'Ze werkt hier.'

Achter haar stormde een zwarte, forsgebouwde advocaat naar binnen, wiens bril scheef op zijn neus stond. Zodra hij binnen was, sloeg Lewicki de deur dicht en klemde hij de stoel onder de klink.

'Ze nemen mensen onder vuur.' De man was achter in de vijftig en zag eruit alsof hij nog maar tien tellen van een hartaanval verwijderd was. En vijf tellen van een sprint naar de gang om zijn collega's naar de vergaderzaal te sleuren.

Lewicki duwde hem weg van de deur. 'Met z'n hoevelen zijn ze?'

Weer een schot. Dana Jean gilde.

Lewicki wees naar Jo. 'Zorg dat ze stil is.'

De advocaat sloeg zijn arm om Dana Jean heen. 'Wie denkt u wel dat u...'

'Stil zijn, allemaal,' zei Lewicki.

De advocaat zette zijn bril recht. 'Ik ben Howell Waymire. Dit is mijn kantoor.' Hij wees naar de deur. 'Die mensen daarbuiten zijn mijn vrienden, en ze worden als beesten beschoten.'

'Hoeveel schutters zijn het?' wilde Lewicki weten.

Dana Jean deed haar best om een snik te onderdrukken. 'Een man en een vrouw met heel woest wit haar.'

Lewicki knipperde met zijn ogen. 'Wit?'

'Sneeuwwit. Gekleed in uniformen van Blue Eagle Security. Chauffeurs van een geldtransport. Ze haalden wapens uit hun koffer.' Ze stak haar vingers in haar mond en trilde als een loszittend wiel.

In de gang werd een deur opengetrapt. 'Waar is de president?'

Dana Jeans beschrijving van de aanvallers leek Lewicki te verbijsteren. Hij probeerde nogmaals iemand te bellen en staakte zijn poging. 'Niets. Ze storen de mobiele telefoons.'

'Waar is hij?'

'Wie?' gilde een vrouw.

Het schot klonk laag en had iets definitiefs. Dana Jean schrok en dook ineen tegen Waymires revers.

'Waarom denken ze dat de president hier is?' vroeg ze.

Waymire keek naar Lewicki. 'Ik weet wie u bent.'

Er werd nog een deur opengetrapt, nog dichterbij. Jo's keel kneep samen. De muren leken op haar af te komen. Claustrofobie kroop over haar huid.

'Waar is de president?' brulde de man. 'Breng me naar hem toe of ik schiet je dood.'

Zijn stem was laag en hij klonk alsof hij van het platteland kwam. Het was niet Ace Chennault.

Waymire liep naar de deur. 'We moeten hier weg.'

Dana Jean greep zijn mouw beet. 'Nee. Ze hebben gezorgd dat de liften niet meer dicht kunnen en ze hebben de deuren van de brandtrap met kettingen afgesloten. De vrouw bewaakt de lobby.'

Zweet parelde op Waymires voorhoofd. 'We hebben geen telefoons, we kunnen niet om hulp vragen. We moeten iets doen.'

Meteen pakte Lewicki de telefoon op het dressoir, al had Jo die al geprobeerd. Kennelijk was hij pas bereid iets te geloven als hij het zelf had vastgesteld.

'Ze weten niet dat we hier zitten,' zei Dana Jean. 'We kunnen ons verstoppen.'

Buiten hoorde Jo geen gegil of vluchtende voetstappen meer. Er waren geen werknemers van het kantoor meer in de gang. De vergaderruimte voelde aan als een krimpende kartonnen doos. En de schutters kwamen steeds dichterbij.

De stoel onder de klink zou hen niet tegenhouden. 'Ze schieten dwars door de deur heen,' zei ze.

Lewicki draaide zich naar de vergadertafel. 'Barricade. Vlug.' Hij tilde een uiteinde van de vergadertafel op, waarbij zijn nek en schouders opzwollen van de inspanning. Jo en de anderen schoten hem te hulp, en samen schoven ze de tafel naar de deur. Waymire duwde hem hard tegen het hout aan.

Zijn gezicht vertrok en was nu grauw en bezweet. Hij legde zijn hand op zijn borst, graaide naar de tafel om steun te zoeken en zakte op zijn knieën. Jo's keel werd kurkdroog. Hij was dus werkelijk maar tien tellen van een hartaanval verwijderd geweest.

Het bloed suisde in Ivory's oren toen ze door de gang beende. Ze had die idioten van het advocatenkantoor niet door het hoofd geschoten omdat ze nog informatie van hen moest hebben. Maar als ze niet gauw ophielden met gillen, kregen ze de volle laag.

Waar was McFarland, verdomme?

Ze kwam aan het einde van de gang en liep de hoek om. Toen ze naar de andere kant van het gebouw rende, zag ze Keyes op zich af komen. Hij trapte een deur van een kantoor open en vuurde een salvo af. Glas versplinterde en een man smeekte om te mogen blijven leven.

'Waar is hij?' brulde Keyes.

Ivory draaide zich om. Aan het einde van de gang was een gesloten deur. VERGADERZAAL.

'Deze kant op,' zei ze.

Waymire zakte op de grond en Dana Jean greep zijn arm beet. 'Wat is er?'

'Pijn.' Hij hapte naar lucht. Op al zijn vingers was het nagelbed blauw.

Jo knielde bij hem neer. 'Hou vol.' Ze maakte zijn das los. 'Heeft iemand een aspirientje?' Er kwam geen reactie. Ze zorgde dat hij onder de vergadertafel kon gaan liggen. Verder kon ze niet veel voor hem doen. Hij had een ambulance nodig.

Het hele kantoor had een ambulance nodig.

Lewicki dook onder de vergadertafel. 'Kom op. Iedereen eronder.'

Dana Jean schoot onder het blad.

Jo's blik kruiste die van Lewicki. 'De tafel houdt toch geen kogels van automatische wapens tegen?'

Hij aarzelde. 'Misschien de eerste salvo's.'

In de gang schreeuwde een man: 'Lever de president uit of je wordt geëxecuteerd wegens verraad.'

Jo keek naar de deur. Opeens wist ze heel zeker wat er ging gebeuren. De aanvallers zouden het slot aan gort schieten en daarna blijven vuren. En als ze de deur zelfs maar vijf centimeter open konden trappen, hadden ze genoeg ruimte om naar binnen te kunnen schieten. Dan was het jachtseizoen geopend.

Dana Jean klemde haar handen om haar knieën. 'We zitten in de val. Er is geen uitweg meer.'

Jo draaide zich naar de ramen. 'O, jawel.'

55

Gabe bevond zich te midden van het drukke verkeer op Sansome en reed stapvoets in de richting van Sacramento Street. Terwijl hij langs wolkenkrabbers van rookglas en neoklassieke bankgebouwen reed, schalde 'Complicated Shadows' van Elvis Costello uit zijn stereo-installatie. Voor het eerst in vierentwintig uur had hij het gevoel dat hij zijn hoofd boven water had. Het was kolkend water met witte schuimkoppen, dat wel, maar hij kon ademhalen en zwom naar de kust.

Hij wist dat hij er zou komen. Jo was daar.

Op de hoek liep het verkeer compleet vast. Op Sacramento zag hij vrachtwagens, een politieauto, bussen. Hij reed de hoek voorbij.

Het was niet vreemd dat het verkeer een puinhoop was: de chef-staf van het Witte Huis was bij Waymire & Fong. Hij reed om de kantoren heen en zag halverwege een steegje. Hij reed erin en kwam uit in de buurt van het Waymire-gebouw. Toen hij stopte, hoorde hij sirenes.

Jo's hart klopte hoog en hard in haar keel. Ze rende naar het raam en schoof het met kracht verder open. Het lawaai van de stad dreef naar binnen. In de verte hoorde ze sirenes.

De stem van Lewicki klonk ongelovig. 'Gaat u soms papieren vliegtuigjes met het woord "help" naar beneden gooien? Kom van dat raam weg. Als u daar blijft staan, had uw hoofd net zo goed een watermeloen op een stok kunnen zijn.'

Aan de andere kant van de gebarricadeerde deur riep een vrouw: 'Keyes, hierheen.'

De deurknop draaide en er werd aan de deur gerammeld. Dana Jean gilde. Ineengedoken haastte Jo zich naar de vergadertafel, waar Waymire een hand op zijn borst legde.

'Pijn... Druk op de borst,' zei hij.

'Hou vol.'

De aanvallers bonkten tegen de deur.

Met een meedogenloze bulterriërblik keek Lewicki Jo aan. 'Kom verdomme onder die tafel zitten en help mee om hem tegen de deur te duwen.'

'Nee. We kunnen ze nooit tegenhouden. We moeten ontsnappen.'

Lewicki deed zijn mond open om haar af te blaffen, maar Jo greep hem bij zijn das. 'We kunnen naar de verdieping hieronder afdalen.'

'En als er nog meer schutters buiten staan?'

Jo draaide er niet omheen. 'Er zijn er meer. Ace Chennault is niet bij hen. Hij is ergens anders.'

'Ik...'

'En hij gaat een aanslag op de president plegen.'

Lewicki's gezicht vertrok heel even, alsof ze hem in zijn oog had geprikt. Hij had grotere problemen dan de president. Zijn eigen leven stond op het spel.

De deurknop knalde met veel kabaal en splinterend hout van de deur en stuiterde over de tafel. In de deur bleef een gat met ruwe randen achter. De lucht stonk naar cordiet.

Jo hield Lewicki's das vast. 'We moeten hier weg. Anders gaat Waymire dood. U en ik zijn de enigen die weten dat Chennault het op president McFarland heeft gemunt. En de schutters hebben maar een paar minuten nodig om de deur in te trappen.'

Ze had nog nooit iemand zo boos en ongelovig zien kijken als Lewicki.

Haar stuiterende hart bonkte in haar oren. 'We moeten ontsnappen om onszelf en de president te redden. Ik moet naar de verdieping hieronder afdalen.'

Ze hoorden een hand aan het kapotte deurbeslag morrelen. Daarna hoorden ze gekreun van inspanning en een schouder die tegen de deur aan beukte.

De schutter schreeuwde: 'We weten dat je in die kamer zit, McFarland. Geef je over of iedereen gaat eraan.'

Ze hoorden metaal over metaal schrapen, gevolgd door een tik. Iemand had een vol magazijn met munitie in een groot wapen geschoven. Jo's zenuwen probeerden via haar poriën te ontsnappen. De drang om te vluchten was zo krachtig dat ze maar met moeite kon blijven zitten.

Ze greep Lewicki's schouder beet. 'Help me.'

Lewicki zag eruit als een hond met een bot tussen zijn tanden. Hij probeerde zich krampachtig vast te houden aan het idee dat hij de leiding had, dat híj bepaalde wat er gebeurde.

Het volgende moment zei hij: 'Ik hou ze tegen.'

Jo gaf hem een kneepje in zijn schouder. Voorovergebogen rende ze naar het raam, waar ze naar buiten leunde en naar beneden keek. Het uitzicht was misselijkmakend: een verticale afgrond van vier verdiepingen hoog, met onder haar niets anders dan beton.

Achter zich hoorde ze een zagend geluid. De loop van een automatisch wapen werd als hefboom door de deuropening gewrikt.

Buiten het raam bevond zich een rand van twintig centimeter breed. De art-decostijl van het gebouw bood haar hoekjes, scheuren en uitstekende punten, maar het raam van de derde verdieping bevond zich drie meter onder haar, verzonken in een massief stenen venster. En de muur recht onder haar was een plat, bijna helemaal glad oppervlak.

Ze haalde diep adem. Moest ze hier naar beneden? God allemachtig.

Ze moest een touw zien te vinden. Dan kon ze naar de derde verdieping afdalen. Daarna kon Lewicki Dana Jean en Waymire laten zakken, een voor een, en dan kon zij hen naar binnen trekken. Ze kon hun riemen aan het touw haken, of een panty als heupgordel gebruiken of zoiets.

Ze haastte zich naar het dressoir, waarin – hartelijk dank, god van de chaos – de kabel van het audiovisueel systeem lag. Het was een dikke zwarte televisiekabel, die rond een houten spoel was gewonden. Ze rukte de spoel uit de la. Ze schatte dat ze zo'n dertig meter kabel nodig had. Als ze niet door het raam van de derde verdieping naar binnen kon, zou ze zich verder moeten laten zakken, dus ze wilde een extra lang touw. Een langere kabel. Een langer leven.

De lange loop van een automatisch wapen wurmde zich door de deuropening en werd als een obsceen aanhangsel heen en weer bewogen.

Het dressoir was gemaakt van sierlijk bewerkt hout, ongetwijfeld afkomstig uit een bedreigd oerwoud. De poten waren bijna tien centimeter dik, en de hele kast woog waarschijnlijk rond de honderd kilo. Jo bond de kabel om de poten van het dressoir en gooide de spoel uit het raam. Die ontrolde zich en verdween over de buitenrand van het raam, waarbij de kabel met het geluid van doffe zweepslagen tegen de zijkant van het gebouw mepte.

Ze zwaaide naar Lewicki. 'Kom eens hier.'

Hij kroop naar haar toe. Ze sloeg de kabel om zijn rug en vroeg hem om zijn handen te spreiden en de kabel op twee punten beet te grijpen.

'Zet uw voeten tegen de muur onder het raam. Leun achterover, dan kunt u mijn gewicht dragen.'

Als de poten van het dressoir onder haar gewicht afbraken, zou de kabel losschieten. Dan moest hij zorgen dat ze niet te pletter viel.

'Wat gaat u doen?' wilde hij weten.

Ze testte de flexibiliteit van de kabel. Ze hoopte maar dat ze alles goed inschatte.

'Abseilen.'

Ze zei het zonder enig speeksel in haar mond. Ze had dit nog nooit buiten gedaan. Haar enige ervaring met abseilen had ze opgedaan in de klimzaal, een paar meter boven de matten. Bijna niemand deed het nog op deze manier, omdat ze tegenwoordig spullen gebruikten waar ze nu haar voortanden voor zou willen geven: een klimgordel, een zekeringsapparaat en een karabijnhaak. En niemand had zich er ooit aan gewaagd met een televisiekabel, zelfs niet in de dagen van het klassieke alpinisme.

'Het lukt vast wel. Denk ik.' Ze haalde adem. 'Ik kan hier wel abseilen. Als ik over de rand klim en een kleine twee meter afdaal, kan ik me in de vensternis hieronder laten zakken.'

Lewicki schoof centimeter voor centimeter naar het raam. 'U valt naar beneden.'

'Welnee.'

Haar beschermengel salueerde en zei: veel succes ermee, liefje. Je staat er alleen voor.

Aan de andere kant van de deur werd geschopt en gekreund, en er bonkten zware schoenen op het hout. 'Geef hem aan ons, stelletje idioten, anders zijn jullie de eersten die voor het vuurpeloton van de patriotten komen te staan.'

Jo keek naar Lewicki. 'Hebt u dit in uw legertijd wel eens gedaan?'

'Het is twintig jaar geleden, maar ja, ik heb het wel gedaan.'

'Mooi.' Ze gaf een kneepje in zijn arm. 'Laat alstublieft niet los.'

'Komt voor elkaar.' Zijn blik was bloedserieus.

Het schot echode door de kamer. De kogel raakte de vergadertafel en er vloog hout in het rond. Lewicki kromp ineen.

'Vlug,' zei hij.

Jo trok haar schoenen uit en klauterde haastig op de vensterbank. De wind blies tegen haar aan. Ze zou een kick moeten krijgen van de blauwe hemel en de glanzende ravijnwanden van de stad. Dit zou de stiekeme droom moeten zijn van een klimmer die altijd de veiligheidsregels in acht nam: de kans om in de stad van een monoliet af te dalen. In werkelijkheid had ze zich nog nooit zo kwetsbaar gevoeld. In de vergaderzaal zette Lewicki zijn voeten schrap tegen de muur onder het raam, en hij leunde achterover om haar gewicht op te vangen.

'Kijk goed wat ik doe,' riep Jo tegen Dana Jean. 'Jij bent de volgende.'

'Oké.' Dana Jeans gezicht vertrok. 'Nee.'

Jo kreeg kramp in haar maag, maar Dana Jean wist niet hoe ze moest abseilen en dit was niet het moment om het haar te leren. 'Gesp je riem om je middel én de kabel. We zoeken wel een manier om je te laten zakken terwijl jij je vasthoudt.' Tegen Lewicki zei ze: 'Laat haar pas afdalen als ik zeg dat ik veilig ben en haar gewicht kan opvangen.'

Ze wurmde zich onder het openstaande schuifraam door en ging op de smalle richel staan. Voorzichtig draaide ze zich met haar gezicht naar het raam en de vergaderzaal. Ze schoof haar voeten uit elkaar en plantte ze aan weerszijden van het venster om zich schrap te zetten.

De kabel lag nu tussen haar voeten. Ze pakte hem op en hield hem zo vast dat hij tussen haar benen door liep. Ze bracht haar hand naar achteren, greep de kabel, sloeg hem om haar rechterheup, leidde hem diagonaal over haar borst en gooide hem over haar linkerschouder. De kabel hing nu over haar rug. Ze stak haar rechterhand naar achteren en pakte het bungelende gedeelte, dat ze vlak bij haar heup vasthield. Haar rechterhand was nu de hand waarmee ze kon remmen.

Nu de kabel in een s-vorm om haar lichaam was gewikkeld, ontstond er frictie en kon ze met haar vrije hand de snelheid van haar afdaling bepalen. Ze had dit al eerder gedaan, dus nu kon ze het ook.

Centimeter voor centimeter liep ze achteruit. Waymire en Lewicki staarden naar haar. Haar handpalmen waren klam.

'Nu,' zei ze.

Lewicki zette zich schrap.

Ze leunde achterover en ging met haar gewicht aan de kabel hangen. De draad kwam strak te staan, maar brak niet. Ze leunde nog verder achterover, nog verder, en zette haar voeten steeds verder achteruit tot ze over de rand stapte.

Goeie goden.

Ze had hoogte en een gladde, vlakke stenen wand nog nooit eerder als pure leegte ervaren. Haar benen blokkeerden en wilden niet meer bewegen. Ze deed haar ogen dicht.

Ik moet dit doen. Als ik weer naar binnen ga, krijg ik een kogel door mijn hoofd. En alle anderen ook.

De zwarte rubberen beschermlaag van de kabel piepte in haar hand. Stapje voor stapje zette ze haar voeten lager. Ze leunde nog verder achterover en liet zich vanuit haar heupen enigszins door haar benen zakken. De kabel sneed in haar achterwerk, haar borst, haar schouder. Haar handpalm.

'Hou me vast.'

'Ik heb u,' zei Lewicki hijgend van de inspanning.

Je moet vertrouwen hebben, zei ze tegen zichzelf. Als de kabel het begaf, of als Lewicki losliet, zou ze maar één seconde doodsbang zijn. En dan had ze nog maar één seconde om haar zonden te berouwen voordat ze het beton raakte.

De richel van het raam was hard. Haar voeten schraapten over de stenen. Ze leunde achterover, verder dan vijfenveertig graden, en liet zich volledig over de rand zakken.

Ze hing aan de zijkant van het gebouw.

Gewoon ademhalen. Ze zette zich af en liet de kabel door haar hand glijden. Ze gleed een stukje naar beneden voordat haar voeten weer tegen het gebouw aan zwaaiden. Ze zette zich weer af en liet de kabel nog een stukje vieren. Ze daalde twintig centimeter af. Dertig. Zestig.

Het gepolijste graniet was te glad onder haar voeten. Boven haar stond de kabel strak over de richel, alsof hij tegen het lemmet van een mes werd gedrukt. Daarboven dreven wolken met hoge snelheid door de blauwe lucht, bijna gillend in de wind. Haar haren zwiepten in haar ogen en mond.

Dana Jean gilde: 'Dokter Beckett, ze komen eraan. Vlug!'

De kabel stond zo strak dat het leek of hij dunner werd. Ze bewoog haar tenen naar beneden om houvast te zoeken. Ze zocht – en vond de bovenkant van het venster onder haar.

Boven haar kwam de kabel ineens slap te hangen. Ze viel abrupt naar beneden en zweefde in de lucht. Zeventig centimeter, een meter... O god, was de kabel losgeraakt? O nee...

Met een ruk kwam ze weer stil te hangen. De kabel sneed in haar vlees. Haar voeten verloren hun houvast op de muur en ze sloeg tegen het gebouw.

'Jezus,' bracht ze hijgend uit.

Haastig probeerde ze haar voeten weer plat tegen de muur te zetten. 'Hou de kabel vast. Alsjeblieft.' Alsjeblieft God Jezus Maria, alsjeblieft.

Boven haar klonk een luide knal. Dana Jean krijste en begon te snikken. Jo keek omhoog. Lewicki hing uit het raam en staarde naar haar.

Aan de overkant van de straat, achter Jo, ging een raam in een gebouw knarsend open. 'Hé, jij daar. Wat ben je in godsnaam aan het doen?'

Op Sacramento Street liep Chennault naar de gepantserde wagen van Blue Eagle Security. Hij maakte het portier open. De sleutels zaten in het contact.

De dopplerdreun van de sirenes werd hoger van toon. Op de hoek van de straat kwamen twee zwart-witte politieauto's met draaiende zwaailichten in zicht.

Boven hem schreeuwde een man iets wat als een waarschuwing klonk. Chennault keek omhoog.

'Wat moet dit voorstellen?'

Op de vierde verdieping leunde een man uit het raam, die zwaaide en naar de overkant van de straat wees. Chennault draaide zich naar het gebouw van Waymire & Fong.

Er ontsnapte een kreun aan zijn keel. Hoog boven de grond hing een touw uit het Waymire-gebouw, waarlangs iemand als een op tilt geslagen spin afdaalde. Het was Jo Beckett.

Het was alsof hij een stomp in zijn maag kreeg. Het was duidelijk dat ze het moeilijk had, maar het was net zo duidelijk dat Keyes en Ivory binnen hun klus niet hadden geklaard. De situatie was uit de hand gelopen.

Chennault speurde de straat af. Bij het trottoir stond een geparkeerde zwarte Chevrolet, maar er was geen politie-escorte te bekennen. Nee, de politie kwam op dit moment juist met veel kabaal naar hem toe.

De president was hier niet, want anders zouden er overal op straat mannen met oortjes, donkere zonnebrillen en vuurwapens hebben gelopen.

Keyes en Ivory hadden iemand anders aangevallen. De verkeerde man.

Heel even dacht Chennault dat zijn plan als los zand door zijn vingers glipte, maar toen dacht hij: nee. Dit is een kans. Hij nam een risico, maar hij kon het zich nu niet meer veroorloven om voorzichtig te zijn.

De politieauto's stopten. Hij liep erheen.

De kabel werd met een rubberachtig geluid uitgerekt. Jo's klamme handpalm bleef eraan vastplakken. Met open mond keek ze naar Lewicki. Waarom had hij de kabel losgelaten?

Vanaf de andere kant van de straat schreeuwde de man: 'Godsamme, trek haar omhoog!'

Lewicki's ogen waren groot als schoteltjes. 'Ik dacht dat u was gevallen.'

Sprakeloos en vechtend tegen de paniek zette ze nog meer vaart achter haar afdaling. Haar knieën zakten langs de bovenkant van het venster op de derde verdieping. Daarna haar heupen, haar middel, haar borst. Heel voorzichtig gleed ze verder naar beneden, maar ze hoorde dat de kabel begon te protesteren. Waaraan had ze trouwens haar leven toevertrouwd, een coaxkabel? Of was het vezel? Glas? Zand? Ze zette zich nog een keer af met haar voeten en liet de zoemende, protesterende kabel door haar hand glijden. Ze liet zich ver genoeg naar beneden glijden om haar hele lichaam in de nis van het venster te kunnen laten zakken.

Ze wurmde zich in de nis en draaide een kwartslag. Ze duwde haar voeten tegen de ene kant, haar rug tegen de andere. Nu ze bijna in veiligheid was, begon ze te hyperventileren. Ze hield haar adem in. Heel voorzichtig liet ze zich in de nis zakken tot ze haar voeten op de smalle richel voor het raam kon zetten.

'Ik sta op de rand voor het raam,' riep ze. 'Maar ik ben nog niet binnen.'

Het raam zat op slot. Binnen zag ze een kantoortuin. Bureaus, varens in potten. In de verte stond een groepje mensen rond een kopieerapparaat.

Ze bonkte op het glas. 'Help. Laat me naar binnen.'

Twee mannen keken verbaasd op en renden naar het raam om het open te maken. 'Wat krijgen we nou?'

Jo klom naar binnen en sprong van de vensterbank. 'Bel de politie!'

Ze staarden haar alleen maar met open mond aan. Het drong tot haar door dat er niemand in paniek was. Mensen zaten achter hun bureau. De airconditioning stond aan en het plafond was van stevig beton. Ze konden niet horen wat er boven gebeurde.

'Een aanval met vuurwapens bij Waymire & Fong,' zei ze.

'Echt waar?' vroeg een man.

'Nee, ik vind het leuk om in een zwart pakje van een gebouw te abseilen. Bel godverdomme de politie.'

De mannen deinsden achteruit, maar toen hoorde iedereen de jankende sirenes door het open raam.

'Boven zitten mensen in de val. We moeten zorgen dat ze op dezelfde manier als ik naar beneden kunnen komen.'

De kabel lag nog steeds om Jo's heupen en schouders heen. Haar trillende rechterhand was verkrampt en ze kon de kabel niet loslaten.

Boven hen hoorden ze Dana Jean bijna hysterisch roepen. 'Ik kom eraan, dokter, hou het touw vast. O god, hou het touw vast.'

Jo draaide zich om. Buiten sloeg de kabel tegen het glas.

'Nee, niet doen! Wacht!' schreeuwde Jo. 'Lewicki, nee, de kabel zit nog niet vast!'

Het volgende moment kwam Dana Jean voorbijzeilen. Haar ceintuur zat om de kabel heen en ze hield zich vast als Tarzan.

O, shit.

De kabel kwam strak te staan. Omdat Jo hem nog steeds om zich heen had gewikkeld, werd ze abrupt naar het raam getrokken. Automatisch, in een reflex, hield ze hem stevig vast.

Met een klap sloeg ze tegen het raam. Dana Jean kwam met een schok stil te hangen, krijsend als een gillende keukenmeid.

Vier meter onder het raam hing Dana Jean als een banaan in de lucht. Ze zat alleen nog maar met haar ceintuur aan de kabel vast. Wat had ze in vredesnaam gedaan? Had ze de riem aan de kabel vastgegespt en had ze zich hand over hand als Batman langs het gebouw willen laten zakken? Terwijl het ene uiteinde van de kabel aan het dressoir in de vergaderzaal op de vierde verdieping vastzat en het andere uiteinde nog om Jo heen was geslagen, was Dana Jean als een baal rijst naar beneden gevallen en met een ruk tot stilstand gekomen. Met een rood gezicht en een doodsbenauwde blik draaide ze rondjes en maaide ze met haar armen en benen.

Haar gewicht drukte Jo tegen het raam. Als Jo de kabel nu van haar lichaam wikkelde en losliet, vloog het uiteinde het raam uit en had Dana Jean geen houvast meer. Dan zou ze vallen.

Hijgend riep Jo de mannen in het kantoor. 'Help me.'

56

Op Sacramento Street kwam de politie in zwart-witte auto's aanrijden. Een paar agenten renden het Waymire-gebouw binnen. Een agent hield het verkeer tegen terwijl een collega van hem mensen van de straat begon te sturen. Hij zwaaide naar Chennault en wees op de gepantserde auto van Blue Eagle Security.

'U moet uw auto verplaatsen, meneer.'

Chennault wees naar de kantoren van Waymire. 'Agent, kijk.'

Tussen de tweede en derde verdieping hing een jonge vrouw aan een kabel. Ze leek wel een lappenpop die aan het trekkoord van een jaloezie was opgehangen.

'Er is een terroristische aanslag gepleegd,' zei Chennault. 'Ze probeert te ontsnappen.'

De agent stak zijn hand uit naar zijn portofoon.

Chennault wees met nadruk. 'Daar staat een van de terroristen.'

Achter het raam van de derde verdieping was Jo Beckett duidelijk te zien. Haar donkere haren dansten in de wind om haar hoofd. Ze hees het touw waaraan de jonge vrouw hing naar boven.

'Ze probeert haar te vermoorden,' zei Chennault. 'Doe iets.'

De agent zei gejaagd iets in zijn portofoon en wendde zich daarna weer tot Chennault. 'Hebt u verder nog iets gezien?'

Chennault wees op Beckett. 'Ik zag die vrouw op de lift wachten toen ik uit het gebouw kwam. Ze had een medeplichtige. Een lange man van Latijns-Amerikaanse afkomst.'

De agent staarde omhoog naar Beckett. 'Bedankt. En nu wegwezen. Het is hier niet veilig.'

Chennault knikte. Terwijl de agent op een drafje de straat overstak, stapte hij in de gepantserde auto. Natuurlijk geloofden ze hem. Hij was per definitie geloofwaardig – hij droeg het uniform van een beveiliger. Hij startte de zware motor en reed weg.

Terwijl Jo op de derde verdieping door Dana Jeans hangende gewicht tegen het raam werd gedrukt, greep ze de kabel uit alle macht beet.

'Jezus, help me,' schreeuwde ze. 'Pak de kabel en hijs haar omhoog.'

De mannen van het kantoor reikten om Jo heen, leunden uit het raam en grepen de kabel beet. Ze begonnen eraan te trekken. Dana Jean sloeg tegen het gebouw en gilde nog altijd de longen uit haar lijf. Ze klauwde als een rat, greep de richel van het raam van de verdieping onder hen en hees zich erop.

'Pak het uiteinde van de kabel en maak het ergens aan vast,' zei Jo. 'Dan kan ik me losmaken.'

Dat had goddorie maar een haartje gescheeld. Dana Jean had nooit mogen springen. Lewicki had haar moeten tegenhouden. Er rolden boze woorden naar Jo's mond, maar voordat ze iets kon zeggen, verbrijzelde een kogel het raam van de vergaderzaal boven hen. Een van de mannen naast haar draaide zich om en rende weg.

Buiten zwaaide de kabel wild heen en weer – er kwam iemand naar beneden. Jo kon niet zien wie het was, maar Dana Jean wel. Haar blik was gespannen, maar hoopvol. Het was Lewicki. Jo hield de kabel vast om hem houvast te bieden.

Ze hoorde Lewicki's schoenen tegen de wand van het gebouw slaan en hoorde hem hijgen van inspanning. De kabel maaide heen en weer. Zijn voeten kwamen in zicht.

Er werd weer geschoten, deze keer in de buitenlucht. Op de stenen rand dook Dana Jean ineen. Een van de aanvallers leunde uit het raam van de vergaderzaal om op Lewicki te vuren.

'Waar is McFarland?' schreeuwde de schutter.

Het was de man. Jo kon nauwelijks ademhalen – Lewicki kon zich nergens verbergen en had geen enkele kans om het raam van de derde verdieping te bereiken zonder geraakt te worden.

Toch riep hij opmerkelijk kalm: 'Als je ophoudt met schieten, vertel ik het je.'

Even leek het helemaal stil te worden. De aanvaller dacht na over Lewicki's woorden.

Vervolgens klonken er schreeuwende, wanhopige stemmen. De kabel zwiepte heen en weer. Lewicki's benen maakten een schaarbeweging, en hij sloeg tegen het gebouw. De aanvaller schreeuwde. Er vloog een vuurwapen langs het raam.

Het volgende moment zwaaiden beide mannen in beeld. De kabel zat niet meer om Lewicki's lichaam gewikkeld, maar hij greep zich er als een klokkenluider aan vast. De aanvaller, een gespierde man met een plat, doodsbang gezicht, hing met zijn volle gewicht aan de vingers die hij om Lewicki's riem had gehaakt.

Lewicki had de man uit het raam getrokken. Hij had hem naar beneden willen gooien, maar de aanvaller was erin geslaagd om zich aan Lewicki's riem vast te grijpen. Ineengestrengeld draaiden ze rondjes. Lewicki's gezicht was wanhopig. Worstelend met het gewicht van de aanvaller, dat als een zware last aan hem hing, gleed hij langzaam aan de kabel omlaag. Hij vocht om zijn voeten op de richel voor het raam te krijgen.

Zijn ogen vonden die van Jo. Heel even keek hij haar geschokt aan, maar toen leek hij te beseffen dat zij de enige was die hem op de richel kon trekken. Onder zijn angst en gretigheid verscheen er een onpeilbare emotie in zijn ogen.

De aanvaller probeerde over Lewicki's rug omhoog te klimmen. Hij zag eruit als een drenkeling die de badmeester onder water trekt. Jo stak haar arm uit het raam, maar voordat ze Lewicki kon beetpakken, zwaaide de kabel door de verwoede vaart van de aanvaller tegen het gebouw. Lewicki's handen sloegen met een klap tegen het graniet.

De aanvaller greep Lewicki's linkerarm. Door dat onverwachte, extra gewicht schoot Lewicki's linkerhand van de kabel. Lewicki graaide er koortsachtig naar, maar in een flits was het besef in zijn ogen te zien. Zijn rechterhand verloor de grip op de kabel.

Met maaiende armen vielen ze naar beneden.

Dana Jean schreeuwde: 'Nee!'

Jo ademde uit alsof ze een stomp had gekregen en kneep haar ogen stijf dicht.

Dana Jean gilde weer. De kabel trilde. Jo deed haar ogen open. Buiten het raam, vlak voor haar neus, stond een vrouw op de stenen richel.

Ze was bleek en had de verweerde huid van een roker. Haar lippenstift had de kleur van ijs. In de wind wapperde haar witte haar als bliksem rond haar hoofd. Ze was op de allereenvoudigste manier afgedaald, gewoon door naar beneden te glijden. Ze droeg een blauw overhemd van een uniform en had twee vuurwapens in haar riem gepropt. Op het grootste van de twee, vlak voor Jo's ogen, stonden de woorden DESERT EAGLE gesjabloneerd.

'Godsamme.'

Haastig ontworstelde Jo zich aan de kabel. De vrouw dook onder het raam door en sprong van de vensterbank het kantoor in. Ze trok de Desert Eagle uit haar riem.

Jo, de mannen en zelfs de lucht in het vertrek sloegen op de vlucht. Als paniekerige herten denderden ze blindelings door het kantoor. Uit gewoonte renden twee mannen in de richting van de lift. Jo hoorde het metalige geluid van een pistoolslede die naar achteren werd geschoven.

Alle haren op haar hoofd prikten. Ze fixeerde haar blik op het grote rode bord met UITGANG boven de branddeur. Op het moment dat ze door die deur vluchtte, hoorde ze een zwaar pistoolschot achter zich.

De mannen schreeuwden. Als een speer rende ze de trap af. Ze dacht dat ze het niet meer aankon, maar haar benen trokken zich daar niets van aan en bleven hollen.

Buiten stond politie. Dat betekende dat er misschien ook wel politie in de lobby was. Nog drie verdiepingen naar beneden. Bij elke hijgende stap die ze zette, kwamen ze dichterbij.

Boven haar vloog de deur van het trappenhuis met een klap open. Haar wereld leek wit op te lichten. Ze hoorde voetstappen en een rochelende ademhaling. Ze passeerde de tweede verdieping, daarna de eerste, en ze hoorde metaal over beton schrapen toen het wapen van de schutter tegen de muur sloeg. Ze dacht dat ze in haar broek zou plassen.

Ze bereikte de begane grond, gooide de branddeur open en sprintte op haar blote voeten door een veertig meter lange gang naar de marmeren lobby. Ze hoorde een politieman informatie naar zijn collega's schreeuwen. Goddank, o goddank.

'Meerdere schoten afgevuurd. De verdachte is een blanke vrouw met lang bruin haar, gekleed in een zwart pak. Gewapend en uiterst gevaarlijk.'

Wát?

'Ik herhaal, de verdachte heeft in het wilde weg op burgers geschoten.'

Achter haar vloog de deur naar het trappenhuis open. Ze hoorde iemand ademen en rende de lobby in. Daar zag ze overal politie.

'Hé!' riep ze.

Voordat de politiemensen zich konden omdraaien, voordat Jo haar handen kon opheffen om zich over te geven, werd de Desert Eagle met een zware basdreun afgevuurd.

57

De lobby strekte zich uit aan Jo's rechterhand, glanzend en vol echo's. En vol politiemensen. Met wapens. Zodra ze het kabaal van het Desert Eagle-pistool hoorden, doken ze ineen en wierpen ze zich tegen de marmeren muren.

Ze trokken hun wapens, richtten ze op Jo en schreeuwden: 'Halt.'

'Nee. Néé.'

Ze hoorde de slede van het gigantische pistool weer naar achteren gaan. De witharige vrouw liep in de gang achter haar. Ze kwam dichterbij, maar de politie kon haar niet zien.

'Op de grond,' schreeuwden de agenten. 'Nu meteen.'

Als ze stilstond, ging ze dood. 'De schutter loopt in de gang achter me,' krijste ze.

Recht voor haar uit was een zijdeur, een nooduitgang. Het gigantische pistool werd afgevuurd.

De politie vuurde terug. Jo denderde door de zijdeur naar buiten, het zonlicht in, en bleef rennen.

Nondeju. De politie dacht dat zij de slechterik was. Een slechterik, zíj, hoe kon dat nu verdomme...

Ze rende. Binnen klonken nog meer schoten, maar ze durfde niet om te kijken. Als ze dat deed, schoten ze haar neer. Zo gingen die dingen – zo werden agenten in burger doodgeschoten door agenten van de Drug Enforcement Administration, zo lieten Army Rangers hun kameraden per ongeluk in een hinderlaag lopen en zo belandden soldaten door eigen vuur in een kist. 'Friendly fire' werd het zelfs genoemd. Ze zou later alles wel uitleggen. Ze rende door.

Achter haar werd de nooduitgang opengegooid. Ze keek niet over haar schouder.

Gabe speurde de straat af. Hij zag te veel politie. Verderop stond een zwart-witte politieauto overdwars op de weg. Een agent in uniform leidde het verkeer om. Voetgangers en voertuigen mochten niet in de buurt van het Waymire & Fong-gebouw komen.

Hij hield zijn rechterhand op de versnellingspook. Hier was iets grondig mis. Hij keek naar het gebouw. De zijdeuren. De nooduitgang.

Op dat moment zag hij Jo. Ze rende recht op hem af. En ze werd achtervolgd, maar nu niet door een stel verslaggevers. De politie zat haar op de hielen. Renden zij ook weg uit het gebouw? Hij begreep er helemaal niets...

'O, shit.'

'Gabe, doe de deur open,' gilde ze.

Hij deed wat ze vroeg en ze sprong in de auto.

'Rijden,' schreeuwde ze.

Chennault zat honderd meter verderop achter het stuur van de gepantserde auto toen hij politieagenten het gebouw zag bestormen. Waarschijnlijk was er geschoten. Toen zag hij een 4Runner uit een steegje komen, die flink gas gaf en op Sacramento in zijn richting kwam.

Een zwarte 4Runner. 'Nee maar.'

Het was Becketts vriendje, in de suv die hij op tv had gezien – de auto waarvan hij het kenteken had opgeschreven voor het geval het nog eens van pas zou komen. Zoals nu. Wat was hij toch een genie! De 4Runner scheurde langs hem heen. Het vriendje, die eikel van de National Guard, zat achter het stuur. Beckett zat min of meer naast hem en worstelde om het portier dicht te krijgen. Ze draaide zich om en staarde naar het tafereel achter hen.

Chennault belde het alarmnummer.

'Ik sta op Sacramento Street, vlak bij de terroristische aanval.' Zijn stem trilde en klonk paniekerig. 'Een van de terroristen is in een SUV gesprongen en weggereden – een vrouw met lang bruin haar, gekleed in het zwart. Ze zit in een Toyota 4Runner, die wordt bestuurd door een Latijns-Amerikaanse man. Of misschien komt hij wel uit het Midden-Oosten.' Hij grijnsde. 'O god, ze hebben net een vrouw op een zebra geraakt. Ze hebben haar aangereden... Jezus, ze ligt daar op de grond. En de vrouw schiet op voorbijgangers.'

De telefonist stelde hem een vraag. Hij glimlachte en voelde zich een god.

'Ja, ik heb het kenteken.'

Hij gaf het aan de telefonist door, verbrak de verbinding en zette de gepantserde auto in de versnelling.

De 4Runner denderde op de eenrichtingsweg tussen het verkeer door en reed om auto's en bestelwagens heen. Jo ging op haar knieën achterstevoren op de voorstoel zitten. Door de achterruit werd het kantoorgebouw van Waymire & Fong steeds kleiner. Ze had het gevoel dat ze een bliksemafleider had vastgepakt vlak voordat er een bliksemschicht uit de wolken schoot.

Gabe hield het gaspedaal ingedrukt. 'Graag gedaan.'

Bij het gebouw van Waymire stroomde de politie de straat op. Er werden auto's gestart en zwaailichten aangezet.

'Probeer ze kwijt te raken, dan kan ik de politie bellen,' zei ze.

Hij keek in zijn achteruitkijkspiegel. Het uitzicht werd gevuld met uniformen. 'Ik geloof dat je hier een mogelijkheid over het hoofd ziet.'

'Rij naar Grace Cathedral.'

'Jo.'

'En geef me je telefoon.'

Bars liet hij de telefoon met een klap op haar hand belanden. Met hoge snelheid staken ze een kruispunt over. Sacramento werd steiler, het werd minder druk op de weg en de Engelse letters op de verkeersborden veranderden in Chinese. Jo draaide zich om en ging zitten.

'Het advocatenkantoor van Vienna Hicks is aangevallen.' Haar stem begon in de richting van een afgrond te glijden. Ze klemde haar tanden op elkaar om te zorgen dat hij niet over het randje verdween. 'Er wordt straks een aanslag op de president gepleegd.'

Gabe trapte met de kracht van een sloopbal op de rem. Hij draaide aan het stuur en reed naar de stoeprand aan de linkerkant, waarlangs bomen groeiden.

Hij draaide zich opzij en nam Jo's gezicht tussen zijn handen. 'Ben je gewond?'

'Nee.'

'Wat moeten we doen?'

Zijn woorden werden overstemd door het gebrul van een motor. Jo keek in de zijspiegel. Een gepantserde auto doemde op, vulde het beeld en kwam steeds dichterbij.

'Gabe...'

De gepantserde auto schaafde in het voorbijgaan ruw over de zijkant van Gabes auto. De 4Runner werd tegen een rij verkeerspaaltjes aan geduwd en Jo's deur werd ineengedrukt. Het lawaai was oorverdovend. Glas versplinterde. Jo werd tegen het dashboard aan geslingerd.

Verbijsterd stuiterde ze weer terug tegen de leuning van de passagiersstoel.

Door de ontwrichte voorruit zag ze de gepantserde auto vijftig meter verderop stoppen. De achteruitrijlichten gingen aan, de wielen draaiden piepend rond en de auto reed achteruit in hun richting.

'Eruit,' schreeuwde Gabe.

Hij greep haar arm, gooide zijn portier open en trok haar over de versnellingspook in veiligheid. Jo sprong eruit op het moment dat de gepantserde auto met veel geknars tegen de 4Runner aan ramde en de zijspiegel eraf reed. De auto remde. Onder een helm en een donkere zonnebril zag het jongensachtige gezicht van de chauffeur er nijdig uit. Zijn linkerhand zat in blauw gips en kon nauwelijks het stuur vasthouden.

Onder aan de heuvel stroomde de weg vol met sirenes en lampen. Heel even staarde Chennault met een woeste blik naar Jo. Daarna zette hij de gepantserde auto in de versnelling en reed hij met flinke vaart verder over Sacramento. Jo keek over haar schouder naar het orkest van politiesirenes.

'Rennen,' zei ze tegen Gabe.

Ze sprintten het labyrint van straatjes in die samen Chinatown vormden.

Terwijl Chennault optrok, zag hij Beckett en Quintana een steegje in schieten. Hij scheurde met de gepantserde auto van Blue Eagle Security door de straat.

Grace Cathedral stond boven op Nob Hill, achter het park vlak bij het Fairmont Hotel. De trappen van de kathedraal boden uitzicht over het zakendistrict, de diepe baai en de verre heuvels van de Volksrepubliek Berkeley, die binnenkort een woestenij zou worden. Wie zou Berkeley, de daklozen en die ouwe hippies verdedigen?

Op twee straten afstand van de kathedraal was het kruispunt gebarricadeerd door politieauto's. Een agent van Filippijnse afkomst liep naar Chennaults raam.

'De straat is afgezet.'

'Ik ben al laat, en ik moet geld ophalen bij de Wells Fargo op Fillmore.'

'Dan zoekt u maar een andere route.'

'Kom op, man. Tien tellen en ik ben het kruispunt over.'

'Het spijt me. U kunt via Washington Street rijden.'

Chennault voelde zijn zenuwen prikken. Dit was precies de informatie die hij nodig had. En dit aanstellerige buitenlandse agentje zou straks spijt hebben van zijn arrogantie.

Hij reed om via Washington Street en bleef om het afgezette gebied rond de kathedraal heen rijden tot hij een parkeerplaats vond. Zijn borstkas zwol op. Een zijstraat van Sacramento, vlak bij de kathedraal, een plaats waar hij de kerk heel goed kon zien. Hij parkeerde de gepantserde auto met de achterkant naar de kathedraal.

Achter in de auto verwisselde hij zijn uniform van Blue Eagle voor een net overhemd, een jasje en een das. Hij hing zijn gebroken arm weer in de mitella en stopte zijn uitnodiging voor de gedenkdienst in zijn zak. Per slot van rekening stond hij nog dichter bij Tasia dan haar familie. Hij was haar schaduw.

Jo en Gabe renden door een smalle straat met aan de ene kant gebouwen van rode baksteen en aan de andere kant een hekwerk en een speeltuin. Het beton deed pijn aan Jo's blote voeten.

'Niemand weet dat Chennault hier achter zit, behalve K.T. Lewicki en ik,' zei ze. 'En Lewicki...'

Haar stem brak. Weer zag ze hem en zijn aanvaller doodvallen.

'Bel het alarmnummer,' zei Gabe.

'Daar geloven ze me niet.' Ze had zijn telefoon nog. 'Tang.'

Ze ging langzamer lopen, staarde naar de telefoon en probeerde zich het nummer te herinneren. Haar geheugen liet haar in de steek. Gabe haalde de telefoon uit haar trillende vingers en scrolde door zijn telefoonboek. Daarna drukte hij een toets in en gaf hij haar de telefoon terug.

'Tang heeft me een paar maanden geleden haar mobiele nummer gegeven, en ik verwijder nooit politiemensen uit mijn contactenlijst.'

Jo hield de telefoon tegen haar oor. Neem op. Nadat de telefoon vier keer was overgegaan, hoorde ze: 'Tang.'

'Amy, ik heb je hulp nodig. Nu meteen.'

Ze legde alles uit. Ze voelde zich als een klimmer die van een rotswand naar een kloof gleed, een dodelijke val tegemoet. Ze probeerde haar vingers in de wand te drukken om te voorkomen dat ze viel.

'Waar ben je?' vroeg Tang.

'Hang Ah Alley, vlak bij Sacramento.' Ze keek over haar schouder naar de steile heuvel en zag een sierlijk Chinees hek met rode tegels. 'Vlak bij de YMCA.'

'Ik zoek uit wat er aan de hand is en bel je terug,' zei Tang.

'Amy, ik ben op de vlucht voor de politie. Ze denken dat ik een van de slechteriken ben. Ze hebben me onder vuur genomen. Ik heb gerend of de duivel me op de hielen zat.'

'Ik zal ze terugfluiten.'

'Dit is geen precisieaanval. Deze mensen denken dat ze de voorhoede van een revolutie zijn. Ze willen bloedvergieten. Ze willen heel veel schade aanrichten.'

'Waar denk je aan?' vroeg Tang.

'Ga niet op zoek naar een uiterst gedisciplineerde scherpschutter. Ik denk dat Chennault eerder met brute kracht aanvalt. En het interesseert hem niet wie er sneuvelt, als de president er maar bij zit.'

'Ik zie je bij de kathedraal,' zei Tang. 'Ik ben in Chinatown. Ik ben er zo.'

Jo nam afscheid en bleef rennen. Ze renden langs felgekleurde markiezen, compacte Chinese teksten en winkels die door zijden jurken een aura van glorie en keizerrijken uit het verleden kregen. Ze renden langs bejaarde stadsbewoners van Chinese afkomst in Reeboks, katoenen broeken en sweatshirts van de Giants. Toen ze op Clay Street kwamen, keken de voetgangers verbaasd naar hen. Jo's pak was vuil en bedekt met stof en teaksplinters. Haar haar zat in de knoop. Haar blote voeten petsten op het warme trottoir. Haar gezicht vertrok als ze gruis op het beton voelde.

Opeens dook Gabe een winkel op een hoek in. 'Blijf rennen. Ik haal je wel in.'

Buiten adem holde Jo door. Twee minuten later haalde hij haar in en duwde hij een paar goedkope balletschoentjes in haar handen. Ze waren limoengroen met oranje plastic margrietjes, foeilelijk, maar geweldig. Ze propte haar voeten erin.

'Dank je.'

Een politieauto scheurde over de top van Nob Hill met draaiende zwaailichten op hen af. Ze doken een steegje in en Jo leunde met haar rug tegen een bakstenen muur. De auto racete voorbij.

Ze probeerde op adem te komen. 'Ze denken dat ik een moordenaar ben. Een moordenaar die jacht maakt op de president. En nu denken ze dat jij mijn medeplichtige bent. Mijn god.' Haar stem sloeg over. 'Als ze ons arresteren, zullen ze mijn verhaal nooit op tijd geloven.'

'Dan kunnen we alleen maar hopen dat Tang de bloedhonden kan terugfluiten. Zij is de enige die ons kan beschermen.'

Er was geen politie meer te bekennen. Hijgend renden ze de heuvel op.

'Jo, we rennen nu juist naar de president toe. Wat moet de politie daarvan denken?'

Ze gaf geen antwoord. Ze kwamen boven aan de heuvel en zagen de gotische torens en het rozetvenster van Grace Cathedral.

58

Vóór Grace Cathedral was Huntington Park afgezet door de politie. Er waren dranghekken neergezet rond de grijze stenen façade, die een kopie was van de voorkant van de Notre Dame. De politie controleerde iedereen die binnen het kordon wilde komen. Chennault zette een vriendelijke blik op, vermengde hem met een vleugje droefenis en liep naar de controlepost bij de ingang.

Er had zich een menigte verzameld; duizenden kuddedieren. In de verte zag hij tafels waarop gasten die de kerk in gingen hun tassen en jassen neerlegden om ze te laten doorzoeken. Boven aan de trappen van de kathedraal, bij de deuren, controleerde de geheime dienst de uitnodigingen.

Wantrouwige zwarte overhemden die het land in een politiestaat veranderden. Zijn bloed kookte.

Hij moest beslissen waar hij zich zou posteren. Hij had maar weinig tijd. Het nieuws over de aanval op Waymire & Fong zou de geheime dienst zeker bereiken, en als ze hoorden dat daar een apparatsjik van het Witte Huis aanwezig was geweest, zouden ze de president de kerk uit sleuren en hem achter een schild van automatische wapens verbergen.

Met een eerbiedige, gretige blik baande hij zich een weg naar de barricade.

Jo en Gabe kwamen uit op het plein voor het Fairmont. Een grote menigte had zich verzameld achter de dranghekken rond Huntington Park. Aan de andere kant van het park, achter Taylor Street, stonden de deuren van de kathedraal open. Mensen in sobere kleding liepen de trap naar de ingang op.

Jo en Gabe jogden naar het park, langs het chocoladebruine stenen gebouw waarin de Pacific Union Club was gevestigd. Voor het gebouw, op Sproule Lane, stond een rij busjes van nieuwszenders. Camera's op verhogingen wezen over de speeltoestellen en de toppen van de in bonsaistijl gesnoeide bomen naar de trappen van de kathedraal.

Aan de hemel was helemaal niets te zien. Het luchtruim boven San Francisco was gesloten.

Ze zag geen scherpschutters op de daken, maar ze wist dat ze er waren. Ze was ervan overtuigd dat speurhonden iedere centimeter van het park en de kerk al hadden onderzocht op explosieven, maar het was de bedoeling dat de beveiliging discreet aanwezig was. Dit was geen staatsaangelegenheid. De president en de first lady waren op persoonlijke titel bij een privébegrafenis aanwezig.

Ze keek om zich heen. Duizenden mensen. 'Hoe moeten we Chennault hier vinden?'

De telefoon ging. Het was Tang. 'Ik heb via de hiërarchische ladder een waarschuwing omhoog gestuurd, maar het duurt een paar minuten voordat de geheime dienst ervan weet. Ik ben één straat van...'

De verbinding viel weg. Jo belde het nummer opnieuw, maar ze had geen ontvangst meer.

Haar huid prikte. 'Knoeit de geheime dienst met onze gsm-ontvangst als de president in de buurt is?'

'Ze beluisteren alle telefoontjes in een straal van honderd kilometer,' antwoordde Gabe.

'Maar ze sluiten dus geen zendmasten af?'

'Niet dat ik weet. Waarom?'

Ze kreeg kippenvel. 'Vlak voordat het advocatenkantoor werd aangevallen, deden de mobieltjes het niet meer. En het jouwe houdt er nu ook mee op.'

Ze keken elkaar aan. 'Hij is hier,' zei Jo.

'Kom mee.' Gabe pakte haar hand en trok haar door de menigte naar de dranghekken.

De agent die het volgende moment voor hen stond, leek zomaar uit de lucht te zijn gevallen. Hij hield zijn wapen met beide handen vast en richtte de loop op Jo's borstkas.

'Geen beweging,' zei hij.

De controlepost waar genodigden door de politie werden gecheckt en door de dranghekken werden gelaten, bevond zich vlak bij de trappen van de kathedraal. Chennault baande zich een weg ernaartoe. Het was van cruciaal belang dat hij vóór de aanvang van de dienst binnen was. De menigte mensen duwde tegen zijn gebroken arm toen hij zich tussen hen door perste. Hij drukte het gips tegen zijn borst en beschermde de mitella.

De politieman had geen last van trillende handen, en het wapen was strak op Jo's zwaartepunt gericht. Achter zijn sproeten was geen greintje twijfel in zijn ogen te lezen. Jo en Gabe staken hun handen omhoog.

'Op de grond, gezicht naar beneden. Nu. Nu meteen.'

Jo en Gabe lieten zich onmiddellijk op het asfalt vallen. De menigte deinsde achteruit en ze werden omhuld door een luchtbel van stilte.

'Handen achter het hoofd verstrengelen.'

Jo gehoorzaamde en bleef vanuit haar ooghoek naar de agent kijken. Hij boog zijn gezicht naar de portofoon die aan zijn marineblauwe overhemd was vastgemaakt en vroeg om versterking. Zijn wapen bleef op Jo's lichaam gericht. Hij had rood haar en een spleet tussen zijn tanden, en ondanks de vinger om zijn trekker leek hij wel een scoutingwelp.

'Agent, luister,' zei Jo.

'Mond dicht.'

Een andere agent kwam door de menigte aandraven. 'McNamara?'

De welp keek op. 'Bericht via de portofoon – gewapende aanval op een advocatenkantoor in het zakendistrict. Deze twee voldoen aan de beschrijving van de verdachten die ze daar hebben zien vluchten.'

De tweede agent, een slanke man van Filippijnse afkomst, stak zijn hand uit naar zijn handboeien. Opeens bedacht hij zich en staarde hij aandachtig naar Jo. 'Ik heb u vanochtend op het nieuws gezien.'

'Met Edie Wilson,' zei Jo.

Hij wees naar haar en glimlachte. 'Jullie kregen haar zover dat ze in een vuilnisbak kroop.'

'Inderdaad.'

Hij richtte zijn glimlach ook op Gabe. 'En u bent die man van de Air National Guard.'

'Klopt,' zei Gabe.

Een grijns van oor tot oor. 'Ze kreeg een aap zover dat hij als een rodeocowboy op Edie Wilsons hoofd reed. Ze is een adviseur van de politie – een vriendin van de inspecteur. Ze horen bij ons.'

McNamara bleef nog even staan, maar toen liet hij zijn wapen zakken en stopte hij het in de holster. Trillend van de zenuwen stonden Jo en Gabe op.

De Filippijnse agent, Dandoy, vroeg: 'Wat is er aan de hand?'

Jo wees naar de kathedraal. 'Ene Ace Chennault wil een aanslag op de president plegen. Hij heeft een uitnodiging voor de gedenkdienst. Inspecteur Tang is onderweg. Zij en ik kunnen hem aanwijzen.'

Er ging geroezemoes door de menigte. Televisiecamera's draaiden tegelijkertijd dezelfde kant op. In het gedrang zag Jo een stoet auto's voor de kathedraal stoppen.

De bisschop kwam in een geborduurd misgewaad de kathedraal uit. Hij droeg een mijter en had zijn bisschopsstaf in zijn hand. Uit een gepantserde auto stapten een man en een vrouw, gekleed in het zwart, die de trappen van de kathedraal op liepen. Ze werden op de voet gevolgd door agenten van de geheime dienst, die er uiterst waakzaam uitzagen.

'Haal de president hier weg,' zei Jo.

'Begrepen,' zei de welp.

Jo hoorde iemand haar naam roepen. Toen ze zich omdraaide, zag ze dat Tang zich door de menigte naar hen toe wurmde.

'Chennault is hier,' zei Jo. 'Gabes telefoon doet het niet. Volgens mij heeft Chennault een storzender.'

Tang ging op haar tenen staan en probeerde over de hoofden van de menigte naar de kerk te kijken.

'De president en de first lady lopen de trappen op,' zei Gabe. 'Ze worden omringd door mensen van de geheime dienst. De bisschop is net naar buiten gekomen om hen te begroeten.'

Tang knipte met haar vingers naar McNamara en Dandoy. 'Blanke man, blond haar, blauwe ogen, ongeveer een meter tachtig. Bierbuik. Eén arm in blauw gips.' Ze gebaarde met haar hoofd naar de trappen. 'Ik ga die kant op. Agent McNamara, u gaat met mij mee.' Tegen Dandoy zei ze: 'Dokter Beckett weet hoe hij eruitziet. Blijf bij haar.'

'Ik heb hem ook gezien,' zei Gabe.

'Kom mee.'

Tang liet haar penning zien en mocht de dranghekken passeren. Zij, Gabe en de welp liepen in de richting van de kerk. Jo's blik dwaalde over het park en het overvolle plein, dat werd omzoomd door hoge appartementengebouwen en het Mark Hopkins Hotel. Er waren wel honderd ramen waarachter een huurmoordenaar zich kon verschuilen om de trappen van de kerk onder schot te nemen. Hoe groot was de kans dat ze Chennault zag?

De patrouillewagen van McNamara stond vlakbij. Ze klom op de motorkap en klauterde naar het dak.

Daar maakte ze een draai van driehonderdzestig graden. Tang, Gabe en McNamara liepen door het park naar de kathedraal en lieten hun blik over de menigte dwalen. Bij de deuren van de kathedraal stonden president Robert McFarland en zijn vrouw, Sandy, met de bisschop te praten. De geheime dienst keek zwijgend en waakzaam uit over het park.

Er ging weer geroezemoes door de menigte. Er stopte een zwarte limousine voor de kathedraal. Televisiecamera's werden gedraaid. De chauffeur van de limo opende het achterportier voor Vienna Hicks. Terwijl ze de trappen van de kathedraal op liep, wapperde haar kamerjas waardig en eenzaam in de wind. De bisschop excuseerde zich bij de president en liep de trap af om haar te begroeten.

Achter de limo arriveerde de glanzende, statige lijkwagen, die recht voor de kathedraal werd geparkeerd. Vienna bleef midden op de trappen staan, met de bisschop naast zich.

In de menigte, vlak bij de controlepost, zag Jo iets bewegen. Een blauwe rechthoek.

'Is dat...'

Het was een blauwe lap, een seinvlag in een zee van kleuren bij de dranghekken voor de trappen. Het ene moment zag ze hem, het volgende moment niet meer. Tang en McNamara liepen er vlak langs.

Was het Chennault? Een vlaag wind wervelde om Jo heen en tilde haar haren van haar nek. De bries bracht muziek mee, een melodie die uit het orgel van de kathedraal vloeide.

Chennault kon niet verder. Zes meter van de controlepost die hem
toegang tot de kerk zou verschaffen, drukten de mensen elkaar tegen de dranghekken aan. Hij kon er niet langs. Plan B verbrokkel-
de voor zijn ogen.

En op de trappen van de kerk zag hij hem staan. Legioen. Omringd door zijn bullenbijters, vlak voor zijn neus.

Hij stak zijn hand in de mitella.

De begrafenisondernemer liep plechtig naar de achterkant van de
lijkwagen en maakte het portier open.

Bij de deuren van de kathedraal stonden vijf sombere mannen. Het
drong tot Jo door dat dat de baardragers waren. Ze kreeg een dikke
keel toen haar gedachten afdwaalden naar K.T. Lewicki. Het volgende moment zag ze Vienna met de bisschop praten. De president was
in de deuropening van de kerk blijven staan om haar te begroeten.
Vienna liep naar hem toe.

Jezus, zou ze hem vragen om de zesde baardrager te zijn?

In een flits zag Jo weer een blauwe vlek. Ze hield haar hand boven haar ogen tegen de zon, als Sacajawea die de horizon afspeurde.
In haar ooghoek zag ze opeens een fel licht. Achter de kathedraal,
achter de menigte, reflecteerde een zilverkleurig oppervlak het zonlicht.

In een zijstraat stond de gepantserde auto van Blue Eagle Security geparkeerd.

Dichterbij, tegen de dranghekken gedrukt, zag ze opeens weer de
blauwe rechthoek. De vlek bleef nu in beeld. Het was een mitella
om de arm van een man die worstelde om de controlepost te bereiken.

'Daar staat hij,' zei Jo.

'Waar?' vroeg Dandoy.

Ze wees. 'Bij de dranghekken. Drie meter achter inspecteur Tang.'

De Filippijnse agent klom met zijn portofoon tegen zijn oor over
het dranghek.

Jezus. Jo zette haar handen als een megafoon aan haar mond. 'Tang.'

Tang, de welp en Gabe hadden zich verspreid en hoorden haar niet. Vienna en de bisschop liepen verder de trap af.

Jo hoorde een piep. Ze keek naar beneden. Gabes telefoon was zojuist geactiveerd.

Betekende dat dat Chennault inmiddels te ver weg was om de ontvangst te storen?

Nee. Chennault was niet van zijn plaats gekomen. Het betekende iets anders.

De wind fluisterde weer. De geluiden van het kerkorgel wervelden weer over Jo heen. 'Amazing Grace' werd gespeeld.

Chennault staarde over het plein. Keek hij naar de gepantserde auto?

Hij stond honderd meter van haar af. Door de grote menigte zou ze nooit op tijd bij hem zijn. Ze zou zelfs niet zo dichtbij kunnen komen dat ze Tang op tijd kon waarschuwen.

'Gabe,' gilde ze.

Hij draaide zich om.

Achter hem, tussen de mensen bij de dranghekken, staarde Chennault over het plein. Maar hij staarde niet naar de gepantserde auto. Hij staarde naar de lijkwagen. De begrafenisondernemer legde een gigantisch bloemstuk met witte rozen en lelies op Tasia's kist. Het stuk, dat wel een bruidsjurk van bloemen leek, was ruim een halve meter hoog.

Chennault was naar het mortuarium gegaan om Tasia de laatste eer te bewijzen. 'Die goeiige sul Ace Chennault heeft de begrafenisondernemer een uur lang met de bloemstukken geholpen,' had Vienna gezegd.

'O god,' zei Jo.

De gepantserde auto diende alleen maar om de aandacht af te leiden.

Vienna liep met de bisschop en vijf baardragers de trappen af. Drie meter achter haar liep Robert McFarland, omringd door agenten van de geheime dienst.

Halverwege het park stond Gabe naar haar te kijken.

Ze kon zeggen dat hij terug moest komen. Ze kon hem met een armgebaar naar zich toe halen.

Chennault stond achter hem tussen de mensen. Tang en agent Mc-Namara waren Chennault inmiddels voorbijgelopen. Amy had Chennault over het hoofd gezien. Ze liep met de jonge agent naar de trappen van de kathedraal. Naar de lijkwagen.

Gabe keek naar Jo. Tang was zo ver weg dat ze Jo niet kon horen. Dat gold ook voor Vienna, de bisschop, de baardragers, de geheime dienst en de president.

Jo's mond ging open. Ze kon Gabe waarschuwen dat hij terug moest komen, dat hij naar haar toe moest rennen.

Haar hart leek stil te staan en haar te smeken de woorden uit te spreken, maar toen zette ze haar handen aan haar mond en schreeuwde ze: 'Gabe, Chennault staat achter je. Waarschuw de president.'

Ze wees.

Gabe draaide zich naar de kerk en zag McFarland, Tang en alle anderen in de buurt van de lijkwagen staan. Een agent van de geheime dienst hield zijn vinger aan zijn oor. Gabe rende naar de president en schreeuwde: 'Ga daar weg. Zoek dekking.'

Chennault stak zijn hand in de mitella en haalde er een mobiele telefoon uit.

Gabe wierp zich op de trappen. Chennault drukte een toets in. Hij liet de telefoon vallen, stak zijn hand nogmaals in de mitella en haalde er een vuurwapen uit.

De bom in de bloemen ontplofte.

59

De lijkwagen kreeg de volle laag, vloog de lucht in en maakte een salto. De benzinetank explodeerde. Jo's hele blikveld werd gevuld met oranje vlammen.

Boven op de politieauto voelde ze de schokgolf als een muur van druk op zich afkomen. De krachtige luchtdruk duwde haar hard achteruit. Haar oren ploppten.

Daarna kwamen het kabaal en de hitte. Ze wierp zich op het dak van de patrouillewagen.

Mensen gilden en sloegen op de vlucht. Het plein veranderde in een mengeling van gegil en geweerschoten.

Jo rolde van het dak van de patrouillewagen en spurtte in de richting van de explosie.

De geheime dienst rende met getrokken wapens de trappen van de kathedraal af. Televisieploegen holden alle kanten op. Sommige waren op zoek naar een schuilplaats, andere filmden mensen die langs hen heen een veilig heenkomen zochten. Jo rende door de menigte terwijl de mensen gillend en in golven op haar af kwamen. Vaders tilden hun kinderen op en sprintten weg van de rondvliegende kogels.

De hitte van het vuur bereikte haar gezicht. De lijkwagen lag op zijn kop op de trappen van de kathedraal, brandend als een raket.

In de verte, achter de kathedraal, schitterde het zonlicht op de ramen van twee wegscheurende regeringsauto's. De president had kunnen ontsnappen.

De eerste persoon die Jo zag, was Vienna. Ze lag met haar gezicht naar beneden op straat, helemaal onder het bloed. Haar kleren rookten. De bisschop lag vlakbij en kroop naar haar toe. Hij trok zijn misgewaad over zijn hoofd en probeerde het als een deken over Vienna heen te gooien, maar twee meter voor haar zakte hij in elkaar.

Jo greep het gewaad en gooide het over Vienna heen. Vienna's jas was verbrand, haar laarzen waren verschroeid, haar rode haar was zwart geworden. Ze bewoog haar vingers.

Het gegil ging door. Het plein stroomde leeg. Jo zag met een half oog dat de geheime dienst en de politie samenkwamen op de plaats bij de dranghekken waar Chennault had gestaan. Ze registreerde gespreide voeten, gebogen benen, een met bloed bedekte hand. Ze keek niet naar de rest. De agenten liepen naar Chennault en schopten zijn wapen weg.

Vienna kreunde.

'Stilliggen,' zei Jo.

Vienna hoestte. 'God.'

Jo's handen trilden. Vienna rolde zich om en ging rechtop zitten. Ze staarde met een vreemde blik naar Jo, stak haar hand uit en tikte op Jo's arm. Jo keek ernaar. Alle vingers van Vienna waren gebroken.

'Is iedereen ongedeerd?' vroeg Vienna.

Voorzichtig trok Jo Vienna's smeulende jas van haar af. 'Stilzitten.'

'Oké.' Vienna knipperde met haar ogen. 'Jezusmina.'

Jo voelde haar de pols. Haar hartslag deed denken aan een op hol geslagen trein, maar was wel krachtig. Ze ademde normaal. Haar ogen waren helder.

'Vleugels...' zei ze. 'Tuiten. Ik kan je niet horen.'

Er verscheen ambulancepersoneel op het plein. Natuurlijk hadden ze al klaargestaan – de president was aanwezig geweest. Jo riep hen.

Weer zag ze de agenten van de geheime dienst rond Chennault staan. Deze keer zag ze per ongeluk toch zijn bovenlichaam. Het zag eruit als een pop die met vlees en bloed en doeken was gevuld en daarna met een haaknaald was opengerukt.

Een verpleegkundige rende naar haar toe.

'Help mevrouw Hicks,' zei Jo.

De verpleegkundige zette haar tas met spullen neer en ging aan het werk. Jo keek het plein rond. Achter het lichaam van Chennault, tegen het dranghek, zag ze Gabe. Hij zat met hangend hoofd op handen en knieën over Tang heen gebogen.

Jo kneep in Vienna's schouder. 'Wat is er?' vroeg Vienna.

Jo's gezichtsveld kneep samen en werd aan de randen grijs. Tang lag half op de grond, half tegen het dranghek, en ze keek Gabe met ontzetting in haar ogen aan.

Vienna zag het. Met haar gebroken vingers raakte ze Jo's hand aan. 'Ga er maar naartoe,' zei ze.

Jo hield haar vast en bekeek haar letsel.

'Waag het niet om voor me te zingen,' zei Vienna. 'Ik ga nog niet dood. Ga naar uw vrienden.'

De verpleegkundige keek naar Jo en knikte.

Jo krabbelde overeind en rende naar Tang. Amy klemde zich vast aan Gabes overhemd. Bloed bedekte haar borstkas en hals en omhulde haar armen als lange handschoenen.

Jo sprong over een stuk van de lijkwagen heen, een as waar nog een brandende band aan vastzat. Tang hield Gabes overhemd vast en zei iets onhoorbaars tegen hem. Haar gezicht was vertrokken van de pijn.

'Amy.' Jo viel naast Tang op haar knieën.

Terwijl Tang zich aan Gabes overhemd vastklemde alsof het kledingstuk het leven zelf was, keek ze naar Jo. 'Help.'

Jo draaide zich om en schreeuwde: 'Verpleegkundige!'

Tang greep haar arm beet. Haar hand was warm en nat en had de kracht van een bankschroef.

'Waar ben je geraakt?' vroeg Jo.

Tang deed haar mond open en schudde haar hoofd. Jo streek met haar handen over Tangs borstkas en zocht naar de wond.

Tang kneep in Jo's hand. 'Ik niet.'

Jo scheurde Tangs bloes open. 'Hou vol, Amy.'

Tang keek naar Gabe. Jo hield abrupt haar handen stil.

Tang greep Gabes overhemd beet, maar niet van de pijn. Ze hield hem overeind. Ze drukte haar handpalm tegen zijn borst. Jo keek naar hem. Hij beefde. Terwijl ze naar hem keek, zakte hij naast Tang in elkaar. Toen hij omviel, zag Jo de wond. Hij was degene die was neergeschoten.

60

De claxon in Jo's hoofd overstemde alle andere geluiden. Ze zwaaide met haar armen boven haar hoofd naar de verpleegkundigen en schreeuwde: 'Help!' De claxon verzwolg het woord, ze hoorde niets, maar de verpleegkundigen keken op. Tang ging op haar knieën zitten en duwde met haar handen op Gabes ribben. Ze zat aan hem vastgeplakt. Ze wilde hem niet loslaten.

Jo bleef zwaaien. 'Kogelwond in de borst.'

De verpleegkundigen grepen hun tassen en renden tussen vettige zwarte rook, geweerlopen en zwaailichten door naar hen toe.

Tang bracht haar gezicht naar dat van Gabe. Haar lippen bewogen. Het was alsof ze haar eigen levenskracht bij hem naar binnen probeerde te duwen.

Gabe keek naar haar lippen. Daarna gleed zijn blik naar Jo.

Het geluid verdween uit Jo's oren. Ze hoorde Tang steeds maar herhalen: 'Je hebt me gered.'

Jo probeerde de wond te bekijken. Ze zag alleen maar bloed en had slechts een vaag idee hoe groot de uitgangswond was. In haar hoofd begon het lawaai weer, een hoog, hard, eentonig gegil.

Gabe knipperde met zijn ogen. Het was alsof hij haar vanaf de verkeerde kant van een periscoop bekeek. Zijn vingers kropen over het vuile asfalt om haar arm aan te raken. Ook al lag hij plat op zijn rug, Jo had het gevoel dat hij haar vanaf grote hoogte bekeek.

'Je hebt me gered, Quintana,' zei Tang.

De verpleegkundigen kwamen aanrennen. Tang beefde, maar ze bleef haar mantra herhalen.

Jo legde een hand op haar schouder. 'Laat hem los.'

Tang duwde haar hand op Gabes borst. 'Je hebt me gered.'

'Amy, laat hem los,' zei Jo.

'Mevrouw, laat ons ons werk doen,' zei de verpleegkundige.

Tang keek op en staarde naar haar eigen armen alsof ze van iemand anders waren. Eindelijk haalde ze haar handen van Gabes borst. De verpleegkundigen knipten zijn overhemd open en gingen aan het werk.

Hij leek uit te rafelen, alsof er een draad was losgetrokken. Hij had het volgehouden, of Tang had hem hier gehouden, tot de verpleegkundigen arriveerden. De pijn in zijn ogen was intens, maar leek hem niet te verbazen. Hij deed zijn ogen dicht.

Jo zette haar handen aan weerszijden van zijn gezicht. 'Nee.'

Hij deed zijn ogen open.

'Je bent hier,' zei ze. 'Nergens anders. Luister.'

Hij knipperde met zijn ogen en probeerde haar scherp in beeld te krijgen.

'Je moet hier blijven,' zei ze. 'Sophie is hier. Je moet blijven.' Het hoge, eentonige geluid werd luider. 'Ik ben hier.'

Zijn mond bewoog, maar er kwam geen geluid uit. De verpleegkundigen waren gejaagd aan het werk en trokken spullen uit hun tassen. Een van hen vroeg via haar portofoon om een traumahelikopter.

Jo boog zich voorover en drukte haar handen op Gabes gezicht. Met haar indringende blik probeerde ze te voorkomen dat hij zijn ogen dichtdeed.

'Keer je af van het licht, Quintana, en kijk naar mij. Het is je tijd nog niet. Ik hou van je.'

Ze had geen idee of hij haar had gehoord.

De lijken lagen nog urenlang op straat en op de trappen van de kathedraal, terwijl overheidsinstanties foto's namen en teams van de technische recherche in spookachtige witte pakken tussen de lichamen door liepen en zorgvuldig hun werk deden. De helikopters van de nieuwszenders cirkelden als roofzuchtige barracuda's in de verte en mochten niet dichterbij komen, maar opnames vanuit kikkerperspectief waren duidelijk genoeg om de wereld Chennaults daad te tonen. Zijn coda.

In de wachtruimte van het San Francisco General Hospital keek Jo naar het nieuws. Vienna Hicks werd geopereerd. Er zaten scherven in haar rug en ze had tweedegraadsverbrandingen, maar haar toestand was stabiel.

Tang trof Jo aan bij de televisie en gaf haar een kop koffie. 'Wie is er bij Sophie?'

'Gabes ouders,' antwoordde Jo.

Tang wierp een korte blik op het scherm en draaide haar rug naar de televisie. Ze wreef over haar bovenarmen. 'Gabe riep dat we dekking moesten zoeken.'

'Ik weet het.'

'Zag jij Chennault als eerste?'

'Ja. De mitella.'

'En probeerde je ons te waarschuwen?'

Jo knikte. 'Jullie hoorden me niet. Gabe wel.'

'De geheime dienst hoorde hem en trok McFarland weg. Gabe duwde agent McNamara en mij op de grond. Hij wierp zich op mij en werd geraakt.'

Jo zweeg. Wat moest ze zeggen?

'Ze hebben Chennaults schuilplaats gevonden. Hij had dit spektakel via zijn computer gepland. Hij werkte samen met de man en de vrouw die het advocatenkantoor hebben aangevallen,' vertelde Tang. 'Zij zijn allebei dood. Politieagenten hebben de vrouw doodgeschoten toen ze in de lobby het vuur op hen opende.'

Jo had het gevoel dat de stromingen in deze zaak te diep en te krachtig waren. Als ze zich er eenmaal toe kon zetten om zich te concentreren, moest ze een aantal verontrustende puzzelstukjes samenvoegen. Ze moest doorgronden wat er tijdens de aanval op het advocatenkantoor was gebeurd.

Ze wreef over haar voorhoofd. 'Ik heb Howell Waymire gesproken, de eigenaar van het advocatenkantoor, nadat ze hem op de spoedeisende hulp hadden gestabiliseerd. Hij vertelde me iets wat me... nogal dwarszit.'

'Wat dan?'

Jo schudde haar hoofd. 'Een andere keer.'

Tang hief haar handen op om zonder woorden 'mij best' te zeggen. 'Chennault had een aantal carrières. Hij heeft kort in het leger gezeten en heeft daarna als verzekeringsagent gewerkt voordat hij journalist werd. Zijn specialiteit was brandstichting. En dan bedoel ik niet alleen onderzoek ernaar. Hij was een zeer bedreven brandstichter.'

'Had hij daar zijn kennis van explosieven vandaan?'

Jo's stem klonk vlak. Ze kon er geen enkele intonatie in aanbrengen. Het kon haar niet schelen.

'Ik durf er een jaarsalaris onder te verwedden dat hij de bom van zijn medeplichtige had gekregen. Die Keyes had in het leger gezeten en was huurling geweest. We zijn aan het uitzoeken hoe ze elkaar precies hebben gevonden.'

Tang klemde haar armen nog dichter om zich heen. Ze zag eruit alsof ze een onzichtbare dwangbuis droeg. 'Chennault was een professionele politieke afperser. Hij bedreigde graag mensen door hun kantoor of een school van een familielid plat te branden. Daarna stuurde hij hun zijn visitekaartje – een luciferboekje.'

'Heeft hij die luciferboekjes naar Tasia en Noel Michael Petty gestuurd?'

'Ja.'

Jo knikte. 'Bekijk de opnames van de bewakingscamera's in het honkbalstadion nog eens. Ik weet zeker dat je Chennault voor de skybox zult zien,' zei ze.

'Ben je ervan overtuigd dat hij Tasia heeft vermoord?'

Aan het einde van de gang gingen dubbele deuren open. Een chirurg in operatiekleding en met een mondkapje kwam naar buiten.

Hij keek om zich heen. 'Waar is de zus van meneer Quintana?'

Jo's zenuwen stuwden naar overdrive. Vonken vloeiden als water over haar armen. 'Die is koffie gaan halen.'

'Gabe is naar de verkoeverkamer,' vertelde de chirurg. 'Zijn toestand is stabiel. We houden hem vannacht op de intensive care, maar nu moeten we zijn lichaam rust geven en zorgen dat hij al zijn reserves kan bundelen.' Hij wreef over zijn nek en rekte zich uit. 'Hij is jong, hij is sterk en hij bleef bij bewustzijn tot we hem onder narcose brachten. Hij heeft veel vechtlust in zich, en veel energie om mee te vechten.'

Het hele ziekenhuis leek lichter te worden, alsof alle lampen in een Disneylandparade aangingen.

De chirurg wendde zich tot Tang. 'Ik hoorde dat u ondanks de schietpartij en een explosie druk op de wond bent blijven uitoefenen.'

Tang haalde haar schouders op.

'Dat hebt u goed gedaan. Als u ooit op de spoedeisende hulp wilt werken, belt u me maar.'

'Ik kan niet tegen bloed,' zei Tang. 'Ik werk nog liever als menselijke kanonskogel.'

Hij lachte, gaf haar een klap op haar schouder en ging weg.

Jo zag alles door een tunnel die inmiddels geen grijze randen meer had, maar barstte van de kleuren. Ze probeerde de adem die ze had ingehouden uit te blazen, maar dat lukte niet.

De deur was niet dichtgewaaid. De stroom had hem niet meegesleurd. Gabe verdween niet in de duisternis.

Ze geloofde niet dat gebeden magische kracht hadden, of dat het ankers waren die konden voorkomen dat mensen het dodenrijk in gleden. Daarom had ze niet gebeden, maar nu leunde ze met haar voorhoofd tegen de muur. Ze voelde het koele pleisterwerk en deed haar ogen dicht.

Sla die deur dicht, zei ze tegen het universum. Doe hem op slot, gooi de sleutel weg en hou hem potdicht tot Sophie kleinkinderen heeft. Totdat Gabe zelf aanklopt en zegt dat het tijd is.

Tang stond midden in de wachtruimte, klein en eenzaam. Zwijgend draaide ze zich om en ging ze weg. Na een paar tellen ging Jo achter haar aan. Toen ze de hoek om liep, struikelde ze bijna.

Tang zat met haar handen voor haar gezicht ineengedoken tegen de muur. Jo bleef op een afstandje. Tang zoog haar longen vol lucht.

Jo ging naast haar zitten. Amy Tang, die haar best deed om niemand over de doornstruiken te laten kijken, die iedereen de indruk wilde geven dat ze uit spijkers en teer bestond, wilde haar niet aankijken. Voor haar was er maar één ding erger dan pijn, en dat was pijn aan de buitenwereld tonen. Het was al helemaal uitgesloten dat ze zich door iemand liet troosten.

'Ik ben van streek door die inval bij mijn ouders,' zei ze.

'Ik ben van streek omdat de Giants van de Cubs hebben verloren,' zei Jo. 'Ik denk dat ik nu beter niet alleen kan zijn.'

Tang liet haar hoofd zakken. Jo boog zich dicht naar haar toe.

'Je hebt het fantastisch gedaan, Amy. Je bent mijn heldin.'

Een paar tellen lang slaagde Tang erin om roerloos te blijven zitten, maar toen begonnen haar schouders te schokken. Ze duwde haar vuisten tegen haar ogen en liet een gierende snik horen.

'Als je dit aan iemand vertelt, ruk ik je tong met een nijptang uit je mond.'

Jo sloeg een arm om haar schouder. 'Ik zou het niet anders willen.'

61

De volgende ochtend liep Jo door de gang van het ziekenhuis naar Gabes kamer. De gang was stil en werd helder verlicht door de zon. Toen ze de deur naderde, zag ze de wonderlijke politietweeling Bohr en Dart naar buiten komen.

Darts hand ging naar zijn borst om zijn das glad te strijken, maar hij droeg er geen. Bohr glimlachte.

Hij leek er menselijk door. 'Dokter.'

'Heren.'

'De politie wilde sergeant Quintana bedanken voor wat hij gisteren heeft gedaan.' Met zijn vingers tikte hij tegen zijn kaalgeschoren hoofd. 'En u ook.'

'Dank u.'

'Hebt u uw psychologische autopsierapport al ingeleverd?' vroeg Dart.

'Maandag.'

'Ik neem aan dat u tot de conclusie zult komen dat Tasia McFarland is vermoord.'

'Als ik kijk naar het bewijsmateriaal dat ik heb gezien, kom ik tot de conclusie dat mevrouw McFarland ten tijde van haar dood voor haar leven vreesde en dolgraag in leven wilde blijven. Ze was niet suïcidaal. En ze had goede redenen om aan te nemen dat Ace Chennault haar wilde vermoorden.'

'Chennault heeft haar gedood,' zei Bohr.

Ze keek hem peinzend aan. 'U hebt hem gevonden op de beelden van de bewakingscamera's, hè?'

'Met een capuchon en een zonnebril op, maar we denken dat hij het is. De gang voor de skybox van het stuntteam staat vol mensen, maar hij loopt vier keer door het beeld. Vervolgens komt de stuntcoördinator naar buiten rennen met de mededeling dat de beveiligers via het balkon van de aangrenzende skybox naar Tasia toe moeten. De beveiligers rennen naar de volgende skybox en in de verwarring duikt Chennault achter hen aan.'

'Hij is hen rechtstreeks naar het balkon gevolgd en heeft Tasia in de chaos beetgegrepen. Hij heeft het pistool tegen haar nek gedrukt en de trekker overgehaald,' zei Jo.

Bohr knikte.

'Hij heeft bij zijn aanval handig gebruikgemaakt van de omstandigheden,' zei ze. 'Maar we weten dus nog steeds niet of Tasia wist dat de colt .45 geladen was.'

Bohr kon een voldaan glimlachje niet onderdrukken. 'Herinnert u zich de man die het wapen wist te bemachtigen toen het in het publiek viel? We hebben nog een babbeltje met hem gemaakt. En ja hoor, opeens begon hij uit een ander vaatje te tappen,' vertelde hij. 'Hij bleek thuis een la vol patronen te hebben. Hij had ze uit het wapen gehaald voordat hij het bij ons inleverde. Toen haar dood onderdeel bleek te zijn van een complot om de president te vermoorden, leek het hem te riskant om ze als souvenir te bewaren.'

'Tasia had het wapen geladen om zich te beschermen,' zei Jo. 'Dat had dus een averechtse uitwerking.'

Ze waren alle drie even stil.

'Gisteravond is er een lang stuk van Tom Paine op internet verschenen,' vertelde Bohr. 'Het was al eerder geschreven en zo geprogrammeerd dat het automatisch online werd gezet. Paine zegt dat Tasia de goede zaak had verraden en het lot van collaborateurs over de hele wereld had ondergaan.'

'Hij eist de verantwoordelijkheid op voor de aanslag tijdens de gedenkdienst,' zei Dart. 'Hij houdt het vaag, want hij wist natuurlijk nog niet zeker of hij de president zou doden. Maar dat was duidelijk wel zijn bedoeling. Het is een oorlogsverklaring.'

'Ongelooflijk,' zei Jo. 'Blijf graven. Volgens mij stuiten jullie dan op zijn overtuiging dat hij was voorbestemd om het politieke landschap in Amerika met geweld te hervormen.'

'Bescheiden mannetje,' zei Dart.

De omschrijving die bij Jo opkwam, was 'paranoïde narcist met grootheidswaanzin'.

'We zijn nog bezig met het bestuderen van zijn computerbestanden. Hij had dossiers over zijn medeplichtigen, Keyes en Ivory Petty. Hij wist dat Petty de identiteit van haar zus gebruikte.'

'Dus alles wat hij over Noel Michael Petty wist, had hij van Ivory gehoord,' zei Jo.

Bohr knikte. 'Hij wist dat Noel een knettergekke, geobsedeerde fan van Searle Lecroix was. Hij schreef haar de e-mails waarin hij zich uitgaf voor Lecroix. We denken dat hij haar ook reisgeld en concertkaartjes heeft gestuurd.'

'Hij heeft haar in de val laten lopen. Ze was een zondebok die in de coulissen klaarstond,' zei Jo.

'Volgens Amy Tang hebt u ontdekt dat Chennault Tasia heeft gebruikt om toegang te krijgen tot de president.'

Jo knikte. 'De aanwijzingen waren terug te vinden in haar muziek. Chennault had haar zorgvuldig voorbereid. Hij wist zich naar binnen te wurmen in haar entourage en kreeg haar zover dat ze hem als ghostwriter aanstelde. Hij haalde haar over om de geheime afspraak met McFarland te maken.' Ze zweeg even. 'Misschien weet u het antwoord op deze vraag. In "The Liar's Lullaby" zingt ze: "*Unlock the door, he dies in shame.*" Open de deur, hij sterft in schande. Weet u waar dat naar zou kunnen verwijzen?'

Bohrs blik was peinzend. 'Uit Tasia's creditcardafschrijvingen blijkt dat ze die avond in Reston twee kamers met een tussendeur had gereserveerd in het Hyatt.'

'Chennault verborg zich in de tweede kamer,' zei Jo. 'Het was de bedoeling dat ze de deur van het slot zou halen en hem zou binnenlaten. Wist ze wat hij van plan was?'

Dart bromde. 'Ze wist het niet van tevoren, maar die avond moet het kwartje zijn gevallen. Op een of andere manier moet ze hebben ontdekt dat hij kwaad in de zin had, en daarom sloot ze hem buiten.'

Jo zei: 'Chennault dacht dat hij hen die avond allebei kon vermoorden. Hij dacht dat hij Tasia de schuld in de schoenen kon schuiven en zelf buiten schot kon blijven.'

Beide mannen keken haar aan. Het klonk aannemelijk, maar ze hadden allemaal het gevoel dat er iets ontbrak.

'Maar waarom heeft Tasia de president niet gewaarschuwd toen ze van gedachten veranderde?' Jo keek van Dart naar Bohr en weer terug. 'Chanteerde Chennault haar soms?'

Bohr trok een wenkbrauw op. Ja dus. 'Hij had zijn gesprekken met Tasia in het geheim opgenomen.'

'Dat verbaast me niet, want hij nam alles op,' zei Jo. 'Zijn gesprekken met mij ook.'

'Hij had een luide, duidelijke verklaring van haar dat ze de colt .45 mee naar de afspraak zou nemen om te zorgen dat McFarland met haar zou praten. Als McFarland aarzelde, zou ze met zelfmoord dreigen. Ze zou hem "dwingen om een verklaring af te leggen" omdat ze iets wilde "afsluiten".'

'Afsluiten. Juist. Haar eigen leven en dat van de president zouden worden afgesloten.'

'Chennault maakte haar wijs dat ze wegens samenzwering gearresteerd zou worden als ze ooit iets over het wapen vertelde, of over het feit dat hij zich in de aangrenzende kamer bevond. Hij zei dat ze dan de rest van haar leven in een gevangenis of een psychiatrische inrichting voor gestoorde criminelen zou doorbrengen.'

'Waarschijnlijk had hij nog gelijk ook. Jezus.' Jo haalde een hand door haar haren. 'Tasia was doodsbang, dus ze hield haar mond. Maar ze wist dat Chennault nog niet klaar met haar was. Daarom schreef ze die nummers en nam ze haar "als je dit hoort, ben ik dood"-boodschap op.'

'Klinkt logisch,' zei Dart.

'Niet helemaal.' Er bekroop haar een bepaalde onzekerheid. 'Chennault was een extremist, maar hij was ook een professional. Hij verdiende geld met intimidatie. Ik kan me haast niet voorstellen dat hij dit in zijn eentje heeft bedacht en bereid was zijn leven ervoor op te offeren.'

Dart en Bohr zeiden niets.

'Hebben jullie al gekeken wat Chennault in Hoback, Wyoming te zoeken had? Wat is daar in de buurt?'

Beide mannen zwegen.

'En Chennault had dossiers over rechts-extremisten, onder wie een ex-huurling die voor een particulier militair bedrijf had gewerkt. Blijkbaar stuurde hij reisgeld en concertkaartjes naar Noel Petty. Hoe kwam hij aan die informatie? En waar haalde hij het geld vandaan?'

De mannen bleven haar het antwoord schuldig.

'Hij had te veel officiële informatie over Keyes en Ivory. Volgens mij kreeg hij geheime inlichtingen van een insider bij de regering.'

Ze bleven haar zwijgend aanstaren.

'Wie heeft hem ingehuurd?' vroeg Jo.

Dart streek weer zijn niet-aanwezige das glad. 'Die vraag, dokter Beckett, hoort thuis in het rijk der samenzweringstheorieën.'

Jo's glimlach was zuur en verhit. 'Met andere woorden, u zult er nooit antwoord op geven.'

Dart haalde zijn schouders op en begon over iets anders. 'Edie Wilson heeft mijn kantoor gebeld. Ze wil een interview.'

Jo knipperde met haar ogen. 'Met mij?' Ze begon te giechelen. Ze bedekte haar mond met de rug van haar hand en maakte een snuivend geluid. 'Nee.' Ze barstte in lachen uit en kon niet meer ophouden tot de verpleegkundigen achter de balie gebaarden dat ze stil moest zijn. Ze moest haar ogen met de muizen van haar handen afvegen. 'Bedankt. Ik heb me de hele week nog niet zo prettig gevoeld.'

Bohr stak zijn hand uit. 'U hoort van ons als we nog iets vinden.'

Toen ze wegliepen, zagen ze eruit als twee mannen die het gat in een dijk hadden weten te dichten.

'Succes met de controle van de belastingdienst,' riep Jo Bohr na. Over zijn schouder wierp hij haar een achterdochtige blik toe.

6 2

Jo keek Bohr en Dart na tot ze de hoek om waren. Toen ze zeker wist dat ze weg waren, deed ze de deur open.

'Geen sprake van. Je speelt geen Halo 3.'

Gabe voerde met schorre stem een telefoongesprek. Tot haar stomme verbazing zat hij op de rand van het bed, bleek en met asgrauwe kringen onder zijn ogen. Hij droeg een spijkerbroek die half was dichtgeritst, een reep wit verband om zijn borst, een infuus en verder niets.

'Omdat ik het zeg, moppie,' bracht hij hijgend uit.

Hij zag er uitgeput uit. Jo vermoedde dat dat niet alleen kwam door de kogel die dwars door hem heen was gegaan, maar ook van de inspanning van het aankleden. Ze zag de oude littekens bij zijn heup. Sneeën en hechtingen bestippelden de rechterkant van zijn lichaam tot in zijn haarlijn – nog meer vlekken voor de luipaard.

'Tante Regina brengt je na de lunch hierheen. Tot dan, *mija*.' Hij glimlachte zwakjes, maar welgemeend, en nam afscheid.

Jo vouwde haar armen over elkaar. 'Waarom ben jij uit bed?'

'Omdat ik me liggend niet kon aankleden. En ik ben dus echt niet van plan om naar Dave Rabins kamer te lopen in zo'n ziekenhuishemd waar mijn blote kont uit steekt.'

Met één vinger gebaarde Jo dat hij moest opstaan. Dat deed hij, maar het lukte hem nauwelijks. Zijn gezicht vertrok van de pijn, die hij verbeet.

Hij zou in zijn eentje nog geen twee stappen kunnen zetten. En dat zou hij nooit toegeven.

Maar Jo drukte hem niet met zijn neus op de feiten, want het leek haar niet het goede moment. 'Hou je adem in.' Ze pakte de rits beet. 'Dit gaat pijn doen.'

Hij hield zijn adem niet in, want dat zou ondraaglijk zijn geweest.

Jo keek hem aan en vroeg zwijgend of hij zeker wist dat hij dit wilde.

Hij legde zijn handen op haar schouders. Ze trok de rits dicht.

Binnensmonds zei hij: '*Dios*.'

Jo raakte zijn borst aan. Hadden ze een toekomst als ze hun ogen sloten en hun verleden lieten rusten, of waren ze op weg naar een afgrond?

Voorzichtig ging hij weer zitten. 'Bohr en Dart leken echt blij te zijn dat ik nog leef.'

'Terecht. Je hebt een kogel opgevangen voor de president. Waarschijnlijk heb je hun banen gered.'

Zijn blik was peinzend. 'Denk je dat we het hele verhaal te horen hebben gekregen?'

'Nee. Het officiële verhaal is niet het hele verhaal, en heel veel mensen zijn blij als dat zo blijft.'

'Laat je het verder rusten?'

'Misschien,' antwoordde ze. 'Maar nu nog niet.'

Hij keek haar een paar tellen aandachtig aan. Ze pakte zijn hand.

'Iemand noemde me een verslaafde en zei dat jij mijn crack bent,' zei ze.

'Ik zie mezelf liever als snoepje.'

'Ze zei dat ik gevaarlijke situaties opzoek en me erin stort.'

'En dat ik deze keer zonder parachute ben gesprongen?' vroeg hij.

Ze schudde haar hoofd. Draai aan het magazijn, haal de trekker nog een keer over. Ze had hem aangespoord om zijn leven te riskeren. Ze hadden ongelooflijk veel geluk gehad.

'Je schuld is afgelost, Gabe. Je hoeft je leven niet voor mij in de waagschaal te stellen.'

'Johanna Renee.' Hij zei het zachtjes. 'Misschien ben ik een trage leerling, maar uiteindelijk bereik ik mijn doel. En ik doe wat ik wil. Je zet me nergens toe aan.'

'Ik...' Haar stem brak.

'Het spijt me dat je bezorgd om me bent geweest.' Hij schraapte zijn keel, maar zijn stem bleef schor. 'De blik op je gezicht toen je bij de kathedraal bij me kwam, ik... Ik zag dat er gradaties van verdriet bestaan die ik nooit heb ervaren.' Een bedroefde blik gleed als een brekende golf over zijn gezicht. 'Ik had die blik één keer eerder gezien. Ik zag hem in je ogen op de dag dat Daniel stierf.'

Jo kreeg het ijskoud. Ze wilde iets zeggen, maar Gabe legde een vinger op haar lippen.

'Je hoeft niet altijd iets te zeggen.'

'Dat is mijn vak. Het is mijn werk om met mensen te praten.'

'Nee, je luistert naar ze. Luister nu dan ook naar mij.' Hij boog zich naar haar toe en fluisterde in haar oor. 'Het komt goed met ons.'

Haar hart bonkte van angst en liefde toen ze hem in haar armen hield, en ze bad dat hij gelijk had.

63

De zon hing goudkleurig aan de westelijke hemel toen Jo buiten muziek hoorde. Ze zat thuis in kleermakerszit op de bank, met een bord vol tempura en sashimi van de sushibar onder aan de heuvel. De dvd van *The Sopranos* zat in de speler en Tina was onderweg met popcorn en een enorme doos Ghirardelli-chocola.

Ze drukte op de afspeelknop, maar weer zocht een melodietje een weg door de lucht. Het klonk heel oud en Aziatisch. Met haar bord in haar hand liep ze naar het erkerraam, waar ze met haar eetstokjes halverwege haar mond verstijfde. In het park liet een draagbare stereo-installatie traditionele Japanse bamboefluitmuziek van een Shakuhachi horen. Ferd, gekleed in een basketbalbroek en met een hoofdband om, was iets aan het oefenen met Ahnuld de robot. Was het kickboksen, of danste hij de *hustle*? Hij draaide zich om, zag haar en grijnsde van oor tot oor.

'Hoi, partner!' Hij stak enthousiast zijn duimen naar haar op.

'O god.'

Ze stond nog steeds ontzet voor het raam toen er twee zwarte Chevrolets voor haar huis stopten. Even later werd er scherp en dwingend op haar deur geklopt.

Toen ze opendeed, staarde de man in het donkere pak haar aan alsof hij haar met röntgenstralen doorlichtte. Ondanks de goede snit verhulde zijn zwarte jasje de holster onder zijn linkerarm niet. Het oortje en de zonnebril completeerden zijn look.

'Dokter Beckett?' vroeg hij.

Zijn metgezel stond een meter achter hem, om hem in de rug te beschermen en de straat in de gaten te houden. Ze zag er hetzelfde uit als hij; ze droeg alleen kleinere maten.

'Wat kan ik voor u doen?' vroeg Jo.

Binnen klonk muziek uit de televisie. *Woke up this morning, got yourself a gun...*

'Kunt u met ons meekomen?'

'Wat is er aan de hand?' vroeg Jo.

De vrouw onderbrak haar surveillance en bekeek Jo van top tot teen. 'U kunt beter iets anders aantrekken dan een joggingbroek.'

Jo hield de deurknop vast.

'En misschien is het een goed idee om uw haar te borstelen,' zei de vrouw.

'U kunt hier blijven wachten, of u kunt naar *The Sopranos* kijken terwijl ik me omkleed.'

'Zesde seizoen?' vroeg de vrouw.

Drie kwartier later namen de regeringsauto's op de Bayshore Freeway een afslag vlak bij San Francisco International Airport. Door het getinte glas zag Jo de weg voorbij flitsen. Een hek rolde open en verschafte hun toegang tot een afgelegen deel van de luchthaven.

Jo hield haar telefoon tegen haar oor. 'Bedankt, mevrouw Hicks.'

Ze nam afscheid en stopte de telefoon weg. Wat Vienna haar zojuist had verteld, maakte alles uiteindelijk duidelijk. Eindelijk vormden alle bizarre en verontrustende momenten van de afgelopen dagen een coherent plaatje, ook al wreef dat als schuurpapier over Jo's zenuwen. Ze haalde adem. Haar hersenen werkten op volle toeren en ze vroeg zich af wat ze nu moest doen.

De regeringsauto's scheurden in de richting van de baai, langs geparkeerde bedrijfsjets, vliegtuigen van de kustwacht en een vracht-747 van Japan Airlines. Op het tarmac achter de start- en landingsbanen stond Air Force One.

De auto's werden onder aan de trap van de 747 geparkeerd. Meneer Geheim Agent maakte Jo's portier open. Jo stapte uit en streek haar rok glad.

'U ziet er prima uit,' zei Mevrouw Geheim Agent.

Tussen de twee agenten in liep Jo de trap op. Vanaf de baai blies een zilte bries naar hen toe. In de cockpit liepen twee piloten controlelijsten na.

Ze liep door de deur van het vliegtuig, die naar binnen openging. De donkere pakken namen haar mee door het vliegtuig, langs geüniformeerde mannen en vrouwen van de luchtmacht, langs een aantal knappe koppen op first class-stoelen die onderuitgezakt en met opgerolde mouwen de website FiveThirtyEight.com volgden. De vloerbedekking was hoogpolig. Ze stonden stil voor een deur en klopten.

'Binnen.'

Meneer Geheim Agent deed de deur open. 'Dokter Beckett, meneer de president.'

De agent stapte opzij, zodat Jo naar binnen kon lopen. Hij deed de deur dicht en toen stond Jo op nog dikkere vloerbedekking, nu met het presidentiële zegel erop.

Robert McFarland stond op van zijn stoel en liep met uitgestrekte hand om zijn bureau heen. 'Dokter Beckett. Aangenaam.'

Jo gaf hem een hand alsof ze in trance was, terwijl ze zijn gitzwarte haar, ontspannen hardlopershouding en koele cowboyblik opnam. 'Meneer de president.'

'Bedankt voor uw komst.'

'Graag gedaan.' Want ik ben u gisteren bij de kathedraal misgelopen, flapte ze er bijna uit.

Hij gebaarde naar een bank en een paar fauteuils. 'Ga zitten.'

Ze nam plaats. Hij liep naar een dressoir waarop kristallen karaffen met glinsterende drankjes stonden. 'Wilt u iets drinken? Het mag, want de geheime dienst is vanavond uw chauffeur.'

Hij was langer dan ze had gedacht, en slanker. En veel krachtiger. Hij straalde... leiderschap uit. Als Air Force One boven South Dakota zonder brandstof kwam te zitten, zou het toestel volgens haar op McFarlands zelfvertrouwen en energie nog naar Washington kunnen vliegen. Hij schonk voor zichzelf een glas Jameson in en keek even naar haar.

'Voor mij een Schotse whisky, alstublieft.'

Hij schonk een vingerdikte Glenmorangie voor haar in en nam het glas voor haar mee.

'Dank u,' zei ze. '*Sláinte.*'

Hij hief zijn glas en ging tegenover haar zitten. 'Ik wilde u persoonlijk bedanken voor wat u gisteren hebt gedaan, ook namens mijn vrouw.'

'Geen dank.'

'Ik ben sergeant Quintana en inspecteur Tang ook dank verschuldigd. Hun moed was voorbeeldig.'

'Dat vind ik ook.'

Zijn ogen vonkten. Het was niet haar bedoeling geweest om een ondertoon in haar stem te laten doorklinken. Ze moest haar best doen om niet te trillen of om aan een rare, plotselinge kleptomanie toe te geven en een asbak te stelen. Hij staarde haar aan. Ze kon zich niet herinneren dat ze ooit zo behoedzaam en geconcentreerd was aangekeken.

'Ik wil het over Tasia hebben. In vertrouwen,' zei hij.

'Uiteraard, meneer de president.'

Ik wil graag meer over Tasia horen, en ook over een paar andere zaken, dacht ze. Zou hij er zelf over beginnen, of moest ze ernaar vragen? 'Waarom had ze in Virginia een afspraak met u gemaakt?'

'Ik denk dat u dat wel weet.'

'Ace Chennault had haar gestuurd.'

'Ja.'

'Ze was ernstig in de war,' zei Jo. 'Ze was manisch en kreeg niet de juiste medicijnen.'

'Dat was pijnlijk duidelijk.' Hij steunde op zijn knieën en bestudeerde zijn Waterford-tumbler. 'We zijn te jong getrouwd, maar ik hield van haar. Ze was een meteoor. Geen van beiden wisten we iets van haar bipolaire stoornis. Ik hoef u niet te vertellen dat die jaren voor ons allebei eigenlijk een hel waren. Haar stemmingswisselingen, mijn uitzendingen... En we wilden een gezin. Ze heeft vijf miskramen gehad.' Hij keek haar aan. 'Het was verschrikkelijk.'

Jo knikte.

'Ze werd suïcidaal. Een arts in het leger gaf haar antidepressiva. MAO-remmers.'

Monoamine-oxidaseremmers. Die konden schade veroorzaken aan ongeboren kinderen.

'En toen raakte ze weer zwanger. Niet gepland. We waren bang.

342

We wisten allebei dat ze in haar toestand met geen mogelijkheid voor een kind kon zorgen.' Hij bleef haar aankijken. 'Begrijpt u wat ik bedoel?'

'Jazeker.'

'Ze beëindigde de zwangerschap.'

Jo zei niets. McFarland nam haar taxerend op.

'Ik heb altijd gezegd dat abortus een vrije keuze is. Ook tijdens mijn campagnes. Toch smeekte Tasia me de waarheid nooit bekend te maken. Ik zei dat ik dat nooit zou doen. Ik ben van plan me aan die belofte te houden.'

'Tasia's medische dossiers zijn uit de militaire archieven gehaald,' zei Jo.

'Het heeft geen zin om die dossiers openbaar te maken. En ze zouden een politieke rel veroorzaken.'

Ja, nogal wiedes. 'Ongetwijfeld.'

'Ik hou me aan mijn belofte aan Tasia.'

'Ik begrijp het.'

Zijn ogen vonkten weer. Hij hoorde haar ondertoontje. Wat komt het prachtig uit dat het geheimhouden van Tasia's abortus zo netjes bij uw politieke aspiraties past. Wat een bof dat u in de positie bent om militaire dossiers te laten verdwijnen.

Ze draaide haar glas. Het kristal brak het licht. 'Hoe heeft Tasia u overgehaald om naar die afspraak in Virginia te komen? Zei ze dat ze over haar autobiografie wilde praten?'

Jo probeerde zijn gelaatsuitdrukking te peilen. Die was hard en listig geworden. 'Ze zei dat ze alles wilde vertellen, nietwaar? U hebt met haar afgesproken om erachter te komen of ze de waarheid over de zwangerschap zou onthullen. U wilde haar op andere gedachten brengen.'

'U komt in de buurt.'

'Chennault wilde toegang tot u. Tasia had een heel goed argument nodig om u zover te krijgen dat u haar in het geheim wilde ontmoeten. Het is de logische conclusie.'

Hij leunde achterover, maar hij bleef haar aankijken.

'Tijdens de rit hierheen heb ik Vienna Hicks gesproken,' zei Jo.

McFarland ademde in. Hij leek de helft van alle zuurstof in het vertrek op te zuigen. En die reactie bevestigde alles wat Vienna haar door de telefoon had verteld. Die reactie verklaarde alles wat ze tijdens de aanval op het advocatenkantoor had gezien, en van Searle Lecroix, Ace Chennault, Howell Waymire en K.T. Lewicki had gehoord.

Ze besloot in het diepe te springen.

'Lewicki was verliefd op Tasia,' zei ze.

McFarland verroerde zich niet.

'Hij was getuige bij uw huwelijk, maar Vienna vertelde dat ze tijdens de huwelijksreceptie met zijn tweeën stomdronken zijn geworden. Hij verdronk zijn verdriet,' zei ze.

McFarland had nog steeds niet uitgeademd.

'Vóór de aanval zei Lewicki in Vienna's kantoor iets vreemds. Hij zei dat Tasia spelletjes speelde. "Of het nu om liefde, het leven of een oorlog ging, het maakte haar niet uit." Hij klonk boos en hartstochtelijk. Hij zei dat ze mensen tegen elkaar uitspeelde alsof ze poppen in haar manische poppenhuis waren.'

McFarland zag eruit alsof hij zijn tumbler wilde fijnknijpen.

'Ik begreep zijn opmerking niet en wist ook niet waarom hij zo fel klonk. En ik snapte niet hoe Vienna hem de mond kon snoeren met een bitse opmerking over de toost die hij bij uw huwelijk uitbracht. Maar daarnet heeft ze me verteld wat Lewicki die dag tegen u zei. "Oké, jij wint."'

Hij liet een korte stilte vallen. 'Zo was Kel.'

Jo schudde haar hoofd. 'Dat is me nogal een toost.'

Ze haalde een foto uit haar tas: McFarland en Lewicki in gevechtskleding, bezig om Tasia op hun schouders te hijsen.

'Hij hield vanaf het begin van haar en bleef van haar houden, ook na uw huwelijk. Ze kroop onder zijn huid en hij kon zich niet van haar losmaken.'

McFarland staarde naar de foto. Hoewel hij pas twee slokjes van zijn Jameson had genomen, stond hij op om nog wat in te schenken. Zijn reactie bevestigde Jo's vermoedens. Haar onzekerheid verdween. Ze zette zich schrap.

'En het was geen onbeantwoorde liefde, hè?' vroeg ze.

'Waar wilt u naartoe?'

'Vienna vertelde dat Tasia tijdens manische episodes met iedere beschikbare man in bed dook. Ze zei ook dat Lewicki een zwak voor

Tasia had, en dat hij haar geestelijke problemen eerder begreep dan u. Daarnaast schrok ze toen Chennault zei dat Tasia's autobiografie onthullingen over uw huwelijk zou bevatten die "zouden inslaan als een bom".'

McFarland schonk zichzelf nog een glas whisky in en begon te ijsberen.

'Searle Lecroix vertelde dat Tasia haar eigen verhaal herkende in de baby's die Jackie Kennedy had verloren. Sterker nog, hij zei dat Tasia kwaad werd als ze het woord zwangerschap hoorde,' zei Jo.

'Ja. Dat kan gebeuren na miskramen en een abortus.'

'Lecroix zei ook dat ze uiteindelijk nooit genoegen zou nemen met een doodgewone zanger, omdat ze de harten had veroverd van mannen die veel machtiger waren dan hij. Mannen, meervoud.'

Hij zweeg even. 'Kel was mijn vriend,' zei hij.

'En rivaal,' zei Jo. 'Hij raakte Tasia én zijn eigen hoop op politieke suprematie kwijt. Daarom wilde hij u ruïneren en uiteindelijk doden.'

McFarland draaide zich om en staarde naar haar.

'De pers noemde hem de Waakhond, maar hij voelde zich een schoothondje. Hij vond dat hij het verdiende om president te worden. Hij besloot zich van u te ontdoen en zichzelf als uw opvolger naar voren te schuiven.'

Ze hield haar glas stevig vast. 'Lewicki huurde Chennault in om u uit de weg te ruimen en droeg hem op om Tasia als zondebok te gebruiken. Als het op een moord-zelfmoord zou lijken, met gekke Tasia als de dader, zou niemand denken dat het om een politieke moord ging. Er zouden geen hoorzittingen in het Congres komen en er zouden geen speciale aanklagers op de zaak worden gezet. Het zou gewoon een verschrikkelijk tragisch incident zijn geweest.'

Zijn blik leek haar te verschroeien. Hij daagde haar uit om met bewijzen voor haar beschuldigingen te komen.

'Chennault had partners, een voormalige huurling en een blanke raciste. Hij had uitgebreide dossiers over hen. Die heeft hij van een bron binnen de regering gekregen.'

'U zult met betere bewijzen moeten komen.'

'Tijdens de eerste minuten van de aanval op het advocatenkantoor deed Lewicki een paar dingen die ik vreemd vond, maar op dat moment had ik geen tijd om erover na te denken. De receptioniste zei dat Ivory sneeuwwit haar had. Het was een zeer opvallend kenmerk – echt heel extravagant. Lewicki leek geschokt te zijn. Inmiddels denk ik dat hij niet overrompeld werd door de beschrijving, maar dat hij geschokt was omdat hij wist wie ze was.'

McFarland nipte aan zijn whisky en bleef ondertussen naar haar kijken.

'Tijdens het abseilen deed Lewicki twee keer – niet één, maar twee keer – iets wat me het leven had kunnen kosten. Eerst liet hij de kabel los, waardoor ik bijna mijn grip verloor. Hij leunde uit het raam en geloof me, hij was hevig geschokt dat hij me nog zag hangen. Hij zei zelfs: "Ik dacht dat u was gevallen." Daarna stuurde hij Dana Jean naar buiten, terwijl ik meer dan eens had geroepen dat ik er nog niet klaar voor was, dat het gevaarlijk was.'

'Paniek.'

'Dat dacht ik ook, totdat ik Howell Waymire sprak.' Jo haalde adem. 'Toen ik hem op de spoedeisende hulp zag, pakte hij mijn hand en zei hij: "Ik wilde met eigen ogen zien dat u nog leefde." Ik zei dat ik geluk had gehad. Hij zei: "Nee, die rotzak heeft u met opzet laten vallen."'

Jo leunde naar voren. 'Lewicki probeerde me te doden. Ik was de enige die wist van Chennault en het plan om u te vermoorden. Hij liet mij als eerste het raam uit gaan om te kijken of de kabel zou houden. Daarna probeerde hij te zorgen dat ik viel.' Ze zweeg even. 'Toen hij zag dat ik in veiligheid was, keek hij... woedend. Vrijwel meteen besefte hij dat hij me nodig had om hem naar binnen te trekken. Maar het was al te laat. Hij en Keyes vielen van de kabel.'

McFarland ging zitten en staarde naar zijn handen. Toen hij opkeek, leek hij nog niet overtuigd.

'Bent u wel eens in Hoback, Wyoming geweest?'

Hij zat zo stil als een scherpschutter.

'Chennault had Tasia en Noel Michael Petty luciferboekjes van een truckerscafé in Hoback gestuurd.'

Het duurde een paar seconden voordat hij iets zei. 'Kel had vlak bij Hoback een blokhut in de bergen. Voor de jacht.'

Jo liet de stilte neerdalen. Toen ze haar mond weer opendeed, viel McFarland haar niet in de rede en sprak hij haar niet tegen.

'Lewicki wilde u te gronde richten. En hij koesterde een wrok tegen Tasia omdat ze hem voor u had verlaten.' Ze leunde naar voren. 'En Lewicki's betrokkenheid verklaart waarom de regering het onderzoek naar Tasia's dood de kop wilde indrukken door iedereen die zich ermee bezighield te intimideren. Dat gebeurde op zijn verzoek.'

McFarland zat roerloos in het gedempte licht. 'Wat heeft Vienna u nog meer verteld?'

Jo zweeg even en dronk de rest van haar whisky op om moed te verzamelen. 'Tasia raakte zwanger toen u naar het buitenland was uitgezonden. Het kind kon niet van u zijn.'

Buiten steeg een vliegtuig op.

'Het kind was van Lewicki,' zei ze.

In het vertrek was de verstikkende stilte een bekentenis, ongetwijfeld de enige die ze zou krijgen.

'Daarom hebt u Tasia's medische dossiers achtergehouden,' zei Jo.

Hij moest zich hebben afgevraagd met wie Tasia hem had bedrogen en bang zijn geweest dat ze op het punt stond dat in haar autobiografie te onthullen. Jo herinnerde dat Vienna had gezegd: 'Ze heeft zijn hart gebroken.'

'Lewicki had niet alleen politieke redenen om u te haten, maar ook zeer persoonlijke,' zei ze.

Een grotere animositeit was niet denkbaar. McFarland had Tasia overgehaald om Lewicki's kind te aborteren.

Jo had behoefte aan meer whisky. Ze had behoefte aan de hele fles.

McFarland zweeg een volle minuut. Toen zette hij zijn glas neer.

'Ik zal liegen of het gedrukt staat en ontkennen dat dit gesprek ooit heeft plaatsgevonden. Daar kunt u op rekenen.'

'Ik geloof u.' Jo ging zachter praten. 'Dit komt allemaal niet in mijn rapport te staan.'

Het volgende moment toonde hij karakter in deze moeilijke situatie, meer karakter dan Jo ooit had kunnen voorspellen. 'Maar bedankt dat u zo diep hebt gegraven om Tasia's dood te doorgronden. Dat verdiende ze.'

'Ik vind het fijn dat u dat zegt, meneer de president.'

Hij keek haar lang, kalm en aandachtig aan. 'Een zware week. Kan ik nog iets voor u doen voordat u naar huis gaat?'

'Nou, nu ik de kans krijg om Air Force One te zien, heb ik wel een vraag over militaire procedures.'

Hij spreidde zijn handen. 'Ik heb in het leger gezeten. Wat wilt u weten?'

Ze maakte haar tas open en haalde er kopieën van Gabes plaatsingspapieren uit.

Ze gaf ze aan McFarland, die achterover leunde en ze langzaam en met een neutrale blik doorlas. Het was stil in het vertrek.

'Weet Quintana dat zijn plaatsing wellicht is veranderd door politieke...'

'Nee. En hij weet ook niet dat ik zijn papieren aan u laat zien. Hij zou nooit om uitstel of een andere plaatsing vragen.' Haar stem brak. 'Ik ook niet. Hij is klaar om te gaan.'

Ze vermande zich. 'Maar ik wilde dat u het wist.'

Hij keek haar recht in de ogen. 'Ik ga dit uitzoeken.'

Hij stond op. Jo ook. Ze gaven elkaar een hand.

Er klonk een klop op de deur, en een medewerkster van de president stak haar hoofd naar binnen. 'We zijn klaar voor de uitzending, meneer de president.'

De donkere pakken stonden bij de openstaande deur van het vliegtuig op Jo te wachten. Uit de televisietoestellen achter Jo klonk de stem van McFarland, die het land toesprak.

'Mijn waarde landgenoten, vanavond wil ik het hebben over de moed van de mensen die mij gisteren met gevaar voor eigen leven hebben gered. Sergeant Gabriel Quintana van de California Air National Guard, inspecteur Amy Tang en agent Declan McNamara van de politie van San Francisco...'

Jo vroeg zich af wat er nu zou gebeuren. Hoorzittingen in het Congres? Een commissie die onderzoek zou doen naar de samenzwering om de president te vermoorden? Zou de verklaring voor Lewicki's rol luiden dat hij naar macht had gehongerd?

Ze bleef even in de deuropening van het vliegtuig staan.

'... en met name K.T. Lewicki, met wie ik mijn hele leven bevriend ben geweest. Hij heeft zijn leven gegeven, niet alleen om andere mensen te redden tijdens de aanval op Waymire & Fong, maar ook om het ambt van president te behouden en te beschermen. De allergrootste dienst die je de maatschappij kunt bewijzen, is je leven opofferen voor het vaderland.'

In de deuropening beukte de wind tegen Jo aan. Ze liet haar blik over het tarmac dwalen. De steeds zwakker wordende avondzon scheen goudkleurig en gestaag in haar ogen. Ze zette haar zonnebril op en wendde zich tot de geheime dienst.

'Kom, wegwezen hier.'

WOORD VAN DANK

Ik wil mijn uitgevers, Ben Sevier van Dutton en Patrick Janson-Smith van Blue Door, bedanken voor hun fantastische adviezen en onvermoeibare steun. Mijn dank gaat verder uit naar mijn literair agenten, Sheila Crowley en Deborah Schneider, en naar een aantal anderen die me hebben geholpen om dit boek zo goed mogelijk te maken: Paul Shreve, dokter Sara Gardiner, dr. John Plombon, Lloyd Wood, Mary Albanese, Suzanne Davidovac, Adrienne Dines, Kelly Gerrard, Susan Graunke en Kathy Montgomery.